NAPOLEON HILL

QUEM PENSA ENRIQUECE

O LEGADO

EDIÇÃO ATUALIZADA E COMENTADA PELA FUNDAÇÃO NAPOLEON HILL

Título original: *Think and Grow Rich - The 21st-Century Edition - Annotated with Update Examples*

Quem pensa enriquece - O legado

16ª edição: Maio 2021

Autor:
Napoleon Hill

Tradução:
Mayã Guimarães

Preparação de texto:
Lúcia Brito

Revisão:
3GB Consulting

Projeto gráfico:
Dharana Rivas

DADOS INTERNACIONAIS DE CATALOGAÇÃO NA PUBLICAÇÃO (CIP)

H647q Hill, Napoleon
Quem pensa enriquece - O legado / Napoleon Hill. – Porto Alegre : CDG, 2018.
368 p.

ISBN: 978-85-68014-54-7

1. Motivação. 2. Autorrealização. 3. Sucesso pessoal. 4. Autoajuda. 5. Psicologia aplicada. I. Título.

CDD - 131.3

Produção editorial e distribuição:

contato@citadel.com.br
www.citadel.com.br

O DESLEIXO EM ALARGAR A VISÃO MANTEVE MUITA GENTE FAZENDO A MESMA COISA A VIDA INTEIRA.

– Napoleon Hill

PREFÁCIO

PARA HOMENS E MULHERES INDIGNADOS COM A POBREZA

onheci a obra de Napoleon Hill em 1978, com 14 anos de idade, em Balneário Camboriú, Santa Catarina. Pense e enriqueça me tirou de uma situação muito adversa. Fui engraxate, vendedor de picolé, servente de pedreiro, vendedor de lenha de casa em casa e empacotador no supermercado em troca de gorjetas para ajudar no sustento da família de dez irmãos. O trabalho duro nunca me tirou a vontade de ler. Para minha sorte, havia um exemplar deste livro na pequena biblioteca pública a poucas quadras de onde eu morava. E nele aprendi algo memorável: eu não era pobre; apenas não tinha dinheiro naquele momento.

Na capa da primeira edição estava escrito em letras pequenas acima do título: "Para homens e mulheres indignados com a pobreza". Rebelei-me e decidi que não permaneceria mais muito tempo subordinado à situação difícil em que me encontrava.

Com a mentoria do livro de Napoleon Hill, estruturei um caminho passo a passo, um planejamento minucioso que com o passar dos anos me levou a uma condição muito interessante e me possibilitou conhecer muitos países, ter encontros com reis e rainhas, como os soberanos da Holanda, e com presidentes de nosso país. Tive a honra de participar de eventos na sede da ONU em Nova York como ouvidor convidado, ministrar aulas como professor convidado da Universidade da Califórnia, além de me tornar conselheiro mundial da Fundação Napoleon Hill. Todas as realizações me foram possíveis porque fiz um planejamento estruturado para construir uma vida de prosperidade baseado na obra de Hill.

Sempre haverá abundância de capital para aqueles que ousam criar planos práticos para usar estes recursos.

É isso que este livro nos ensina.

O texto que você vai ler é o resultado de praticamente trinta anos de pesquisa de Napoleon Hill e é de longe a mais respeitada e influente obra escrita sobre desenvolvimento pessoal. Ao concluir suas obras iniciais, Hill legou ao mundo mais um evangelho. Quando começou a fazer a sua "pregação", entendeu que o destino e as circunstâncias exteriores não estavam mais no comando, pois o homem que toma a resolução de vencer será detentor do talento de transformar sonhos em realidade – e converter pensamentos em realizações.

Este livro já foi testado pelo mais severo dos inquiridores: o tempo! Pois só alcança o futuro aquilo que tem fundamento. Foi testado também pelos cerca de setenta milhões de leitores que o compraram desde o lançamento, em 1937.

Às vezes, aqui e ali, surge a questão: "Afinal de contas, quando é que um livro é bom?".

Não tenho medo de responder: um livro é bom quando conseguimos aplicar as ideias contidas nele e ver bons resultados aparecerem em nossa vida.

Para um melhor aproveitamento das leituras, eu e toda a equipe do Treinamento MasterMind temos um método de três pontos que chamamos de LGD – Ler, Grifar e Definir. Esse método me ajudou muito a aproveitar melhor cada um dos mais de mil livros que li em quarenta anos de estudo. Funciona assim:

Primeiro: leia atentamente, com olhos de pesquisador, porque dentro deste livro há um segredo.

Segundo: grife as ideias que pareçam as mais importantes para a sua vida nesse momento.

Terceiro: defina! No final do livro, faça um resumo dos principais pontos, definindo um plano de ação para aplicação.

Este livro já provou que é bom. A questão é: o que ele pode fazer por você? Fique atento. Aquilo que você não sabe, você não enxerga. Leia este livro como se o autor estivesse falando com você. Coloque-se dentro do livro. Quem examina bem uma causa, com cuidado, prospera, já nos ensinava o sereníssimo e venerável Salomão em seus provérbios no livro da lei, a Bíblia.

JAMIL ALBUQUERQUE
Presidente do Mastermind e representante da Fundação Napoleon Hill
para a língua portuguesa e América do Sul

FOTO PUBLICITÁRIA DO AUTOR, NAPOLEON HILL, EM 1955

Foto cortesia da Fundação Napoleon Hill

SUMÁRIO

CAPÍTULO I

O SEGREDO DO SUCESSO

m todos os capítulos deste livro, é mencionado o segredo para ganhar dinheiro que fez a fortuna de homens excepcionalmente ricos, que analisei durante um longo período de anos.

Quem primeiro chamou minha atenção para o segredo foi Andrew Carnegie. O sábio e adorável velho escocês o jogou em minha cabeça de um jeito descuidado quando eu era pouco mais que um menino. Depois sentou em sua cadeira e, com um brilho alegre nos olhos, observou com atenção para ver se eu tinha inteligência suficiente para entender o pleno significado do que ele me havia dito.

Quando viu que eu tinha apreendido a ideia, ele perguntou se eu estava disposto a passar vinte anos ou mais me preparando para levá-la ao mundo, para os homens e mulheres que, sem o segredo, poderiam seguir pela vida como fracassados. Eu respondi que sim, e com a cooperação de Carnegie, cumpri minha promessa.

COMENTÁRIO

Em 1908, durante um período particularmente difícil da economia dos Estados Unidos, sem dinheiro e sem emprego, Napoleon Hill conseguiu um trabalho de redator na *Bob Taylor's Magazine*. Ele foi contratado para escrever as histórias de sucesso de homens famosos. Embora o trabalho não pagasse muito, ofereceu a Hill a oportunidade de conhecer os gigantes da indústria e do comércio e traçar seus perfis – o primeiro deles foi o criador da indústria do aço nos Estados Unidos, o multimilionário Andrew Carnegie, que se tornaria mentor de Hill.

Carnegie ficou tão impressionado com a mente perceptiva de Hill que, depois da entrevista de três horas, o convidou para passar o fim de semana em sua propriedade para que pudessem continuar a discussão. Durante os dois dias seguintes, Carnegie disse a Hill que acreditava que qualquer pessoa podia alcançar a grandeza se entendesse a filosofia do sucesso e os passos necessários para alcançá-lo. "É uma pena", disse ele, "que cada nova geração deva encontrar o caminho para o sucesso por tentativa e erro, quando os princípios são realmente bem definidos."

Carnegie explicou sua teoria de que esse conhecimento poderia ser adquirido entrevistando aqueles que haviam alcançado grandeza e depois compilando as informações e a pesquisa em um conjunto compreensível de princípios. Ele acreditava que seriam necessários pelo menos vinte anos e que o resultado seria "a primeira filosofia de realização individual do mundo". Ele propôs o desafio a Hill e se dispôs a fazer as apresentações e pagar as despesas de viagens.

Hill levou 29 segundos para aceitar a proposta de Carnegie. Mais tarde, Carnegie disse a ele que, se tivesse demorado mais de sessenta segundos para tomar a decisão, ele teria retirado a proposta, porque, "se um homem não consegue tomar uma decisão prontamente uma vez de posse de todos os fatos necessários, não se pode esperar que cumpra qualquer decisão que tomar".

Foi graças à dedicação inabalável de Hill que este livro foi escrito um dia.

Para ter informações detalhadas sobre a vida de Hill, leia ou ouça o audiolivro de *A Lifetime of Riches: The Biography of Napoleon Hill*, de Michael J. Ritt Jr. e Kirk Landers. Michael Ritt trabalhou como assistente de Hill por dez anos e foi o primeiro funcionário da Fundação Napoleon Hill, onde atuou como diretor executivo, secretário e tesoureiro. O material neste livro provém de seu conhecimento pessoal sobre Hill e da biografia não publicada de Hill.

Este livro contém o segredo de Carnegie, um segredo testado por milhares [agora milhões] de pessoas de quase todas as condições de vida. Foi ideia de Carnegie que a fórmula mágica que deu a ele estupenda fortuna fosse colocada ao alcance de pessoas que não têm tempo para investigar como outros ganharam dinheiro. A esperança dele era que eu testasse e demonstrasse a solidez da fórmula por intermédio da experiência de homens e mulheres de todas as vocações. Ele acreditava que a fórmula deveria ser ensinada em todas as escolas públicas e faculdades. Dizia que, se fosse ensinada de maneira apropriada, revolucionaria todo o sistema educacional, e o tempo passado na escola poderia ser reduzido a menos da metade.

No Capítulo 4, sobre fé, você vai ler a surpreendente história da organização da gigante United States Steel Corporation. Ela foi concebida e realizada por um dos jovens por intermédio dos quais Carnegie provou que sua fórmula funciona para todos que estão preparados para ela. Essa única aplicação do segredo por Charles M. Schwab rendeu a ele uma imensa fortuna em dinheiro e oportunidade. Em uma estimativa rápida, essa aplicação particular da fórmula rendeu US$ 600 milhões.

Esses fatos dão uma boa ideia do que ler este livro pode trazer a você, desde que saiba o que quer.

COMENTÁRIO

De acordo com um método de cálculo que considera apenas a inflação, seriam necessários aproximadamente US$ 20 em 2001 para comprar o que US$ 1 compraria em 1901. Porém, encontrar o valor equivalente a US$ 600 milhões não é tão simples quanto multiplicar essa quantia pelo aumento do custo de vida. Embora haja outros fatores e variáveis para calcular o poder de compra, mesmo em estimativas conservadoras, os US$ 600 milhões se traduziriam em, no mínimo, US$ 12 bilhões no começo do século 21.

O segredo foi passado a milhares de homens e mulheres que o usaram em benefício próprio. Alguns fizeram fortuna com ele. Outros o utilizaram com sucesso para criar harmonia em casa. Um clérigo usou o segredo com tanta eficiência que assegurou um rendimento de mais de US$ 75 mil ao ano [aproximadamente US$ 1,5 milhão em termos contemporâneos].

Arthur Nash, um alfaiate de Cincinnati, usou seu negócio à beira da falência como "cobaia" para testar a fórmula. O negócio ganhou vida e rendeu uma fortuna para os proprietários. O experimento foi tão singular que jornais e revistas deram o equivalente a milhões de dólares em publicidade.

O segredo foi passado para Stuart Austin Wier, de Dallas, Texas. Ele estava pronto para isso, tão pronto que desistiu de sua profissão e estudou direito. Teve sucesso? Você vai ler a resposta no Capítulo 6, Conhecimento especializado.

Enquanto era gerente de propaganda da Universidade de Extensão La Salle, tive o privilégio de ver J. G. Chapline, presidente da universidade, usar a fórmula com tanta eficiência que fez da La Salle uma das grandes escolas de extensão do país.

O segredo é mencionado não menos que uma centena de vezes ao longo deste livro. Não foi diretamente nomeado, porque parece funcionar melhor quando é só deixado à vista, onde aqueles que estão prontos e procurando por ele podem pegá-lo. Por isso, Andrew Carnegie o transmitiu a mim sem dar seu nome específico.

Se você estiver pronto para colocá-lo em uso, vai reconhecer esse segredo ao menos uma vez em cada capítulo, mas não vai encontrar uma explicação de como saber se está pronto. Isso o privaria de boa parte do benefício que se tem ao fazer a descoberta sozinho.

Se você já ficou desanimado, se teve dificuldades que lhe roubaram a própria alma, se tentou e fracassou e já foi prejudicado por doença ou aflição física, a história de meu filho sobre a descoberta e o uso da fórmula de Carnegie pode ser o oásis que você esteve procurando no Deserto da Esperança Perdida.

Esse segredo foi usado extensivamente pelo presidente Woodrow Wilson durante a Primeira Guerra Mundial [e pelo presidente Roosevelt durante a Segunda Guerra Mundial]. Foi transmitido a cada soldado no treinamento que antecedia a ida para o *front*. O presidente Wilson me disse que ele foi um fator poderoso para angariar os fundos necessários à guerra.

Uma coisa peculiar desse segredo é que aqueles que o adquirem e o usam saltam para o sucesso literalmente. Porém, como é apontado com frequência neste livro, nada é de graça. O segredo tem um preço, embora esse preço seja muito inferior a seu valor.

Outra peculiaridade é que o segredo não pode ser doado nem comprado com dinheiro. A menos que você esteja procurando intencionalmente o segredo, não pode tê-lo por preço nenhum. Isso porque o segredo vem em duas partes, e para que você o tenha, uma delas já deve estar em suas mãos.

O segredo funciona para qualquer um que esteja pronto para ele. Educação não tem nada a ver com isso. Muito antes de eu nascer, o segredo chegou às mãos de Thomas Edison, e ele o usou com tanta inteligência que se tornou o principal inventor do mundo, embora tivesse apenas três meses de escolaridade.

O segredo foi passado para Edwin C. Barnes, sócio de Edison. Ele o usou de maneira tão eficiente que acumulou grande fortuna e se aposentou ainda jovem. Você vai encontrar a história dele no começo do próximo capítulo. O relato deve convencer o leitor de que a riqueza não está além do seu alcance e de que, seja qual for sua posição na vida, você ainda pode ser o que quiser ser. Pode ter dinheiro, fama, reconhecimento e felicidade se estiver preparado e determinado a ter essas bênçãos.

Como sei essas coisas? Você deve ter a resposta antes de terminar este livro. Talvez a encontre no primeiro capítulo, ou na última página.

Enquanto eu fazia a pesquisa encomendada por Andrew Carnegie, analisei centenas de homens bem conhecidos. Muitos deles atribuíam o acúmulo de suas vastas fortunas ao segredo de Carnegie. Entre esses homens estavam:

Henry Ford [fundador da indústria automobilística Ford, começou sem dinheiro e com pouca educação formal, mas se tornou um dos mais bem-sucedidos empresários autodidatas da história americana]

William Wrigley Jr. [vendedor viajante que descobriu que os clientes gostavam mais do chiclete que ele distribuía como prêmio do que dos produtos que ele vendia, então fundou a própria empresa]

John Wanamaker [conhecido como Príncipe Comerciante, criou a primeira loja de departamentos do mundo e foi ovacionado por suas inovações em marketing, atendimento ao cliente e benefícios para funcionários]

James J. Hill [conhecido como Construtor de Império, construiu a transcontinental Great Northern Railway, incentivou o assentamento no Oeste e estabeleceu rotas de transporte ligando Estados Unidos e Ásia]

George S. Parker [professor que se cansou de consertar as canetas dos alunos e criou um novo *design*, fundou a companhia de canetas Parker e transformou uma ideia simples em uma fortuna]

E. M. Statler [filho de um pastor pobre, começou como mensageiro e progrediu até fundar a cadeia de hotéis Statler, famosa pelo luxo e pelo "serviço com um sorriso"]

Henry L. Doherty [começou aos 12 anos como *office boy* da Columbia Gas, progrediu até ser proprietário de 53 companhias de serviços essenciais e patenteou 140 inovações para a produção de gás natural e petróleo]

Cyrus H. K. Curtis [começou em um pequeno semanário agrícola, que transformou no *Ladie's Home Journal*, criou o *Saturday Evening Post* e montou um dos maiores impérios jornalísticos]

George Eastman [inventor e fundador da Eastman Kodak Company, criou muitas das inovações que popularizaram a fotografia e transformaram a indústria cinematográfica]

Charles M. Schwab [braço direito de Andrew Carnegie, foi presidente da Carnegie Steel Company, agenciou o acordo que deu origem à U.S. Steel e fundou a Bethlehem Steel]

Theodore Roosevelt [26° presidente dos Estados Unidos da América, 1901-09]

John W. Davis [advogado e líder político, foi advogado-geral durante a presidência de Woodrow Wilson e mais tarde nomeado embaixador na Grã-Bretanha]

Elbert Hubbard [filósofo, editor da revista *The Fra* e fundador da colônia de artistas Roycrofters, também foi autor de muitos *best-sellers*, entre eles *Mensagem a Garcia*]

Wilbur Wright [dono de uma loja de bicicletas que, com seu irmão Orville, tornou-se o primeiro norte-americano a voar em uma aeronave mais pesada que o ar e movida a motor; eles foram pioneiros da indústria da aviação]

William Jennings Bryan [editor de jornal, candidato à Presidência, secretário de Estado do presidente William McKinley, mas talvez mais conhecido como o advogado que defendeu o criacionismo no Julgamento de Scopes]

DAVID STARR JORDAN [educador, cientista e autor de mais de cinquenta livros, foi o mais jovem presidente de universidade do país na Universidade de Indiana, e tornou-se o primeiro presidente da Universidade Stanford]

J. OGDEN ARMOUR [herdou o frigorífico da família, transformou-o em um conglomerado com mais de três mil produtos, foi proprietário do Chicago Cubs e diretor do National City Bank]

ARTHUR BRISBANE [jornalista e colunista publicado em rede, era procurado pelas grandes organizações de notícias e foi o mais lido e mais bem pago redator editorial de seu tempo]

FRANK GUNSAULUS [pregador de Chicago que fez um sermão tão poderoso que Philip D. Armour deu a ele US$ 1 milhão para começar o Instituto de Tecnologia Armour, do qual Gunsaulus foi presidente]

DANIEL WILLARD [presidente da B&O Railroad por mais de trinta anos, foi homenageado com uma cidade de Ohio que recebeu o nome de Willard]

KING GILLETTE [vendedor viajante, tentava se barbear em um trem em movimento quando teve a ideia de uma navalha segura, que se tornou a base de uma corporação gigantesca]

RALPH A. WEEKS [presidente da International Correspondence Schools, ajudou a financiar o Instituto Intra-Wall de Napoleon Hill, criado para educar e reabilitar detentos]

JUIZ DANIEL T. WRIGHT [instrutor na Escola de Direito de Georgetown, onde Napoleon Hill estudava quando a *Bob Taylor's Magazine* deu a ele a tarefa de escrever um perfil de Andrew Carnegie]

JOHN D. ROCKEFELLER [com US$ 1 mil de economias, mais US$ 1 mil emprestados do pai, começou uma empresa de querosene que cresceu e se tornou a gigante Standard Oil e uma das maiores fortunas do mundo]

THOMAS EDISON [inventor e empreendedor, aperfeiçoou a lâmpada elétrica, o fonógrafo, a câmera de filmar e era dono dos direitos de mais de mil invenções patenteadas]

FRANK A. VANDERLIP [garoto pobre que se tornou jornalista, reformador social e milionário, foi presidente do National City Bank, hoje Citibank, e secretário assistente do Tesouro]

F.W. WOOLWORTH [atendente em um armazém, foi pioneiro da ideia da venda a preço fixo e do autoatendimento e mudou para sempre a venda no varejo com sua cadeia de lojas de 5 e 10 centavos]

CEL. ROBERT A. DOLLAR [começou com uma pequena escuna comprada para transportar madeira pela Costa Oeste, construiu a Dollar Steamship Company, a maior frota de navios de luxo a navegar com a bandeira dos Estados Unidos]

EDWARD A. FILENE [fundador de lojas baseadas em Boston, criou métodos revolucionários de distribuição e *merchandising* e ficou famoso por criar a seção de vendas de produtos com preços rebaixados]

EDWARD C. BARNES [único sócio que Thomas Edison teve, pegou a máquina falha de ditado de Edison, a Ediphone, e a vendeu com tanto sucesso que ela se tornou um acessório nos escritórios e fez dele um milionário]

ARTHUR NASH [fabricante de roupas em Cincinnati que usou a empresa falida como cobaia para testar o segredo de Carnegie e alcançou tanto sucesso que os jornais o fizeram famoso como "Nash da Regra de Ouro"]

CLARENCE DARROW [famoso como advogado, orador e defensor dos oprimidos, talvez mais conhecido como o advogado que defendeu o ensino da teoria da evolução no Julgamento de Scopes]

WOODROW WILSON [28° presidente dos Estados Unidos da América, 1913-21]

WILLIAM HOWARD TAFT [27º presidente dos Estados Unidos da América 1909-13]

LUTHER BURBANK [horticultor mundialmente famoso que introduziu mais de oitocentas novas variedades vegetais em seu esforço para melhorar a qualidade das plantas e assim aumentar o suprimento de alimentos no mundo]

EDWARD W. BOK [embora tivesse apenas seis anos de escolaridade, aos vinte anos se tornou editor do *Ladies' Home Journal*, que ajudou a transformar na revista de maior circulação do mundo]

FRANK A. MUNSEY [operador de telégrafo que desistiu de lançar a revista *Argosy*, depois apostou sua fortuna em um império jornalístico que incluía o *Washington Times* e o *New York Herald*]

ELBERT H. GARY [presidente da U.S. Steel, na época a maior corporação do mundo, comandou a construção de seu primeiro grande projeto, a usina de aço Gary Works e a cidade de Gary, em Indiana]

ALEXANDER GRAHAM BELL [mais conhecido como inventor do telefone, também aperfeiçoou aparelhos de gravação, promoveu avanços em aeronaves e foi cofundador da National Geographic Society]

JOHN H. PATTERSON [presidente da National Cash Register, conhecido como um visionário da propaganda e gênio da motivação de sua equipe de vendas, o que fez da NCR a líder em seu ramo]

JULIUS ROSENWALD [pequeno fabricante que anteviu o futuro das vendas por catálogo, comprou 25% da Sears, Roebuck, & Co. e, com Richard Sears, transformou-a em um ícone do comércio norte-americano]

STUART AUSTIN WIER [engenheiro civil que Hill conheceu nos campos de petróleo do Texas e que, inspirado pelo segredo de Carnegie, foi estudar direito depois dos quarenta anos e também se envolveu na publicação da *Napoleon Hill's Magazine*]

FRANK CRANE [conhecido psicólogo, ensaísta e autor do livro *Four Minute Essays*, sobre assuntos como o preço da liberdade, o pragmatismo, o dever do rico e a forma de conservar amigos]

J. G. CHAPLINE [presidente da Universidade de Extensão La Salle na época em que Napoleon Hill trabalhava no departamento de propaganda e vendas da universidade, onde Hill percebeu pela primeira vez seu talento para motivar pessoas]

JENNINGS RANDOLPH [executivo de companhia área, congressista, depois senador pela Virgínia Ocidental, foi grande admirador de Napoleon Hill e quem incentivou Hill a atuar como conselheiro do presidente Franklin Delano Roosevelt]

Esses nomes representam uma pequena fração dos norte-americanos famosos cujas realizações financeiras e de outras naturezas provam que aqueles que entendem e usam o segredo de Carnegie alcançam elevadas posições na vida.

COMENTÁRIO

Como diz Napoleon Hill, a lista anterior inclui só alguns dos mais de quinhentos multimilionários e indivíduos extraordinariamente bem-sucedidos que ele entrevistou antes de escrever este livro. Não inclui a lista igualmente impressionante de pessoas que entraram em contato com ele depois da publicação, nem inclui o nome daqueles que não tiveram a oportunidade de conhecer Napoleon Hill pessoalmente, mas atribuem seu sucesso à leitura deste livro.

Dizem que com esta obra Napoleon Hill fez mais milionários que qualquer outra pessoa na história. Também é possível dizer que Napoleon Hill inspirou mais especialistas em motivação que qualquer outro homem na história.

É praticamente impossível encontrar um orador motivacional que não tenha bebido do trabalho de Hill. Sua influência pode ser vista nas obras de seus primeiros colegas, Dale Carnegie e Norman Vincent Peele. Mais tarde, autores e oradores de sucesso como W. Clement Stone, Og Mandino e Earl Nightingale trabalharam diretamente com Napoleon Hill ou com a Fundação Napoleon Hill. Ecos dos princípios de Hill também podem ser encontrados nos livros de indivíduos tão distintos quanto Wally "Famous" Amos, Mary Kay Ash, Ken Blanchard, Adelaide Bry, Jack Canfield e Mark Victor Hansen, autores de *Chicken Soup for the Soul*, Debbie Fields, Shakti Gawain, John Gray, Susan Jeffers, Bruce Jenner, Charlie "Tremendous" Jones, Tommy Lasorda, Art Linkletter, Joan Lunden, Maxwell Maltz, James Redfield, Bernie Siegel, Jose Silva, Brian Tracey, Lillian Vernon e Dennis Waitley. Steven Covey, autor de *Os sete hábitos das pessoas altamente eficazes*, tem falado frequentemente sobre a influência de Napoleon Hill. Anthony Robbins, indiscutivelmente o mais bem-sucedido autor e orador motivacional do começo do século 21, reconheceu Napoleon Hill como um herói pessoal.

Jamais conheci alguém que tenha sido inspirado a usar o segredo de Carnegie e não tenha alcançado sucesso notável. Por outro lado, nunca conheci ninguém que tenha se distinguido ou acumulado riqueza de alguma importância sem ter se apoderado do segredo. A partir desses dois fatos, cheguei à conclusão de que o segredo é mais importante para a autodeterminação que qualquer coisa que você receba por intermédio do que é popularmente conhecido como "educação".

Em algum lugar, durante a leitura, o segredo vai saltar da página e se colocar atrevido na sua frente, se você estiver preparado para ele. Quando ele aparecer, você vai reconhecê-lo. Não importa se o sinal aparece no primeiro ou no último capítulo, pare por um momento quando ele se apresentar e anote a hora e o lugar. Você vai querer lembrar, porque esse momento vai marcar o ponto de transformação mais importante de sua vida.

Lembre-se também, enquanto lê o livro, de que ele lida com fatos, não com ficção. O objetivo é transmitir uma grande verdade universal pela qual você, se estiver pronto, pode aprender o que fazer e como fazer. Você também vai receber o estímulo necessário para começar.

Como uma palavra final de preparação, posso dar uma rápida sugestão que pode servir de dica sobre como o segredo de Carnegie pode ser reconhecido? É o seguinte: realização e todas as riquezas conquistadas tiveram seu princípio em uma ideia. Se você está pronto para o segredo, já tem metade dele. Portanto, vai reconhecer a outra metade no momento em que ela aparecer.

COMENTÁRIO

Diferentemente de boa parte da literatura motivacional e de negócios disponível, a intenção deste livro não é fazer o leitor pular de capítulo em capítulo, captando um conceito aqui e uma ideia ali para resolver o problema do momento. Este livro é escrito como um todo cuidadosamente integrado, para ser lido inteiro, do começo ao fim. Conceitos introduzidos em um capítulo recorrem a outros, e seu significado e sua importância se baseiam na ideia de o leitor já ter assimilado o conhecimento anterior. Os capítulos são projetados para se basear uns nos outros, de forma que cada palavra tem que ser lida, cada ideia tem que ser considerada e cada conceito tem que ser compreendido e absorvido.

Quem pensa enriquece é chamado frequentemente de primeira filosofia de realização pessoal, e uma filosofia é mais que uma coleção de soluções para problemas nos negócios. Uma filosofia é um sistema de princípios que guiam seus pensamentos e ações e fornecem um código de ética e um padrão de valores. Este livro não vai apenas mudar o que você pensa, mas vai mudar literalmente o seu jeito de pensar.

Durante a preparação desta nova edição atualizada, cada aspecto foi analisado para garantir sua relevância para o atual clima empresarial. Nos casos em que o material pudesse ser considerado datado ou em desacordo com as práticas contemporâneas, o texto original foi atualizado ou ampliado com material novo e relevante.

Uma característica da edição original é que em todos os capítulos Napoleon Hill cita exemplos da vida real com base no conhecimento pessoal dos mais bem-sucedidos multimilionários que enriqueceram com esforço próprio nos Estados Unidos. Nesta edição, cada história de Hill foi preservada, e os editores acrescentaram exemplos contemporâneos e paralelos modernos que demonstram claramente que os princípios de Hill são atuais até hoje e ainda orientam aqueles que alcançaram o sucesso.

Além de exemplos contemporâneos, nos casos em que os editores sentiram que seria interessante para o leitor, foram incluídas anotações que fornecem informação relevante sobre acontecimentos mais recentes. Onde era viável, também foram sugeridos livros e outros materiais que complementam vários aspectos da filosofia de Napoleon Hill.

De um ponto de vista mais técnico, os editores abordaram o texto escrito como teriam feito com o de um autor vivo. Quando encontraram o que os gramáticos modernos considerariam frases ultrapassadas, pontuação desatualizada ou outros problemas de forma, optaram pelo uso da regra contemporânea.

Os leitores familiarizados com edições anteriores notarão que a numeração dos capítulos foi modificada nesta edição. Originalmente, *Quem pensa enriquece* começava com um capítulo não numerado, Uma palavra do autor. Nesta edição, esse texto aparece como Capítulo 1 e foi renomeado para O segredo do sucesso. Os capítulos seguintes foram renumerados sequencialmente e continuam em sua ordem original. O capítulo antes chamado de Mistério da transmutação do sexo foi rebatizado como Sexualidade: carisma e criatividade, e o texto foi reestruturado e anotado para refletir o papel das mulheres na sociedade contemporânea.

Todos os comentários editoriais são claramente destacados com fonte diferente da do texto original.

POBREZA E RIQUEZA SÃO FILHAS DO PENSAMENTO

CAPÍTULO 2

PENSAMENTOS SÃO COISAS

O HOMEM QUE "PENSOU" SUA SOCIEDADE COM THOMAS EDISON

Realmente, "pensamentos são coisas". E coisas poderosas quando se misturam à definição de objetivo, persistência e a um desejo ardente de sua tradução em riqueza ou outros objetos materiais.

Há alguns anos, Edwin C. Barnes descobriu o quanto é real que você pode *pensar e enriquecer.* Sua descoberta não aconteceu de uma vez só. Chegou aos poucos e começou com um desejo ardente de se tornar sócio do grande Thomas Edison.

Uma das principais características do desejo de Barnes era ser definido. Ele queria trabalhar *com* Edison, não *para* ele. Preste muita atenção à história de como ele transformou seu desejo em realidade e você terá uma compreensão melhor dos princípios que levam à riqueza.

Quando esse desejo, ou esse pensamento, passou por sua cabeça pela primeira vez, ele não tinha condições de agir para torná-lo realidade. Havia dois problemas no caminho. Ele não conhecia Edison e não tinha dinheiro suficiente para comprar uma passagem de trem para West Orange, Nova Jersey, onde ficava o famoso laboratório de Edison.

Esses problemas teriam desanimado a maioria das pessoas de tentar realizar seu desejo. Mas esse não era um desejo comum!

O INVENTOR E O VAGABUNDO

Edwin C. Barnes apresentou-se no laboratório de Edison e anunciou que estava ali para tratar de negócios com o inventor. Anos mais tarde, ao falar sobre esse primeiro encontro, Edison disse sobre Barnes:

> Ele estava ali na minha frente, parecendo um vagabundo comum, mas tinha alguma coisa na expressão de seu rosto que transmitia a ideia de que estava determinado a conseguir o que tinha ido buscar. Anos de experiência com os homens me ensinaram que, quando um homem realmente deseja alguma coisa tão profundamente que se dispõe a apostar todo o seu futuro em uma única jogada para conseguir essa coisa, ele tem certeza da vitória. Dei a ele a oportunidade que pediu porque vi que estava decidido a ficar ali até conseguir o que queria. Eventos subsequentes provaram que não cometi um engano.

Não pode ter sido a aparência do rapaz que abriu as portas para seu começo no escritório de Edison. Ela depunha contra ele, definitivamente. O que contou foi o que ele pensava.

Barnes não se tornou sócio de Edison na primeira conversa. O que ele conseguiu foi uma chance de trabalhar nos escritórios de Edison por um salário bem simbólico.

Passaram-se meses. Nada aconteceu para tornar mais próxima a meta que Barnes havia estabelecido como objetivo principal definido. Mas algo importante estava acontecendo na cabeça de Barnes. Ele intensificava constantemente o desejo de se tornar sócio de Edison.

Psicólogos disseram com propriedade: "Quando alguém está realmente pronto para uma coisa, ela aparece". Barnes estava pronto para uma sociedade com Edison. E estava determinado a se manter pronto até conseguir o que queria.

Ele não disse a si mesmo: "Ah, bom, de que adianta? Acho que vou mudar de ideia e tentar arrumar um emprego de vendedor". Mas disse: "Vim aqui para ser sócio de Edison e vou conseguir o que quero, nem que leve o resto da minha vida". Ele estava falando sério. Que história diferente as pessoas contariam se apenas adotassem um objetivo definido e o mantivessem até ele ter tempo de se tornar uma obsessão dominadora.

Talvez o jovem Barnes não soubesse disso naquele momento, mas a determinação canina e a persistência em se concentrar em um único desejo desgastariam toda oposição e o levariam à oportunidade que ele procurava.

Quando a oportunidade surgiu, veio de uma direção diferente e com uma forma distinta das que Barnes esperava. Esse é um dos truques da oportunidade. Ela tem o hábito tímido de entrar pela porta dos fundos. E frequentemente surge disfarçada de infortúnio ou derrota temporária. Talvez por isso tantas pessoas deixem de reconhecer a oportunidade.

Edison havia acabado de aperfeiçoar um novo aparelho, conhecido na época como Máquina de Ditado Edison. Seus vendedores não se entusiasmaram com a máquina. Não acreditaram que pudesse ser vendida sem um grande esforço. Barnes viu sua oportunidade. Ela havia chegado silenciosamente, escondida na máquina de aparência esquisita que só interessava a Barnes e ao inventor.

Barnes sabia que podia vender a Máquina de Ditado Edison e disse isso a Edison, que então decidiu dar uma chance ao rapaz. E Barnes vendeu a máquina. De fato, vendeu tão bem que Edison deu-lhe um contrato para distribuir e divulgar a máquina em todo o país. Com essa associação, Barnes ganhou muito dinheiro e enriqueceu, mas também fez algo infinitamente maior. Ele provou que se pode realmente *pensar e enriquecer*.

Não tenho como saber quanto dinheiro rendeu aquele desejo original de Barnes. Talvez tenha rendido a ele uns US$ 2 ou 3 milhões [US$ 3 milhões no começo do século 20 seriam comparáveis a mais de US$ 50 milhões em poder de compra no início do século 21]. Mas o valor se torna insignificante, comparado ao bem maior que ele adquiriu: o conhecimento definitivo de que um impulso intangível de pensamento pode ser transmutado em recompensas materiais pela aplicação de princípios conhecidos.

Barnes literalmente *pensou* a sociedade com o grande Edison! Pensou ganhar uma fortuna. Não tinha nada com que começar, exceto o conhecimento do que queria e a determinação de manter esse desejo até realizá-lo.

A UM METRO DO OURO

Uma das causas mais comuns de fracasso é o hábito de desistir diante de uma derrota temporária. Todo mundo comete esse erro em algum momento.

Durante os dias da corrida do ouro, um tio do meu amigo R. U. Darby pegou a "febre do ouro" e foi para o Oeste, para o Colorado, cavar e enriquecer. Ele nunca tinha ouvido que mais ouro é extraído dos pensamentos dos homens que do solo. Ele tomou uma decisão e foi trabalhar com pá e picareta.

Depois de semanas de trabalho, foi recompensado com a descoberta do metal brilhante. Ele precisava do maquinário para trazer o minério à superfície. Sem alarde, cobriu a mina e voltou para casa em Williamsburg, Maryland. Lá contou aos parentes e a alguns vizinhos sobre a descoberta. Eles juntaram o dinheiro para o maquinário e seu transporte. R. U. Darby decidiu se juntar ao tio, e eles foram trabalhar na mina.

O primeiro vagão de minério foi extraído e despachado para uma fundição. O retorno comprovou que eles tinham uma das minas mais ricas do Colorado. Mais alguns vagões daquele minério pagariam suas dívidas. Então chegaria a hora dos grandes lucros.

As sondas desceram. As esperanças de Darby e de seu tio cresceram. Mas uma coisa aconteceu. O veio de ouro desapareceu! Haviam chegado ao fim do arco-íris, e o pote de ouro não estava mais lá. Eles cavaram, tentando desesperadamente encontrar o veio outra vez, mas foi inútil.

Finalmente, decidiram desistir.

Venderam as máquinas para um comerciante de objetos usados por algumas centenas de dólares e voltaram para casa. O vendedor de objetos usados procurou um engenheiro de mineração para dar uma olhada na mina e fazer alguns cálculos. O engenheiro deduziu que o projeto havia fracassado porque os proprietários não conheciam "linhas de falha". Seus cálculos mostraram que o veio seria reencontrado a um metro de onde os Darby haviam interrompido a perfuração. E ele foi encontrado exatamente lá!

O vendedor de objetos usados extraiu milhões de dólares em minério da mina porque teve a ideia de procurar a orientação de um especialista antes de desistir.

Muito tempo depois, Darby recuperou o prejuízo e lucrou muito quando descobriu que desejo pode ser transmutado em ouro. A descoberta aconteceu depois que ele se tornou corretor de seguros de vida.

Sem nunca esquecer que havia perdido uma fortuna por ter parado a um metro do ouro, Darby lucrou com a experiência em sua nova área de atuação. Simplesmente disse a si mesmo: "Parei a um metro do ouro, mas nunca vou parar porque os homens dizem não à compra de apólices de seguro".

Darby ingressou no pequeno grupo de homens que vendiam mais de US$ 1 milhão em seguros de vida anualmente. Ele devia sua "insistência" à lição que aprendeu com sua "desistência" no negócio de mineração de ouro.

Antes de o sucesso chegar à vida de alguém, essa pessoa certamente encontrará muitas derrotas temporárias e talvez algum fracasso. Quando sobrevém a derrota, a coisa mais fácil e mais lógica a fazer é desistir. É exatamente o que faz a maioria das pessoas.

Mais de quinhentas das pessoas mais bem-sucedidas que este país já conheceu me disseram que seu maior sucesso aconteceu um passo além do ponto em que a derrota as havia atingido. O fracasso é um trapaceiro com um aguçado senso de ironia e astúcia. Ele se diverte muito fazendo a pessoa tropeçar quando o sucesso está ao alcance da mão.

COMENTÁRIO

A crença de Napoleon Hill de que "Todo fracasso traz nele a semente de um benefício equivalente" foi a inspiração para o empreendedor e orador motivacional Wayne Allyn Root escrever seu livro *The Joy of Failure*. Publicado no fim da década de 1990, não só conta a história pessoal de Wayne sobre usar seus fracassos como degraus para o sucesso, como também reconta histórias de outras pessoas bem-sucedidas que provam que os ricos e famosos só chegaram a esse patamar por causa da aprendizagem com seus fracassos. Pessoas como Jack Welch, o imensamente bem-sucedido CEO da General Electric, que no começo da carreira fracassou de maneira dramática quando uma fábrica de plásticos pela qual ele era responsável explodiu. O bilionário Charles Schwab foi um fracasso na escola e na universidade, reprovado duas vezes em inglês básico por conta de um distúrbio de aprendizado, e depois fracassou em Wall Street mais de uma vez antes de ter a ideia que cresceu e fez dele um homem rico. Sylvester Stallone, Bruce Willis, Oprah Winfrey, Bill Clinton, Steve Jobs, Donald Trump e muitos outros conhecidos empreendedores tiveram que fracassar para aprender as lições que, em última análise, fizeram deles sucessos. Cada um deles tem um fracasso, mas nenhum foi derrotado.

Charles F. Kettering, que patenteou mais de duzentas invenções, inclusive a ignição do automóvel, a vela de ignição, Freon para ar-condicionado e a transmissão automática, disse: "Desde os seis anos de idade até se formar na faculdade, a pessoa tem que fazer três ou quatro exames por ano. Se é reprovada em um deles, está fora. Mas um inventor está quase sempre fracassando. Ele tenta e falha talvez mil vezes; se tem sucesso uma vez, é vitorioso. Essas duas coisas são diametralmente opostas. Dizemos frequentemente que nosso maior trabalho é ensinar a um funcionário recém-contratado como falhar de modo inteligente. Temos que treiná-lo para experimentar muitas e muitas vezes e continuar tentando e falhando até aprender o que vai dar certo. Fracassos são só tentativas em um treino".

UMA AULA DE CINQUENTA CENTAVOS SOBRE PERSISTÊNCIA

Pouco depois de Darby ter recebido seu diploma na "Universidade dos Golpes Duros", ele testemunhou algo que provou que *não* nem sempre significa NÃO.

Uma tarde, ele ajudava o tio a moer trigo em um moinho antiquado. O tio operava uma grande fazenda onde viviam vários agricultores arrendatários. A porta se abriu silenciosamente, e uma criança pequena, filha de um colono, entrou e se posicionou perto da porta.

O tio levantou a cabeça, viu a criança e resmungou para ela: "O que você quer?".

A criança respondeu mansamente: "Minha mãe disse para mandar cinquenta centavos para ela".

"Não vou mandar nada", respondeu o tio. "Vá já para casa."

Mas a menina não se moveu.

O tio continuou trabalhando, sem notar que ela não havia ido embora. Quando levantou a cabeça de novo e a viu ali parada, ele disse: "Já falei para ir para casa! Vá, ou vai apanhar".

Mas ela não se mexeu.

O tio soltou o saco de grãos que estava prestes a despejar no moinho e começou a andar em direção à criança.

Darby prendeu a respiração. Ele sabia que o tio tinha um temperamento explosivo.

Quando o tio chegou ao local onde estava a criança, ela deu um rápido passo à frente, olhou nos olhos dele e gritou a plenos pulmões: "Minha mãe vai ter esses cinquenta centavos!".

O tio parou, olhou para ela por um minuto, pôs a mão no bolso, pegou meio dólar e deu a ela.

A criança pegou o dinheiro e recuou lentamente em direção à porta, sem desviar os olhos do homem que havia acabado de vencer. Assim que ela saiu, o tio sentou-se sobre uma caixa e olhou pela janela, para o espaço, por mais de dez minutos. Estava pensando admirado na chicotada que havia acabado de levar.

Darby também estava pensando. Aquela era a primeira vez em sua vida que ele tinha visto uma criança dominar deliberadamente um adulto. Como ela fez aquilo? O que aconteceu para fazer seu tio perder a ferocidade e ficar manso como um cordeiro? Que estranho poder a criança usou que fez dela senhora da situação? Essas perguntas passavam pela cabeça de Darby, mas ele só encontrou a resposta anos mais tarde, quando me contou a história.

Estranhamente, a história dessa experiência incomum me foi contada no velho moinho, no mesmo lugar onde o tio levou o golpe.

Estávamos ali no velho moinho mofado, e Darby repetiu a história, que concluiu com uma pergunta: "O que acha disso? Que estranho poder aquela criança usou que dominou completamente meu tio?".

A resposta para esta pergunta será encontrada nos princípios descritos neste livro. A resposta é plena e completa. Contém detalhes e instruções suficientes para você entender e aplicar a mesma força que a criança encontrou acidentalmente.

Mantenha a mente alerta e você vai saber exatamente que estranho poder ajudou aquela criança. Você pode vislumbrar o poder neste capítulo, ou ele pode aparecer na sua cabeça em algum capítulo mais adiante. Se você ficar alerta para a possibilidade, vai encontrar em algum lugar a ideia que vai acelerar seus poderes receptivos e colocar ao seu dispor esse mesmo poder irresistível. Ele pode chegar na forma de uma ideia única. Ou pode vir como um plano completo, ou um objetivo. Pode até fazer você voltar às suas experiências passadas de fracasso ou de derrota. E, assim, pode trazer à superfície alguma lição com a qual você pode recuperar tudo que perdeu na derrota.

Depois que expliquei a Darby o poder usado involuntariamente pela criança, ele refez mentalmente seus trinta anos de vendedor de seguros de vida. Quando reviu sua trajetória, ficou claro para ele que o sucesso era devido, em grande parte, à lição que havia aprendido com a criança.

Darby assinalou: "Toda vez que um cliente potencial tentava me dispensar sem comprar a apólice, eu via aquela criança parada no velho moinho, os olhos brilhando desafiadores, e dizia a mim mesmo: 'Tenho que fazer essa venda'. A maior parte de todas as vendas que fiz ocorreu depois que as pessoas disseram não".

Ele também lembrou seu engano de ter parado a apenas um metro do ouro. "Mas", disse, "aquela experiência foi uma bênção disfarçada. Ela me ensinou a seguir em frente, por mais difícil que seja, e essa era uma lição que eu precisava aprender antes de ter sucesso em alguma coisa."

As experiências de Darby foram comuns e simples, mas continham a resposta para seu destino na vida. Na verdade, para ele, as experiências foram tão importantes quanto a própria vida. E ele foi capaz de lucrar a partir dessas duas importantes experiências porque as analisou e encontrou a lição que ensinavam.

Mas e se você não vir os eventos de sua vida como experiências de tão profunda importância? E quanto ao jovem que ainda não tem nem pequenos fracassos para analisar? Onde e como ele vai aprender a arte de transformar derrotas em degraus para a oportunidade?

É exatamente por isso que este livro foi escrito – para responder a essas perguntas.

Para transmitir minha resposta, construí treze princípios. Esses princípios funcionam individualmente ou juntos como catalisadores. A resposta específica que *você* está procurando já pode estar na sua cabeça. Ler esses princípios pode ser o catalisador que vai fazer sua resposta surgir repentinamente como uma ideia, um plano ou um objetivo.

Uma ideia sólida é tudo de que você precisa para alcançar o sucesso. Esses treze princípios contêm os melhores e mais práticos meios e caminhos para criar ideias.

CONSCIÊNCIA DE SUCESSO

Antes de continuar na descrição desses princípios, você precisa saber: quando a riqueza começar a chegar, vai chegar tão depressa e com tamanha abundância que você vai se perguntar onde ela esteve escondida durante todos aqueles anos magros.

Essa é uma declaração surpreendente, especialmente quando você leva em consideração a crença popular de que a riqueza só chega para quem trabalha duro e por muito tempo.

Quando você começar a *pensar e enriquecer*, vai observar que a riqueza começa com um estado mental, com definição de objetivo, com pouco ou nenhum trabalho duro. O que você precisa saber agora é como obter esse estado mental que vai atrair riqueza. Passei 25 anos pesquisando a resposta para essa pergunta, porque eu também queria saber "como os homens ricos ficam ricos".

O que você vai descobrir é que, assim que dominar os princípios dessa filosofia e começar a aplicá-los, sua situação financeira vai começar a melhorar. Tudo que você tocar vai começar a se transmutar em um bem para o seu benefício. Impossível? De jeito nenhum!

Uma das principais fraquezas da pessoa comum é ter muita familiaridade com a palavra *impossível*. Sabemos todas as regras que não vão funcionar. Conhecemos todas as coisas que não podem ser feitas. Este livro foi escrito para aqueles que procuram as regras que tornaram outros bem-sucedidos e estão dispostos a apostar tudo nessas regras.

O sucesso chega para aqueles que se tornam conscientes do sucesso.

O fracasso acontece para aqueles que se permitem tornar conscientes do fracasso.

O propósito deste livro é ajudar você a aprender a arte de mudar sua mentalidade de consciente do fracasso para consciente do sucesso.

Outra fraqueza é o hábito de mensurar tudo e todos por suas próprias impressões e crenças. Alguns leitores terão dificuldade para acreditar que é possível *pensar e enriquecer* porque seus hábitos de pensamento incluem pobreza, miséria, fracasso e derrota.

Esse tipo de pensamento me faz lembrar a história do homem que chegou da China para estudar na Universidade de Chicago. Um dia, o presidente Harper encontrou esse rapaz no *campus* e parou para conversar com ele por alguns minutos. Ele perguntou que característica do povo norte-americano o rapaz considerava mais notável.

"Ora", respondeu o estudante, "o formato incomum dos olhos."

Tudo é uma questão de perspectiva e hábito.

O mesmo é válido para sua crença no que uma pessoa pode realizar. Se você desenvolveu o hábito de ver a vida apenas de sua perspectiva, pode cometer o engano de acreditar que *suas* limitações são, de fato, a medida correta das limitações.

O "IMPOSSÍVEL" MOTOR FORD V-8

Quando Henry Ford decidiu produzir seu famoso motor V-8, optou por construir um motor com os oito cilindros montados em um único bloco. Ford instruiu seus engenheiros a projetar o motor. O projeto foi feito, mas todos os engenheiros concordaram que era simplesmente impossível montar um bloco de motor de oito cilindros em uma única peça.

Ford disse: "Produzam assim mesmo".

"Mas", eles responderam, "é impossível!"

"Façam", Ford ordenou, "e continuem trabalhando até conseguirem. Não interessa o tempo necessário."

Os engenheiros se dedicaram ao trabalho. Seis meses se passaram. Nada aconteceu. Mais seis meses se passaram, e ainda nada. Os engenheiros tentaram todos os planos concebíveis para cumprir a ordem, mas o projeto parecia estar fora de questão. "Impossível!"

No fim do ano, Ford voltou a conversar com seus engenheiros, e de novo eles disseram que não haviam encontrado um jeito de cumprir suas ordens.

"Continuem", disse Ford. "Eu quero e vou ter." Eles continuaram, e então, como que por um passe de mágica, o segredo foi descoberto.

A determinação de Ford havia vencido mais uma vez!

Henry Ford foi um sucesso porque entendia e aplicava os *princípios* do sucesso. Um desses princípios é o desejo: saber claramente o que você quer. Lembre-se da história de Ford enquanto continua lendo este livro. Selecione as linhas nas quais os segredos de sua estupenda realização são descritos. Se fizer isso, se conseguir identificar os princípios específicos que fizeram de Ford alguém rico, vai poder igualar suas realizações em quase qualquer vocação que você tenha.

COMENTÁRIO

Para os leitores que podem interpretar as atitudes de Ford como nada mais que obstinação, os editores ressaltam que ele empregava uma técnica que se tornou parte comum do planejamento estratégico em muitos ramos, inclusive o aeroespacial, dos computadores, da medicina e o militar.

Quando lançam projetos grandes, complicados e de longo prazo, os planejadores sabem que em certos pontos do caminho vão precisar de componentes que simplesmente ainda não existem. O fato de no começo não haver um caminho para ir de A a B não os detém. Há muitas partes do projeto que eles podem começar agora, e simplesmente presumem que, quando chegarem ao ponto onde terão necessidade de uma tecnologia ou um aparelho, terão resolvido o problema de criá-los. E acertaram muitas e muitas vezes.

Para falar de maneira simples, a técnica é saber claramente o que você quer realizar, ter fé em sua capacidade e persistir até ter alcançado seu objetivo.

POR QUE VOCÊ É "O SENHOR DO SEU DESTINO"

Quando o famoso poeta inglês William Henley escreveu os versos proféticos "Sou o senhor do meu destino, sou o capitão da minha alma", ele deveria ter nos informado de que o motivo pelo qual somos senhores do nosso destino, capitães de nossa alma, é termos o poder de controlar nossos pensamentos.

Ele deveria ter nos contado que é porque de algum jeito nosso cérebro fica "magnetizado" pelos pensamentos dominantes que guardamos na mente. E é como se a mente magnetizada atraísse para nós as forças, as pessoas e as circunstâncias de vida que estão em sincronia com nossos pensamentos dominantes.

Ele deveria ter nos contado que, antes de podermos acumular riqueza em grande abundância, temos que magnetizar a mente com o intenso desejo por riqueza. Temos que nos tornar "conscientes do dinheiro" até o desejo por dinheiro nos levar a criar planos definidos para adquiri-lo.

Mas, sendo um poeta, Henley contentou-se em estabelecer uma grande verdade de forma poética, deixando para os que o seguiam a interpretação do significado filosófico de seus versos.

Pouco a pouco a verdade se revelou, até eu saber com certeza que os princípios descritos neste livro contêm o segredo do domínio sobre nosso destino econômico.

PRINCÍPIOS QUE PODEM MUDAR SEU DESTINO

Agora estamos prontos para examinar o primeiro desses princípios, e, enquanto o examinamos, peço que você mantenha a mente aberta. Enquanto ler, lembre-se de que esses princípios não foram inventados por mim. Nem são invenção de ninguém. Esses princípios funcionaram para milhões de pessoas literalmente. Você também pode colocá-los para trabalhar para você e para seu próprio e duradouro benefício. Vai descobrir que não é difícil, é fácil.

Há alguns anos, fui o patrono da turma da Salem College em Salem, Virgínia Ocidental. No discurso, enfatizei com tanta intensidade a necessidade de ter um desejo ardente que um dos formandos se convenceu completamente e fez disso uma pedra fundamental da própria filosofia. Aquele rapaz se tornou congressista e uma figura importante na administração do presidente Franklin D. Roosevelt. Ele escreveu para mim uma carta em que colocou com tanta clareza sua opinião sobre o princípio do desejo delineado no próximo capítulo que decidi publicar sua carta como introdução desse capítulo. Ela dá uma ideia das recompensas que virão.

Meu caro Napoleon

Minha atuação como membro do Congresso me fez conhecer os problemas de homens e mulheres, e escrevo para oferecer uma sugestão que pode se tornar útil para milhares de pessoas dignas.

Em 1922, você discursou na formatura da Salem College, e eu era um formando. Naquele discurso, você plantou em minha mente uma ideia que foi responsável pela oportunidade que agora tenho de servir as pessoas de meu estado, e será responsável, em grande medida, por qualquer sucesso que eu possa ter em meu futuro.

Lembro como se fosse ontem da maravilhosa descrição que você fez do método pelo qual Henry Ford, um homem de pouca escolaridade, sem nenhum dinheiro e sem amigos influentes, alçou voos muitos altos. Foi então que tomei minha decisão, antes mesmo de você concluir seu discurso, de conquistar meu lugar, quaisquer que fossem as dificuldades que tivesse que superar.

Milhares de jovens vão concluir os estudos neste ano e nos próximos anos. Cada um deles estará procurando uma mensagem de incentivo prático como a que recebi de você. Vão querer saber para onde se voltar, o que fazer para começar na vida. Você pode dizer a eles, porque ajudou muita, muita gente a resolver seus problemas.

Existem hoje milhares de pessoas nos Estados Unidos que gostariam de saber como podem transformar ideias em dinheiro, pessoas que têm que começar do zero, sem recursos, e recuperar suas perdas. Se alguém pode ajudá-las, essa pessoa é você.

Se publicar o livro, eu gostaria de ter a primeira cópia que sair da gráfica, autografada por você.

Com os melhores votos, acredite.

Cordialmente,

- JENNINGS RANDOLPH

Desde aquela época, em 1922, vi Jennings Randolph progredir e se tornar um dos principais executivos de empresa aérea do país, um grande palestrante motivacional e senador dos Estados Unidos pela Virgínia Ocidental.

Trinta e cinco anos depois de ter feito aquele discurso, foi um prazer retornar à Salem College em 1957 como orador do bacharelado. Na ocasião, recebi um diploma honorário de doutor em literatura da Salem College.

COMENTÁRIO

Para o começo da leitura do próximo capítulo, os editores gostariam de reforçar a declaração anterior de que o que você está lendo não é só uma coleção de teorias das quais pode escolher o que quiser.

Os treze princípios de sucesso foram comprovados por experiências da vida real de uma longa lista de pessoas famosas e bem-sucedidas citadas anteriormente por Napoleon Hill. As técnicas também são praticadas e endossadas pelos especialistas contemporâneos e autores que os editores mencionaram, seguindo a lista de Hill. Mais de sessenta milhões de pessoas compraram o livro que você tem agora em mãos.

Se este livro teve tanto sucesso, certamente você deve dar a si mesmo a chance de ele trabalhar por você também. Leia. Não questione. Faça isso. Senão, se achar que sabe mais que Napoleon Hill, se decidir escolher as partes em que vai acreditar ou que vai seguir e não alcançar o sucesso, você jamais saberá se o fracasso reside neste livro ou em você.

TUDO QUE

A MENTE DO HOMEM

PODE CONCEBER E ACREDITAR

ELA PODE REALIZAR

CAPÍTULO 3

DESEJO

O PONTO DE PARTIDA DE TODA REALIZAÇÃO

O primeiro passo rumo à riqueza

uando Edwin C. Barnes desceu do trem de carga em West Orange, Nova Jersey, podia ter aparência de mendigo, mas seus pensamentos eram os de um rei.

Enquanto caminhava dos trilhos da ferrovia para o escritório de Thomas Edison, sua cabeça trabalhava. Ele se viu na presença de Edison. Ele se ouviu pedindo a Edison uma oportunidade de realizar a obsessão de sua vida – um desejo ardente de se tornar sócio do grande inventor.

O desejo de Barnes não era uma esperança. Não era uma vontade. Era um desejo pulsante que transcendia todo o resto. Era definido.

Alguns anos mais tarde, Edwin C. Barnes estava novamente diante de Edison, no mesmo escritório onde encontrou o inventor pela primeira vez. Dessa vez seu desejo havia se transformado em realidade. Ele era sócio de Edison. O sonho que dominava sua vida havia se realizado.

Barnes teve sucesso porque escolheu um objetivo definido, dedicou toda a sua energia, toda a sua força de vontade, todo o seu esforço – colocou tudo o que tinha na realização desse objetivo.

Cinco anos se passaram antes que a chance que ele procurava aparecesse. Para todo mundo, exceto ele mesmo, Barnes parecia ser só mais um dente na engrenagem dos negócios de Edison. Mas na cabeça de Edwin Barnes, ele era o sócio de Edison todos os minutos desde o primeiro dia de trabalho.

Essa é uma ilustração impressionante do poder de um desejo definido. Barnes conquistou seu objetivo porque queria ser sócio de Edison mais do que queria qualquer outra coisa. Ele criou um plano para alcançar essa meta e queimou todas as pontes atrás dele. Manteve seu desejo até este se tornar a obsessão dominante de sua vida – e finalmente um fato.

Quando foi a West Orange, ele não disse a si mesmo: "Vou tentar induzir Edison a me dar um emprego qualquer". Ele disse: "Vou ver Edison e avisá-lo de que cheguei para entrar nos negócios com ele".

Ele não disse: "Vou ficar de olhos abertos para outra oportunidade, caso não consiga o que quero na organização de Edison". Ele disse: "Tem uma coisa neste mundo que estou determinado a ter, e é uma sociedade com Thomas Edison. Vou queimar todas as pontes atrás de mim e apostar todo o meu futuro na capacidade de conseguir o que quero".

Ele não deixou uma possibilidade de recuar. Era vencer ou perecer!

E isso é tudo que há na história de sucesso de Barnes.

NÃO SE PERMITA RECUAR

Há muito tempo um grande guerreiro enfrentou uma situação em que teve que tomar uma decisão que garantiu seu sucesso no campo de batalha. Ele estava prestes a mandar seus exércitos contra um inimigo poderoso cujos homens eram numericamente superiores aos dele. Ele pôs seus soldados em barcos, navegou para o território inimigo e descarregou soldados e equipamento. Depois deu a ordem para queimarem os navios que os haviam transportado. Ao falar com seus homens antes da primeira batalha, ele disse: "Estão vendo os barcos se desfazendo em fumaça. Isso significa que não podemos sair destas praias vivos a menos que vençamos! Agora não temos escolha, vencemos ou perecemos!".

Eles venceram.

Cada pessoa que vence em qualquer empreitada deve estar disposta a queimar seus navios e fechar todas as vias de recuo. Esse é o único jeito pelo qual se pode ter certeza de manter o estado mental conhecido como *desejo ardente* de vencer. Ele é essencial para o sucesso.

Na manhã seguinte ao grande incêndio de Chicago, um grupo de comerciantes ficou parado em State Street, olhando para os destroços fumegantes do que haviam sido suas lojas. Eles se reuniram para decidir se deveriam tentar reconstruir ou se deixavam Chicago e recomeçavam em uma região mais promissora do país. Decidiram partir. Todos, menos um.

O comerciante que decidiu ficar e reconstruir sua loja apontou um dedo para o que restava dela e disse: "Cavalheiros, nesse mesmo lugar vou construir a maior loja do mundo, independentemente de quantas vezes ela queimar".

Isso foi em 1871. A loja foi construída. E ainda está lá hoje. A loja de departamentos Marshall Field's é um monumento ao poder do estado mental conhecido como desejo ardente. O mais fácil teria sido Marshall Field fazer exatamente o que seus companheiros fizeram. Quando a situação era difícil e o futuro parecia desanimador, eles partiram e foram para onde parecia mais fácil.

Marque bem essa diferença entre Marshall Field e os outros comerciantes. É a diferença que distingue aqueles que alcançam o sucesso dos que fracassam.

Todo ser humano com idade suficiente para entender o valor do dinheiro quer tê-lo. Mas querer não traz riqueza. Desejar riqueza com um estado mental que se torna uma obsessão, depois planejar meios definidos para alcançar a riqueza e respaldar esses planos com persistência, uma persistência que não reconhece o fracasso – é isso que vai trazer riqueza.

COMENTÁRIO

Em outros de seus escritos, Napoleon Hill usa o termo definição de objetivo como substituto para desejo. A seguinte explicação é adaptada do livro *Believe and Achieve* da Fundação Napoleon Hill:

> Desejo ou definição de objetivo é mais que estabelecer uma meta. Nos termos mais simples, seu desejo é o mapa para alcançar um objetivo geral na carreira. Suas metas representam passos específicos ao longo do caminho.
>
> Ter um desejo ou uma definição de objetivo para sua vida tem um efeito sinérgico sobre a capacidade de atingir metas. À medida que se torna melhor no que faz, você dedica todos os recursos que tem à realização de seu objetivo, fica mais alerta para oportunidades e toma decisões mais depressa. Cada ação executada leva à pergunta: essa meta vai me ajudar a realizar meu desejo, meu objetivo geral, ou não?
>
> Seu objetivo vai se tornar sua vida; vai permear sua mente consciente e subconsciente.

SEIS MANEIRAS DE TRANSFORMAR DESEJO EM OURO

O método pelo qual seu desejo de riqueza pode ser transmutado em seu equivalente financeiro consiste de seis passos definidos, práticos:

1. Registre mentalmente o valor exato que você deseja ter em dinheiro. Não é suficiente dizer apenas "quero bastante dinheiro". Defina o valor. (Existe uma razão psicológica para essa definição, e ela será explicada nos próximos capítulos.)

2. Determine exatamente o que você pretende dar em troca do dinheiro que deseja. (Não existe uma realidade do tipo "algo a troco de nada".)
3. Estabeleça uma data definida para quando pretende ter o dinheiro que deseja.
4. Crie um plano definido para realizar seu desejo e comece imediatamente, esteja você pronto ou não, a pôr esse plano em prática.
5. Agora anote tudo. Escreva uma declaração clara e concisa do montante de dinheiro que pretende adquirir, estabeleça a data-limite para a aquisição, determine o que pretende dar em troca do dinheiro e descreva claramente o plano por intermédio do qual pretende acumular essa quantia.
6. Leia em voz alta duas vezes por dia a declaração que escreveu. Leia uma vez pouco antes de ir deitar para dormir e leia uma vez de manhã, depois de se levantar. Enquanto lê, veja, sinta e acredite que o dinheiro já é seu.

É importante que você siga as instruções desses seis passos. É especialmente importante que observe e siga as instruções do sexto passo. Você pode reclamar de que é impossível "se ver dono do dinheiro" antes de realmente tê-lo. É aí que o desejo ardente vai ajudar. Se você realmente deseja dinheiro com tanta intensidade que seu desejo se torna uma obsessão, não vai ter dificuldade para se convencer de que o terá. O objetivo é querer dinheiro e ficar tão determinado a tê-lo que você se convence de que o terá.

Se você não estudou o funcionamento da mente humana, essas instruções podem parecer impraticáveis. Pode ser útil saber que a informação que elas transmitem me foi dada por Andrew Carnegie, que se tornou um dos homens mais bem-sucedidos na história norte-americana. Carnegie começou como um trabalhador comum nas usinas de aço, mas conseguiu, apesar do começo humilde, fazer esses princípios renderem uma fortuna de consideráveis mais de US$ 100 milhões. [Em termos atuais, o valor da fortuna de Carnegie seria de US$ 20 bilhões, pelo menos, e provavelmente muito mais.]

Também pode ser útil saber que os seis passos foram cuidadosamente examinados pelo famoso inventor e empresário de sucesso Thomas Edison. Ele deu seu carimbo de aprovação, dizendo que os passos são essenciais não só para acumular dinheiro, mas também para a realização de qualquer objetivo.

COMENTÁRIO

Na época em que Napoleon Hill escreveu essas palavras, os avanços em nossa compreensão da fisiologia do cérebro e da psicologia da mente haviam proporcionado uma compreensão muito maior da motivação humana. Ainda assim, os métodos usados pelos modernos especialistas motivacionais são essencialmente as mesmas técnicas aconselhadas por Hill. Pesquisas confirmam que há sólida base psicológica para fazer como Hill aconselha: ser bem específico quando estabelecer objetivos, executar a ação física de anotar esses objetivos no papel e repetir seu objetivo estabelecido em voz alta para si mesmo frequentemente.

Essas técnicas conquistaram ampla aceitação entre os especialistas modernos do campo. O princípio psicológico em ação é semelhante àquele subjacente à autossugestão e à auto-hipnose, que serão discutidas mais profundamente no Capítulo 5, Autossugestão, e no Capítulo 13, A mente subconsciente.

A instrução de Hill para "se ver como você será quando já tiver alcançado seu objetivo" também é uma técnica específica. Hoje ela costuma ser ensinada por especialistas em motivação com o nome de "visualização criativa". No Capítulo 4, sobre fé, e no Capítulo 5, sobre autossugestão, Hill explica seu método.

Antes de seguir em frente, os editores gostariam de reforçar o conselho de Hill para que suas instruções sejam seguidas ao pé da letra. Os editores sabem que existe, por parte do leitor, uma tendência para presumir que é suficiente entender um conceito apenas intelectualmente. Quando ler os seis pontos de Hill, você provavelmente vai se pegar pensando: "Sim, claro, algumas pessoas podem precisar anotar as coisas, mas não sou criança. Já entendi". Ou: "Tudo bem, entendo que falar em voz alta pode ajudar algumas pessoas menos sofisticadas, mas já entendi a ideia intelectualmente". Se é assim que você pensa, lembre-se de que muitas das pessoas bem-sucedidas que você admira não se achavam espertas demais ou sofisticadas demais para seguir as instruções de Hill. Os editores destacam mais uma vez que, se Napoleon Hill acreditava que escrever e falar em voz alta seus objetivos é importante e se psicólogos e especialistas motivacionais concordam, seria tolice não seguir esse conselho simples. Apenas faça.

Os passos não pedem trabalho duro. Não pedem sacrifício. Colocá-los em prática não requer muita educação formal. Mas os seis passos requerem imaginação suficiente para ver e entender que o acúmulo de dinheiro não pode ser deixado ao acaso ou para a sorte.

Você também deve saber desde já que nunca pode ter riqueza em grande quantidade, a menos que consiga criar um desejo intenso por dinheiro e realmente acreditar que o terá.

O PODER DE GRANDES SONHOS

Se você está na corrida por riqueza, deve ser incentivado pela seguinte verdade: o mundo em que vivemos exige novas ideias, jeitos novos de fazer as coisas, novos líderes, novas invenções e novos métodos, estilos, versões e variações de tudo o tempo todo. Por trás de toda essa demanda por coisas novas e melhores, tem uma qualidade que você deve ter para vencer, e ela é a definição do objetivo – o conhecimento do que você quer e um desejo ardente de tê-lo.

Se você realmente deseja riqueza, lembre-se de que os verdadeiros líderes do mundo sempre foram pessoas que aproveitaram e puseram em prática as intangíveis e invisíveis forças da oportunidade. Líderes são as pessoas que convertem essas oportunidades em cidades, arranha-céus, fábricas, transporte, entretenimento e todas as formas de conveniência que deixam as coisas mais fáceis, mais rápidas, melhores ou simplesmente tornam a vida mais agradável.

Ao traçar os planos para adquirir sua cota de riqueza, não se deixe diminuir por ninguém por ser um sonhador. Para ganhar o grande prêmio nesse mundo em transformação, você precisa pegar o espírito dos grandes pioneiros, cujos sonhos deram à civilização tudo que ela tem de valor. É esse espírito que serve como o sangue da vida do nosso país – sua oportunidade e a minha para desenvolver e divulgar nossos talentos.

Um desejo ardente de ser e fazer é o ponto de partida de onde o sonhador deve começar. Sonhos não nascem da indiferença, da preguiça ou da falta de ambição.

Se o que você deseja fazer é certo e você acredita nisso, vá em frente e faça. Não se importe com o que "eles" dizem, caso sofra uma derrota temporária. "Eles" não sabem que cada fracasso traz consigo a semente de um sucesso equivalente.

Marconi sonhou com um sistema para enviar o som de um lugar a outro sem o uso de cabos. Você pode se interessar em saber que "amigos" de Marconi o levaram sob custódia para ser examinado em um hospital psiquiátrico quando anunciou que havia descoberto um princípio pelo qual podia enviar mensagens pelo ar. Evidências de que ele não sonhou em vão podem ser encontradas em todos os rádios [e aparelhos de televisão, telefones celulares, satélites de comunicação e outros equipamentos "sem fio"] do mundo.

Felizmente, os sonhadores de hoje vivem melhor. Hoje o mundo é cheio de oportunidades que os sonhadores do passado nunca conheceram.

Se você duvida disso, se está se sentindo destruído por um fracasso recente, vai descobrir em breve como esse fracasso pode ser seu bem mais valioso. Quase todo mundo que alcança o sucesso na vida começa mal e passa por muitas dificuldades dolorosas antes de "chegar lá". O ponto de transformação na vida daqueles que alcançaram o sucesso normalmente acontece no momento de alguma crise, pela qual são apresentados ao seu "outro eu".

COMENTÁRIO

O conceito de Napoleon Hill de "outro eu" é mencionado em outro trecho do livro, mas ele não se estende nos comentários. A seguinte elaboração é extraída de seus textos posteriores:

> Você tem pensado apenas em suas perdas, em mais nada. Quanto mais se concentra nelas, mais atrai outras perdas. Pare de pensar nelas e decida se beneficiar de sua experiência. Sejam quais forem os obstáculos pessoais que enfrentar, comece conhecendo um lado de sua personalidade que não reconhece obstáculos, que não reconhece derrotas. Cultive uma amizade com o "outro" você, de forma que, o que quer que esteja fazendo, você permaneça aliado a alguém que compartilha dos seus objetivos. Toda a filosofia e conselho sobre convencer outras pessoas vai ser muito mais útil se você praticar consigo.

Sydney Porter descobriu o gênio adormecido dentro de seu cérebro só depois de ter enfrentado grande infortúnio. Ele foi condenado por fraude e preso em Columbus, Ohio, e foi lá que conheceu seu "outro eu".

Ele começou a escrever contos. Depois, ainda preso, começou a vender essas histórias para revistas sob o pseudônimo O. Henry. Usando a imaginação, ele se descobriu um grande autor em vez de um miserável criminoso e proscrito. Quando foi solto, O. Henry era o escritor de contos mais popular do país.

COMENTÁRIO

Mais recentemente, em outra prisão, outro tipo de escritor conheceu seu "outro eu", e a música *country* ganhou um de seus mais talentosos compositores e um de seus maiores astros. Quando Merle Haggard era criança, a casa da família era um vagão reformado em Bakersfield, Califórnia. Depois que o pai morreu, quando Merle tinha nove anos, a casa mais comum para o jovem foi uma série de centros de detenção juvenil. Aos 16 anos, ele abandonou a escola, e, durante os quatro anos seguintes, a única marca que Merle Haggard deixou no mundo foi uma ficha policial extensa por roubo de carros, assaltos e cheques falsificados. Aos 20 anos, ele cumpria pena em San Quentin e ganhava fama de vigarista incorrigível.

Então ele conheceu seu "outro eu". Inspirado por um show que Johnny Cash fez para os detentos e também por conversas com homens que estavam no corredor da morte durante um tempo que passou na solitária, Haggard aprendeu que tinha "outro eu" e esse eu tinha alguma coisa a dizer por meio da música.

Quando saiu da solitária, Haggard pediu o trabalho mais duro que a prisão tinha a oferecer, inscreveu-se em cursos noturnos na penitenciária, emendou-se e conseguiu a condicional depois de dois anos e meio. Voltou a Bakersfield, onde cavava valas durante o dia para poder aperfeiçoar suas composições e se apresentava à noite. Em três anos conseguiu um contrato com uma gravadora, em cinco chegou à lista dos dez mais e seguiu em frente até se tornar uma das vozes mais influentes na moderna música *country*.

Thomas Edison sonhou com uma lâmpada que poderia funcionar com eletricidade e começou onde estava a pôr seu sonho em prática. Ele falhou mais de dez mil vezes. Apesar dos fracassos, persistiu naquele sonho até finalmente ser levado a descobrir o gênio que dormia dentro de seu cérebro.

COMENTÁRIO

Dean Kamen conheceu seu "outro eu" bem cedo na vida. Adolescente, Kamen fundou a própria empresa, produzindo e vendendo sistemas de controle para *shows* automatizados de som e luz. Ele ainda estava no ensino médio quando assinou o contrato para automatizar a bola da véspera de Ano-Novo na Times Square. Embora tenha ido para a universidade, não se formou, porque estava ocupado demais trabalhando em algo que chamava de autosseringa, a primeira bomba de infusão para administrar terapias medicamentosas. Sua invenção foi aclamada como um marco na medicina, como muitas outras de suas criações, que incluem uma revolucionária máquina de hemodiálise, uma bomba de insulina para diabéticos, um *stent* aprimorado para pacientes cardíacos e mais de 150 outros aparelhos que patenteou.

Um dia, vendo a dificuldade que um cadeirante enfrentava para subir na calçada, Kamen decidiu criar um aparelho que liberasse as pessoas confinadas a cadeiras de rodas. O resultado é o iBot, um revolucionário equipamento com rodas que usa computadores e um sistema de giroscópios estabilizadores que imitam o funcionamento do corpo humano. Ele não apenas sobe em calçadas, como também sobe e desce escadas, percorre quase todo tipo de terreno acidentado e permite ao usuário se levantar e ficar na mesma altura de uma pessoa em pé. E faz isso tudo sem o usuário precisar sair do aparelho ou pedir ajuda a alguém.

Em 2001 Kamen chegou às primeiras páginas quando apresentou o Segway, um aparelho de transporte individual baseado em sua tecnologia iBot. É um aparelho de duas rodas que parece uma *scooter* e se move para a frente, para trás, para a esquerda, para a direita, e para sem o usuário fazer mais que mover o corpo. É tão sensível que é quase como se obedecesse aos pensamentos do usuário. O Segway pode ser uma invenção que vai mudar o mundo, com possibilidades de aplicação para trabalho e viagem que desafiam a imaginação. Enquanto escrevemos, o Segway já é utilizado para a movimentação em grandes galpões e está sendo testado por departamentos de polícia e funcionários do correio.

Enquanto o departamento de trânsito e a prefeitura debatem sobre se o Segway deve andar na rua ou na calçada, Dean Kamen já tem um novo sonho. Dessa vez o sonho é uma invenção que pode literalmente levar luz a alguns dos recantos mais escuros da Terra. Kamen desenvolveu um gerador elétrico não poluente que pode usar quase qualquer coisa como combustível. Mas o mais extraordinário é que ele criou um revolucionário sistema fechado, de forma que o aquecimento do motor é usado para purificar 37 litros de água potável por hora. Essa incrível invenção pode levar água potável a regiões do mundo onde a água contaminada mata milhões e, ao mesmo tempo, fornecer uma fonte de energia elétrica barata e confiável.

Dean Kamen não é um acadêmico escondido em algum laboratório por aí. Kamen é um inventor, mas, como Thomas Edison, também é um empreendedor e homem de negócios criando e comercializando equipamentos que estão mudando a percepção pública do que é um inventor.

Henry Ford, pobre e sem escolaridade, sonhou com uma carruagem sem cavalos. Trabalhou com as ferramentas que tinha, sem esperar a oportunidade favorecê-lo, e agora a evidência de seu sonho circula por toda a Terra. Ele pôs mais rodas em movimento que qualquer homem que já viveu porque não teve medo de defender seus sonhos.

COMENTÁRIO

Steven Jobs e Steve Wozniak, dois desistentes da universidade, sonharam produzir e vender computadores que a pessoa comum pudesse usar. Como Ford, trabalhando com as ferramentas que tinham, construíram o primeiro computador Apple na garagem da família de Jobs, e, como Ford, não tiveram medo de defender seus sonhos. Depois de mostrar o protótipo para um comerciante local, receberam uma encomenda de 25 máquinas. Jobs vendeu seu Volkswagen, e Woz vendeu sua cara calculadora científica Hewlett-Packard, para levantar US$ 1,3 mil e começar a nova empresa. Pegaram o dinheiro, convenceram os fornecedores de equipamentos eletrônicos da região a conceder a eles uma linha de crédito e começaram a produção do Apple I.

Eles revolucionaram a indústria de *hardware* e *software*. Lançado em 1976 pelo preço de US$ 666, o Apple I rendeu a eles US$ 774 mil. Dois anos mais tarde, apresentaram o Apple II, que rendeu US$ 140 milhões nos três anos seguintes. Em 1980, a Apple se tornou uma empresa de capital aberto, com valor de mercado de US$ 1,2 bilhão depois do primeiro dia de negociações. Wozniak deixou a empresa em 1981, mas Jobs trabalhou no desenvolvimento do Macintosh em 1984. Em 1985, Jobs também saiu, mas em 1998 retornou à Apple para revitalizar a empresa em decadência com a criação dos computadores iMac, a companhia de animação Pixar, o iPod e o iTunes.

Ao apresentar histórias de sucessos contemporâneos, os editores seguiram o estilo de Hill de usar pessoas reais para ilustrar os princípios do sucesso. Mas Napoleon Hill teve um raro privilégio. Diferentemente de qualquer um antes ou depois dele, teve a oportunidade de conhecer pessoalmente as pessoas mais poderosas e bem-sucedidas e descobrir que sonhos as inspiraram, que obstáculos enfrentaram e como encontraram coragem para superar seus fracassos. Hill conheceu muitos inventores e construtores de império que criaram as bases da indústria norte-americana do século 20 enquanto ainda eram notícia, não história. Então, por mais de 25 anos, estudou os hábitos e descobriu os segredos das gerações seguintes, as que construíram sobre as bases, forjaram novas indústrias, criaram novos sistemas e sonharam novos sonhos. Somente por ter tido esse acesso sem precedentes por tão longo período Hill foi capaz de comparar, contrastar, analisar e então formular uma filosofia de realização baseada nas histórias reais de pessoas reais que usaram essas técnicas para criar seu sucesso.

Quem pensa enriquece revolucionou a literatura de autoajuda e até hoje é a régua que mede toda literatura motivacional. Seu sucesso também ajudou a criar o mercado para os milhares de biografias de negócios que contam com detalhes como sonhos nasceram, planos foram feitos, frustrações foram encaradas e triunfos foram alcançados em cada setor dos negócios modernos. E por essa riqueza de informação estar agora disponível com pouco mais que um clique do *mouse*, você pode ler, ouvir ou ver os maiores empreendedores e os mais bem-sucedidos CEOs atuais confirmando com as próprias palavras a verdade básica por trás de cada um dos princípios que Napoleon Hill explica neste livro.

Os produtos ou serviços que eles vendem podem ser diferentes, mas a história de seu sucesso é a mesma: sonhos seguidos de fracassos, seguidos de lições aprendidas, depois sucesso. Para cada Henry Ford, Thomas Edison ou O. Henry que Napoleon Hill cita para comprovar um argumento, existe hoje um Steve Jobs, Dean Kamen ou Merle Haggard provando que os argumentos de Hill ainda são válidos.

Existe uma diferença entre querer uma coisa e estar pronto para recebê-la. Ninguém está pronto para alguma coisa até *acreditar* que pode tê-la. O estado mental deve ser de crença, não só de esperança ou vontade. A mente aberta é essencial para acreditar. Mentes fechadas não inspiram fé, coragem e crença.

Lembre-se: não é necessário mais esforço para querer muito da vida, buscar abundância e prosperidade do que para aceitar infelicidade e pobreza. Um grande poeta afirmou corretamente essa verdade universal em seus versos:

> Barganhei com a Vida por um centavo,
> E a Vida não quis me pagar mais,
> Por mais que eu implorasse à noite
> Quando contei meu ganho escasso.
>
> Porque a Vida é um patrão justo,
> Ela dá o que você pede,
> Mas, depois que você fixou o salário,
> Ah, tem que enfrentar a tarefa.
>
> Trabalhei por um salário baixo,
> Só para aprender, desanimado,
> Que qualquer salário que tivesse pedido à Vida,
> A Vida teria pago de bom grado.

O DESEJO É MAIS ASTUTO QUE A MÃE NATUREZA

Como um clímax adequado para este capítulo, quero apresentar uma das pessoas mais incomuns que já conheci. Eu o vi pela primeira vez alguns minutos depois de ele nascer. Ele veio ao mundo sem nenhum sinal físico de orelhas. Quando pressionado para emitir uma opinião, o médico concluiu que a criança poderia ser surda e muda para sempre.

Eu contestei a opinião do médico. Tinha esse direito. Eu era o pai da criança. Também cheguei a uma decisão, mas expressei minha opinião silenciosamente, no sigilo do meu coração.

Em minha mente, eu sabia que meu filho ia falar e ouvir. Como? Tinha certeza de que havia um jeito e sabia que o encontraria. Pensei nas palavras do imortal Emerson: "Todo o curso das coisas vai nos ensinar a fé. Só precisamos obedecer. Existe orientação para cada um de nós, e, escutando com humildade, ouviremos a palavra certa".

A palavra certa? Desejo! Mais que qualquer coisa, desejei que meu filho não fosse surdo e incapaz de falar. E desse desejo nunca me afastei. Nem por um segundo.

O que eu poderia fazer em relação a isso? De algum jeito, encontraria um caminho para transplantar para a mente daquela criança meu desejo por maneiras de transmitir som para seu cérebro sem a ajuda de orelhas.

Assim que a criança crescesse o suficiente para cooperar, eu encheria sua mente tão completamente com um desejo ardente de ouvir que a natureza traduziria esse desejo em realidade física por métodos próprios.

Tudo isso aconteceu dentro da minha cabeça, mas não contei para ninguém. Todos os dias renovava o juramento que tinha feito a mim mesmo, o de que meu filho não seria surdo.

Quando ele ficou mais velho e começou a notar as coisas à sua volta, observamos que tinha um pequeno grau de audição. Quando chegou à idade em que as crianças normalmente começam a falar, ele não fez tentativa nenhuma, mas podíamos perceber por suas atitudes que ele ouvia ligeiramente certos sons.

Isso era tudo de que eu precisava saber! Estava convencido de que, se ele podia ouvir, mesmo que ligeiramente, podia desenvolver uma capacidade auditiva ainda maior. Então aconteceu uma coisa que me deu esperança. Algo que veio de uma fonte inteiramente inesperada.

Compramos um fonógrafo. Quando a criança ouviu a música pela primeira vez, entrou em êxtase. Ele se apropriou prontamente da máquina. Em uma ocasião, tocou um disco por quase duas horas parado na frente do fonógrafo, com os dentes comprimindo a beirada da caixa. O significado disso só ficou claro para nós anos mais tarde. Na época, nunca tínhamos ouvido falar do princípio da "condução óssea" do som.

Pouco depois de ele ter se apropriado do fonógrafo, descobri que ele podia me ouvir claramente quando eu falava com os lábios tocando seu osso mastoide, na base do crânio.

Determinado de que ele podia ouvir o som de minha voz, comecei imediatamente a transferir para sua mente o desejo de ouvir e falar. Quando descobri que meu filho gostava de ouvir histórias antes de dormir, comecei a criar histórias destinadas a desenvolver nele a autoconfiança, a imaginação e um forte desejo de ouvir.

Havia um enredo em particular que eu enfatizava muitas vezes. Cada vez que o contava, dava a ele uma nova e dramática coloração. Essas histórias eram criadas para plantar em sua mente o pensamento de que sua aflição não era uma deficiência, mas um bem de grande valor. Como resultado de meus estudos e de minha experiência pessoal, eu acreditava firmemente que toda adversidade traz com ela a semente de uma vantagem equivalente. Porém, apesar das minhas crenças, devo confessar que não tinha a menor ideia de como essa incapacidade poderia se tornar um bem.

Ele ganhou um novo mundo com seis centavos!

Analisando agora essa experiência, consigo ver que a fé de meu filho em mim teve muito a ver com os resultados surpreendentes. Ele não questionava nada do que eu dizia. Vendi a ideia de que ele tinha uma vantagem distinta sobre o irmão mais velho e de que essa vantagem se refletiria de muitos jeitos. Por exemplo, os professores na escola notariam que ele não tinha orelhas e por causa disso dariam a ele atenção especial e o tratariam com bondade extraordinária. E sempre trataram. Também vendi para ele a ideia de que, quando ele tivesse idade suficiente para vender jornais (seu irmão mais velho já tinha se tornado vendedor de jornais), teria uma grande vantagem sobre o irmão. Meu raciocínio era que as pessoas pagariam mais por suas mercadorias porque veriam que ele era um garoto brilhante e esforçado, apesar de não ter orelhas.

Quando ele tinha uns sete anos, mostrou a primeira evidência de que meu método de estimulação mental estava dando frutos. Durante vários meses ele implorou pelo privilégio de vender jornais, mas a mãe não permitiu.

Finalmente, ele partiu para a ação. Uma tarde, quando ficou sozinho em casa com os empregados, pulou a janela da cozinha e saiu sozinho. Pegou seis centavos emprestados no sapateiro vizinho e investiu o dinheiro em jornais para vender. Pegou o dinheiro que ganhou, reinvestiu em mais jornais e repetiu o processo até a noite. Depois de fazer as contas e devolver os seis centavos ao seu banqueiro, ele descobriu que tinha lucrado 42 centavos. Quando chegamos em casa à noite, o encontramos adormecido na cama, com o dinheiro bem preso na mão fechada.

A mãe abriu sua mão, pegou as moedas e chorou. Imagine! Acho que ela chorou pela primeira vitória do filho. Minha reação foi oposta. Eu ri, porque soube que a empreitada de plantar na mente de meu filho uma atitude de fé nele mesmo havia dado certo.

A mãe viu um garotinho surdo que tinha ido às ruas sozinho em sua primeira empreitada comercial e arriscado a vida para ganhar dinheiro. Eu vi um pequeno empreendedor corajoso, ambicioso e autossuficiente, cuja confiança em si mesmo havia aumentado cem por cento. Ele havia começado uma atividade por iniciativa própria e tinha vencido. Não fiquei apenas satisfeito, fiquei impressionado. Ele havia demonstrado claramente os primeiros sinais dos recursos que o acompanhariam por toda a vida.

O garotinho surdo passou pelo ensino fundamental, médio e pela faculdade sem poder ouvir os professores, exceto quando gritavam bem alto e perto dele. Não foi para uma escola para surdos e não usamos a língua de sinais. Estávamos determinados, ele viveria como qualquer garoto que ouvia e falava. Sustentamos essa decisão, embora ela nos tenha custado muitas discussões acaloradas com representantes da escola.

Quando estava no ensino médio, ele experimentou um aparelho auditivo, que não teve valor nenhum em seu caso.

Durante a última semana na faculdade, aconteceu uma coisa que marcou o mais importante momento de transformação em sua vida. Aparentemente por acaso, ele recebeu outro aparelho auditivo enviado para ser testado. Ele demorou para testá-lo, devido à decepção com um aparelho similar. Finalmente ele o pegou e, descuidado, colocou na cabeça e ligou à bateria. De repente, como que por mágica, seu eterno desejo de ouvir normalmente se tornou realidade! Pela primeira vez na vida ele ouvia praticamente tão bem quanto qualquer pessoa com audição normal.

Eufórico com o novo mundo mostrado a ele, correu para o telefone, ligou para a mãe e ouviu a voz dela perfeitamente. No dia seguinte, pela primeira vez na vida, ele ouviu com clareza a voz dos professores na sala de aula! Pela primeira vez na vida, podia conversar livremente com outras pessoas, sem que elas tivessem que falar alto. De fato, ele se apoderava de um mundo transformado.

Seu desejo finalmente rendia frutos. Mas a vitória ainda não era completa. Ele ainda precisava encontrar um jeito definido e prático de converter sua incapacidade em um bem equivalente.

Pensamento que faz milagres

Intoxicado com a alegria do mundo de sons recém-descoberto, ele escreveu uma carta para o fabricante do aparelho auditivo descrevendo com entusiasmo sua experiência. Alguma coisa na carta fez a empresa convidá-lo para ir a Nova York. Ele foi levado para visitar a fábrica e, enquanto conversava com o engenheiro responsável e contava a ele sobre seu mundo modificado, uma ideia, ou uma inspiração – chame como quiser –, surgiu em sua cabeça. Foi esse impulso de pensamento que transformou sua incapacidade em bem. Um bem que renderia muito dinheiro e muita felicidade para sempre.

A soma e a substância daquele impulso foram o seguinte: ele pensou que poderia ajudar os milhões de pessoas que passam pela vida sem o benefício dos aparelhos auditivos, se pudesse encontrar um jeito de contar a elas a história que havia mudado seu mundo.

Durante um mês, ele realizou uma pesquisa extensa na qual analisou todo o sistema de *marketing* do fabricante do aparelho auditivo. Depois criou um plano para alcançar outras pessoas com deficiência auditiva no mundo todo, compartilhar com elas seu mundo modificado recém--descoberto. Feito isto, escreveu um plano de dois anos baseado em suas descobertas. Quando apresentou o plano à empresa, foi imediatamente contratado com o objetivo de realizar sua ambição.

Quando foi trabalhar, ele nem sonhava que seu destino era levar esperança e alívio prático a milhares de pessoas que, sem sua ajuda, seriam limitadas para sempre pela surdez.

Não tenho dúvida de que Blair seria surdo e mudo a vida toda, se a mãe dele e eu não tivéssemos conseguido moldar sua mente como fizemos.

Quando plantei em sua mente o desejo de ouvir, falar e viver como outras pessoas, o impulso foi acompanhado de uma estranha influência que fez a natureza se tornar uma construtora de pontes e transpor o golfo de silêncio que existia entre seu cérebro e o mundo exterior.

Realmente, um desejo ardente tem meios tortuosos de se transmutar em seu equivalente físico. Blair desejou audição normal. Agora ele a tem! Ele nasceu com um quadro que, naquele tempo, poderia ter facilmente mandado uma pessoa com um desejo menos definido para a rua com um monte de lápis e uma canequinha.

A "mentirinha inocente" que plantei em sua mente quando ele era criança, que o levou a acreditar que a deficiência auditiva se tornaria um grande bem, justificou-se. Estou convencido de que não há nada, certo ou errado, que a crença – mais o desejo ardente – não possam concretizar. Essas qualidades são gratuitas para todo mundo.

COMENTÁRIO

Quando Napoleon Hill estava terminando este capítulo sobre o desejo, foi noticiada a morte da famosa cantora de ópera Madame Schumann-Heink. Um trecho de seu obituário foi considerado por Hill tão apropriado ao assunto deste capítulo que ele se sentiu compelido a comentar como segue.

Um parágrafo curto no artigo de jornal sobre a famosa cantora de ópera Madame Schumann-Heink dá uma dica do sucesso estupendo dessa mulher incomum. Cito o parágrafo porque a dica que ele contém não é nada mais que o desejo.

> No começo de sua carreira, Madame Schumann-Heink visitou o diretor da Ópera da Corte de Viena para que ele testasse sua voz. Mas ele não a testou. Depois de uma olhada na menina desajeitada e malvestida, ele indagou de modo não muito gentil: "Com essa cara e sem nenhuma personalidade, como você pode esperar algum sucesso na ópera? Minha boa criança, desista da ideia. Compre uma máquina de costura e vá trabalhar. Você nunca poderá ser cantora".

Nunca é muito tempo! O diretor da Ópera da Corte de Viena podia saber muito sobre a técnica de cantar, mas sabia pouco sobre o poder do desejo que assume a proporção de uma obsessão. Se soubesse mais sobre esse poder, ele não teria cometido o erro de condenar um gênio sem dar a ele uma oportunidade.

COMENTÁRIO

Embora poucos leitores desta edição conheçam Madame Schumann-Heink, todo leitor conhece meia dúzia de histórias semelhantes. Ela é válida para cada geração e cada tipo de música. Em algum momento, até os maiores astros foram fracassos. Em algum momento, alguém disse a eles que não eram bons o bastante. Mas, em cada uma dessas vezes em que eles fracassaram, o desejo era maior que o fracasso.

É por isso que você conhece suas histórias. E também é por isso que você nunca ouviu nada sobre milhares de outros artistas que também ouviram alguém dizer que eles não eram bons. Esses dos quais você nunca ouviu falar são aqueles cujo desejo não era grande o bastante. São os que acreditavam que fracasso era derrota.

Vários anos atrás um dos meus sócios adoeceu. Ele piorou com o passar do tempo e, por fim, foi levado ao hospital para fazer uma cirurgia. O médico me avisou que havia pouca ou nenhuma chance de eu ver meu sócio vivo novamente. Mas essa era a opinião do médico. Não era a opinião do paciente. Pouco antes de ser levado na maca, ele cochichou para mim: "Não se preocupe, chefe, sairei daqui em poucos dias".

A enfermeira olhou para mim com cara de piedade. Mas o paciente ficou bem. Depois que tudo acabou, o médico disse: "Nada além do desejo de viver o salvou. Ele não teria sobrevivido se não tivesse se recusado a aceitar a possibilidade da morte".

COMENTÁRIO

Nos anos de 1980, o fenômeno sobre o qual Napoleon Hill escreveu no parágrafo anterior passou a ser aceito por um segmento cada vez maior da população. Entre os adeptos havia muitos médicos que incorporaram o conceito sob o termo "conexão mente-corpo" e, na virada do século 21, a crença de que a mente pode manifestar mudanças físicas no corpo se tornou parte da prática médica comum. No Capítulo 5, Autossugestão, você vai encontrar mais comentários sobre os aspectos médicos de ter um desejo ardente.

Eu acredito no poder do desejo respaldado pela fé em si porque vi esse poder alçar gente de um começo muito baixo a lugares de poder e riqueza. Eu o vi privar sepulturas de suas vítimas; o vi servir de meio pelo qual as pessoas deram a volta por cima depois de uma centena de diferentes derrotas. E o vi dar a meu filho uma vida normal, feliz e bem-sucedida, apesar de a natureza tê-lo trazido ao mundo sem orelhas.

Como você pode comandar e usar o poder do desejo? A primeira parte da resposta é a técnica no começo deste capítulo. Você vai aprender mais no próximo capítulo deste livro e nos seguintes.

Por intermédio de algum estranho e poderoso princípio, a natureza embrulha no impulso de um forte desejo "aquela coisa" que não reconhece a palavra impossível e não aceita a realidade do fracasso.

NÃO HÁ LIMITAÇÕES
PARA A MENTE, EXCETO
AQUELAS QUE RECONHECEMOS

CAPÍTULO 4

FÉ EM SUA CAPACIDADE

VISUALIZAÇÃO E CRENÇA NA REALIZAÇÃO DO DESEJO

O segundo passo rumo à riqueza

fé é a química-chefe da mente. Quando a fé é fundida ao pensamento, a mente subconsciente capta instantaneamente a vibração. O subconsciente então a traduz e transmite para a Inteligência Infinita.

As emoções de fé, amor e sexo são as mais poderosas de todas as maiores emoções positivas. Quando as três se fundem, têm o efeito de "colorir" o pensamento de tal maneira que ele alcança instantaneamente a mente subconsciente. Lá, ele é modificado para uma forma que induz uma resposta da Inteligência Infinita.

COMENTÁRIO

No parágrafo anterior, Napoleon Hill usa dois termos, "fé" e "Inteligência Infinita", ambos passíveis de transmitir ao leitor uma conotação religiosa que Hill não pretendeu. A seguir, as definições do significado das palavras como Hill as usa no capítulo.

No uso moderno, a palavra fé se tornou quase intercambiável com "crença religiosa", e não é assim que Hill utiliza a palavra. Fé, como é usada aqui, significa ter confiança, acreditar, ter uma crença inabalável em que você é capaz de fazer alguma coisa. E para ter fé em você mesmo, como Hill diz, ela tem que ser verdadeira em um nível subconsciente. Se você tem uma dúvida persistente lá no fundo, ou se está apenas fingindo que acredita, não vai funcionar, porque seu subconsciente vai conhecer suas dúvidas. A menos que tenha total e absoluta confiança, a menos que esteja convencido sem nenhuma questão, você não tem fé.

Hill usa o termo Inteligência Infinita para identificar aquela parte da mente e do processo de pensamento humano que produz intuições, *flashes de insight* e saltos de lógica. O conceito de Hill tem semelhanças com o que o psicólogo Carl Jung chamou de "inconsciente coletivo" e, em outro nível, é muito próximo do que os psicólogos contemporâneos chamam de "funcionar em estado de fluxo". A Inteligência Infinita é discutida mais profundamente nos capítulos posteriores.

Hill também usa outro termo, *mente subconsciente*, que deve ser comentado antes de o leitor prosseguir com a leitura deste capítulo. Embora existam diferentes escolas de pensamento, de maneira geral, a psicologia moderna se desenvolveu a partir do trabalho pioneiro de Sigmund Freud e Carl Jung. Eles acreditavam que a mente humana opera em nível consciente e inconsciente, mas discordavam sobre o papel que o subconsciente desempenha e como influencia a atitude e a ação.

Por suas próprias pesquisas e estudos, Napoleon Hill desenvolveu uma teoria de consciente e subconsciente que é mais próxima da visão junguiana. Segue uma breve descrição da base do ponto de vista de Hill.

Mente consciente: recebe informação pelos cinco sentidos – visão, olfato, paladar, audição e tato. A mente consciente observa aquilo de que você precisa para pensar e funcionar e filtra o que não é necessário. Sua mente consciente (e o que a memória retém) é a inteligência com que você normalmente pensa, raciocina e planeja.

Mente subconsciente: tem acesso à mesma informação que a mente consciente, mas não raciocina como ela. Ela toma tudo literalmente. Não faz julgamentos de valor. Não filtra e não esquece.

Você não pode ordenar que sua mente consciente acesse a mente subconsciente. Porém, sob certas circunstâncias, todos aqueles fatos e ideias esquecidos que estão sempre lá no subconsciente podem, se estiverem firmemente enraizados, influenciar suas atitudes e ações conscientes.

COMO DESENVOLVER FÉ

A seguinte declaração é muito importante para a compreensão da importância da autossugestão na transmutação do desejo em seu equivalente físico ou monetário: fé é um estado mental que pode ser induzido ou criado por afirmação ou instruções repetidas para a mente, por meio do princípio de autossugestão.

A repetição de afirmações é como dar ordens à mente subconsciente, e é o único método conhecido de desenvolvimento voluntário da emoção da fé (crença absoluta de que você pode fazer alguma coisa).

Como um exemplo, pense em por que você está lendo este livro. Você quer adquirir a habilidade de transmutar o intangível impulso do pensamento de desejo em sua contraparte física, dinheiro. Seguindo as instruções dadas nos capítulos sobre autossugestão e mente subconsciente, você vai aprender técnicas para convencer sua mente subconsciente de que acredita que vai receber aquilo que quer. Seu subconsciente vai agir a partir dessa crença e devolvê-la a você na forma de "fé", seguida por planos definidos para adquirir aquilo que você deseja.

Fé em você mesmo e em suas habilidades é um estado mental que você vai conseguir desenvolver à vontade depois que dominar os treze princípios deste livro. Isso é verdade porque a fé é um estado mental que vai se desenvolver naturalmente quando você usar e aplicar esses princípios.

As emoções, ou a porção de "sentimento" dos pensamentos, são o que dá vitalidade, vida e ação aos pensamentos. As emoções de fé, amor e sexo, quando misturadas a qualquer impulso de pensamento, dão a ele ação ainda maior. Todos os pensamentos que foram carregados de emoção (receberam sentimentos) e misturados com fé (crença absoluta em sua capacidade) começam imediatamente a se traduzir em seu equivalente ou sua contraparte física.

Porém, isso é válido não apenas para impulsos de pensamento que foram misturados com fé, mas também para qualquer emoção. Inclusive emoções negativas.

O que isso significa é que a mente subconsciente vai traduzir em seu equivalente físico um impulso de pensamento de natureza negativa ou destrutiva tão prontamente como quando age a partir de impulsos de pensamento de natureza positiva ou construtiva. A seguinte afirmação feita por um famoso criminologista ilustra o argumento: "Quando os homens entram em contato com o crime pela primeira vez, eles o detestam. Se permanecem em contato com o crime por um tempo, se acostumam com ele e o suportam. Se permanecem em contato com ele por tempo suficiente, finalmente o aceitam e são influenciados por ele".

Isso equivale a dizer que um impulso negativo de pensamento que é transmitido de forma repetida para a mente subconsciente com a frequência suficiente é por fim aceito e tomado como base para a ação da mente subconsciente. O subconsciente então passa a traduzir esse impulso em seu equivalente físico pelo mais prático procedimento disponível.

Isso também vale para o estranho fenômeno que muitos milhões de pessoas experimentam, chamado de má sorte ou azar.

Milhões de pessoas acreditam estar fadadas à pobreza e ao fracasso por causa de alguma força estranha que chamam de azar, sobre a qual pensam não ter controle. Mas a verdade é que elas são as criadoras dos próprios infortúnios, porque essa crença negativa no azar é captada pela mente subconsciente e traduzida em seu equivalente físico.

Sua crença, ou fé, é o elemento que vai determinar a ação da mente subconsciente. Mais uma vez, quero ressaltar que você se beneficia transmitindo para sua mente subconsciente qualquer desejo que queira ver traduzido em seu equivalente físico ou monetário, em um estado de esperança ou crença de que a transmutação vai realmente acontecer. A mente subconsciente vai transmutar em seu equivalente físico, pelo método mais direto e prático disponível, qualquer ordem dada a ela em um estado de crença ou fé de que a ordem será cumprida.

Nesse ponto, deve ser apontado também que, por causa da forma como o subconsciente opera, nada o impede de "enganar" sua mente subconsciente dando a ela instruções por meio da autossugestão. Foi isso que eu fiz quando "enganei" a mente subconsciente do meu filho.

Para tornar essa trapaça mais realista, quando se dirige à mente subconsciente, você deve se comportar como agiria se já estivesse de posse do bem material que está querendo.

COMENTÁRIO

É um axioma da teoria contemporânea da motivação que a mente subconsciente não sabe distinguir entre o que é real e o que é vividamente imaginado. Um dos estudos mais frequentemente citados para apoiar esse conceito foi realizado com um grupo de jogadores de basquete. Os jogadores foram divididos em três equipes, e os jogadores de cada equipe foram testados em sua habilidade de fazer arremessos livres.

As equipes foram então separadas por um tempo e cada uma recebeu instruções que, disseram a elas, melhorariam suas habilidades. Uma equipe foi orientada a treinar diariamente para fazer cestas. A segunda equipe foi instruída para não treinar durante esse tempo nem pensar em basquete. A terceira equipe também foi instruída a não treinar durante esse tempo, mas os membros foram aconselhados a passar o tempo de treino diário visualizando em detalhes o processo de fazer cestas. No fim do experimento, os grupos foram testados novamente. A equipe que descansou teve uma diminuição de habilidade. A equipe que treinou mostrou um aumento marcante na habilidade. E a equipe que não treinou, mas visualizou o processo de fazer cestas, exibiu um aumento na habilidade quase igual àquele dos que praticaram diariamente.

Como diz Hill, você pode "enganar" o subconsciente pela autossugestão. Se você planta uma ideia de maneira convincente no seu subconsciente, ele vai aceitar e trabalhar com a ideia como se fosse um fato.

Mas a palavra-chave é "convincente". Se você tentar mandar uma mensagem para o subconsciente, mas lá no fundo tiver uma dúvida de que isso vai dar certo, o subconsciente também vai captar essa dúvida. Você vai mandar mensagens confusas que se cancelam mutuamente. É por isso que Hill enfatiza a importância de fazer tudo com fé. Seu subconsciente não vai julgar se isso é verdadeiro ou falso, positivo ou negativo, mas vai responder ao poder do estímulo (conforme a emoção carregada no pensamento).

É essencial que você incentive as emoções positivas para serem as forças dominantes em sua mente. Mas fé em você mesmo não resulta simplesmente de ler instruções. Agora que entende a teoria, você precisa começar a aplicá-la. Experimentando e praticando, você vai desenvolver sua capacidade de misturar fé a qualquer ordem que dê ao seu subconsciente.

Quando você tem fé em sua capacidade, pode dar instruções à mente subconsciente, que as aceitará e agirá a partir delas imediatamente. Quando sua mente é dominada por emoções positivas, ela incentiva o estado mental conhecido como fé.

Fé em si mesmo é um estado mental que você pode criar com autossugestão

Ao longo dos tempos, líderes religiosos têm aconselhado as pessoas a "ter fé". Dizem para ter fé nisso, naquilo, naquele dogma ou credo, mas não falam às pessoas *como* ter fé. Não estabeleceram que "fé é um estado mental que pode ser induzido por autossugestão".

Em uma linguagem que qualquer um pode entender, este livro explica o princípio pelo qual a fé em sua habilidade de alcançar um objetivo pode ser desenvolvida quando ainda não existe.

Antes de começarmos, você deve relembrar que:

Fé é o "elixir eterno" que dá vida, poder e ação ao impulso do pensamento. A frase anterior merece ser lida duas, três, quatro vezes. E merece ser lida em voz alta!

Fé é o ponto de partida de todo acúmulo de riqueza. Fé é a base de todos os "milagres" e mistérios que não podem ser analisados pelas regras da ciência.

Fé é o único antídoto conhecido para o fracasso.

Fé é o elemento que, quando misturado ao desejo, dá a você comunicação direta com a Inteligência Infinita.

Fé é o elemento que transforma a vibração comum de pensamento, criada pela mente humana, no equivalente espiritual.

Fé é o único jeito de dominar e usar a força da Inteligência Infinita.

A magia da autossugestão

É fato que você vai acreditar em tudo que repetir para si mesmo, seja a afirmação verdadeira ou falsa. Se você repetir uma mentira muitas vezes, com o tempo vai aceitar a mentira como verdade. Mais ainda, vai *acreditar* que ela é a verdade. Você é o que é por causa dos pensamentos dominantes que permite que ocupem sua mente. Pensamentos que você coloca deliberadamente na sua cabeça, que incentiva com simpatia e aos quais mistura uma ou mais emoções constituem as forças motivadoras que dirigem e controlam cada um de seus movimentos, ações e feitos.

A frase a seguir é uma afirmação muito significativa da verdade: pensamentos misturados a qualquer sentimento ou emoção se tornam como uma força magnética que atrai outros pensamentos semelhantes ou relacionados.

Um pensamento "magnetizado" com uma das emoções pode ser comparado a uma semente. Quando plantado em solo fértil, ele germina, cresce e se multiplica muitas e muitas vezes. O que originalmente era uma pequena semente se torna incontáveis milhões de sementes do mesmo tipo.

A mente humana atrai constantemente vibrações que estão em sintonia com o que domina a mente. Qualquer pensamento, ideia, plano ou propósito que você tem em mente atrai uma horda de parentes. Junte a esses "parentes" sua própria força, e o pensamento cresce até se tornar o principal motivador da pessoa em cuja mente está abrigado.

Agora vamos voltar ao ponto de partida. Como a semente original de uma ideia, plano ou propósito pode ser plantada na mente? A resposta: qualquer ideia, plano ou propósito pode ser colocado na mente por meio da repetição de pensamento. Por isso, você é aconselhado a escrever uma declaração de seu objetivo principal ou definir sua meta principal, comprometê-la à memória e repeti-la em voz alta, dia após dia, até essas vibrações de som alcançarem sua mente subconsciente.

Você é o que é por causa dos pensamentos dominantes que permite que ocupem sua mente. Se decidir, pode jogar fora todas as más influências do passado e construir a própria vida como quer que ela seja. Por exemplo, fazendo um inventário de seus ativos e passivos mentais, você pode descobrir que sua maior fraqueza é a falta de autoconfiança. Isso pode ser superado e traduzido em coragem por meio do princípio da autossugestão.

Você pode fazer isso redigindo um conjunto de impulsos de pensamentos positivos colocados de maneira simples, memorizá-los e repeti-los até que se tornem parte do equipamento de trabalho de sua mente subconsciente.

A seguir, um exemplo para alguém cujo objetivo definido é superar a falta de autoconfiança.

Fórmula da autoconfiança

1. Eu sei que tenho a capacidade de alcançar o meu objetivo definido na vida. Portanto, exijo de mim mesmo ação contínua e persistente para a realização e prometo aqui e agora promover essa ação.
2. Eu entendo que os pensamentos dominantes de minha mente com o tempo vão se reproduzir em ação física externa e aos poucos se transformar em realidade física. Portanto, vou concentrar meus pensamentos por trinta minutos todos os dias, visualizando a pessoa que pretendo me tornar. Dessa maneira, vou criar na minha mente uma imagem mental clara.
3. Eu sei, pelo princípio da autossugestão, que qualquer desejo que eu mantiver de forma persistente em minha mente com o tempo vai encontrar meios práticos de alcançar meu objetivo. Portanto, vou dedicar trinta minutos diários a exigir de mim mesmo o desenvolvimento da autoconfiança.
4. Eu escrevi claramente uma descrição do meu principal objetivo definido na vida e nunca vou parar de tentar até ter desenvolvido autoconfiança suficiente para sua realização.
5. Eu percebo plenamente que nenhuma riqueza ou posição pode durar, a menos que construída sobre verdade e justiça. Portanto, não vou me dedicar a nenhuma transação que não beneficie todos por ela afetados. Terei sucesso atraindo as forças que desejo usar e a cooperação de outras pessoas. Convencerei outros a me ajudar por

causa da minha disponibilidade para ajudar os outros. Vou eliminar o ódio, a inveja, o ciúme, o egoísmo e o cinismo desenvolvendo amor por toda a humanidade, porque sei que uma atitude negativa com outras pessoas nunca poderá me trazer sucesso. Vou fazer os outros acreditarem em mim porque vou acreditar neles e em mim mesmo.

Vou assinar essa fórmula, gravá-la na memória e repeti-la em voz alta uma vez por dia, com plena fé de que ela com o tempo vai influenciar meus pensamentos e atos, de forma que eu me torne uma pessoa autossuficiente e bem-sucedida.

Por trás dessa fórmula há uma lei da natureza que os psicólogos chamam de autossugestão. É uma técnica comprovada que vai trabalhar pelo seu sucesso, se for usada de maneira construtiva. Por outro lado, se for usada de forma destrutiva, destruirá com a mesma prontidão. Nessa afirmação é possível encontrar uma verdade muito importante, a de que aqueles que afundam em uma derrota e terminam a vida na pobreza, miséria e angústia, assim o fazem por causa da aplicação negativa do princípio da autossugestão. Todos os impulsos de pensamento têm a tendência de se travestir em seu equivalente físico.

O desastre do pensamento negativo

A mente subconsciente não faz distinção entre impulsos de pensamento construtivos e destrutivos. Ela trabalha com o material que fornecemos por meio de nossos impulsos de pensamento. A mente subconsciente traduz em realidade um pensamento dirigido pelo medo, como traduz prontamente em realidade um pensamento dirigido por coragem ou fé.

Assim como faz girar as rodas da indústria e presta um serviço útil se for usada de maneira construtiva, a eletricidade destrói a vida se usada de forma errada. Assim também a lei da autossugestão conduzi-lo à paz e à prosperidade ou para o vale da miséria, do fracasso e da morte. Depende do seu grau de compreensão e aplicação dessa lei.

Se ocupar sua mente com medo ou dúvida e se não acreditar em sua capacidade de se conectar com as forças da Inteligência Infinita e usá-las, você não será capaz de usar essas forças. A lei da autossugestão vai tomar sua falta de fé e usar essa dúvida como um padrão pelo qual sua mente subconsciente vai traduzi-la em seu equivalente físico.

COMENTÁRIO

Quando você tem fé em sua capacidade de realizar o que quer, isso não só planta com firmeza ideias em seu subconsciente, como também depois funciona para se reforçar.

Quando você tem fé em suas capacidades, parte daquilo em que tem que ter fé é de que é capaz de recorrer à Inteligência Infinita. E por você ter fé em que isso vai dar certo, sua mente consciente não vai resistir. Quando sua consciência não resiste, a mente subconsciente pode mandar ideias criativas para a mente consciente com mais facilidade. Então, quanto mais você vir o poder trabalhando em sua vida, mais fácil vai ser agir com fé na próxima vez.

Vai funcionar para você? Não dá para saber, a menos que você relaxe sua resistência e tenha fé de que vai.

Como o vento que leva um navio para o leste e outro para o oeste, a lei da autossugestão vai erguer ou puxar para baixo, de acordo com a maneira como você posiciona as velas do seu pensamento.

A lei da autossugestão, pela qual qualquer pessoa pode chegar a alturas de realização que desafiam a imaginação, é bem descrita no verso a seguir. Observe as palavras que foram enfatizadas e você vai captar o significado profundo que o poeta tinha em mente.

Se você *pensa* que está derrotado, você está,
Se você *pensa* que não ousa, você não ousa;
Se você gosta de vencer, mas *pensa* que não consegue,
É quase certo que não vai conseguir.

Se você *pensa* que vai perder, está perdido,
Porque lá fora no mundo descobrimos
Que o sucesso começa com a vontade do homem
Tudo está no *estado mental.*

Se você *pensa* que está superado, está,
Você tem que *pensar* alto para subir,
Você tem que estar *seguro de si* antes de
Poder ganhar um prêmio.

As batalhas da vida nem sempre vão
Para o homem mais forte ou mais rápido,
Mas, cedo ou tarde, o homem que vence
É o homem que *pensa* em poder!

COMENTÁRIO

Como foi apontado no início deste capítulo, a maneira como Napoleon Hill usa a palavra *fé* não tem nenhuma conexão religiosa. Porém, seria impossível Hill escrever este capítulo sem reconhecer o poder da fé religiosa. Portanto, nos dois parágrafos seguintes, quando Hill discute Jesus Cristo e Mahatma Gandhi para exemplificar o poder da fé, ele se refere à fé pessoal de ambos: a absoluta confiança em suas crenças exibida por Jesus e a total convicção e confiança de Gandhi em sua causa. Nesse sentido, eles exemplificam perfeitamente o impulso de pensamento misturado à fé.

Se você quer evidência do poder da fé, estude as realizações de homens e mulheres que a empregaram. No topo da lista está o Nazareno. A base do cristianismo é a fé, por mais que muita gente tenha pervertido ou interpretado mal o significado dessa grande força.

A soma e a substância dos ensinamentos e das realizações de Cristo que podem ter sido interpretadas como "milagres" não eram nada mais ou menos que fé. Se existem tais fenômenos chamados de "milagres", eles são produzidos apenas pelo estado mental conhecido como fé.

Considere Mahatma Gandhi da Índia, um dos mais impressionantes exemplos das possibilidades da fé. Gandhi exibiu mais poder potencial que qualquer homem vivo em seu tempo. E ele tinha esse poder apesar de não desfrutar de nenhuma das ferramentas ortodoxas de poder, como dinheiro, navios de batalha, soldados e equipamentos de guerra. Gandhi não tinha dinheiro, não tinha casa, não tinha malas de roupas, mas tinha poder. Como obteve esse poder?

Ele o criou a partir de sua compreensão do princípio da fé e por meio de sua capacidade de transplantar essa fé para a mente de duzentos milhões de pessoas.

Gandhi realizou a impressionante façanha de influenciar duzentos milhões de mentes a se fundirem e se moverem em uníssono, como uma só mente.

Que outra força na Terra, além da fé, seria capaz de tanto?

COMO UMA IDEIA CONSTRUIU UMA FORTUNA

COMENTÁRIO

Embora a história a seguir não seja exclusivamente sobre fé e não faça menção à autossugestão ou mente subconsciente, Napoleon Hill a incluiu neste ponto em todas as edições de *Quem pensa enriquece*. De fato, como diz Hill, essa história ilustra pelo menos seis dos treze

princípios do sucesso. Mas a fé está no centro. Se o personagem central, Charles M. Schwab, não tivesse misturado sua "grande ideia" com uma fé inabalável e absoluta de que poderia colocá-la em prática, toda a história norte-americana dos negócios teria sido diferente.

O evento escolhido para essa ilustração aconteceu em 1900, quando a United States Steel Corporation era formada. Enquanto estiver lendo a história, tenha em mente os seguintes fatos fundamentais e vai entender como ideias foram convertidas em enormes fortunas.

Primeiro, a United States Steel Corporation nasceu na mente de Charles M. Schwab na forma de uma *ideia* que ele criou com sua *imaginação*. Segundo, ele misturou *fé* a essa ideia. Terceiro, ele formulou um *plano* para transportar sua ideia para a realidade física e financeira. Quarto, ele pôs seu plano em ação com seu famoso discurso no University Club. Quinto, ele se dedicou e seu plano com *persistência* e o amparou com *decisão* firme até ter sido totalmente realizado. Sexto, ele preparou o caminho para o sucesso com um *desejo ardente* por sucesso.

Se você é uma dessas pessoas que sempre se perguntaram como as grandes fortunas se acumularam, a história da criação da United States Steel Corporation será esclarecedora. Se você tem alguma dúvida de que uma pessoa pode *pensar e enriquecer*, essa história vai dissipar essa dúvida. Você pode ver claramente na história da United States Steel a aplicação de uma grande porção dos princípios descritos neste livro.

Essa impressionante descrição do poder de uma ideia foi contada de forma dramática por John Lowell no *New York World-Telegram* e é por cortesia dele que ela é agora aqui publicada.

COMENTÁRIO

Para que o leitor moderno aprecie plenamente a matéria de jornal a seguir, é apropriado fornecer aqui alguma informação sobre a história de alguns personagens.

Charles M. Schwab era o braço direito de Andrew Carnegie e presidente da Carnegie Steel Corporation.

Andrew Carnegie era um rico e poderoso barão do aço cuja empresa controlava 25% da produção de ferro e aço dos Estados Unidos.

J.P. Morgan era um rico e poderoso banqueiro de Wall Street cuja empresa havia financiado muitas das grandes indústrias norte-americanas no início do século 20.

Tudo que o leitor precisa saber sobre os outros homens mencionados na história é que, no começo do século 20, finanças, negócios e indústria eram dominados por algumas centenas de homens, muitos dos quais haviam acumulado grandes fortunas por meio de alguma conexão com as ferrovias que haviam sido abertas no país. Essas pessoas eram bem conhecidas pelos leitores do *New York World-Telegram* por sua influência financeira.

E isso cria o cenário para o seguinte artigo de jornal, que não é só uma história fascinante sobre o poder da fé em uma ideia, mas também um exemplo maravilhoso do estilo de redação irreverente usado por muitos jornalistas daquela época.

UM BELO DISCURSO PÓS-JANTAR POR US$ 1 BILHÃO

Quando, na noite de 12 de dezembro de 1900, cerca de oitenta representantes da nobreza financeira do país se reuniram no salão de banquetes do University Club na Quinta Avenida para homenagear um jovem do Oeste, nem meia dúzia dos convidados perceberam que testemunhavam o mais significante episódio da história industrial americana.

J. Edward Simmons e Charles Stewart Smith, com o peito cheio de gratidão pela exuberante hospitalidade com que foram recebidos por Charles M. Schwab durante uma visita recente a Pittsburgh, haviam organizado o jantar para apresentar o barão do aço de 38 anos para a sociedade banqueira do Leste. Mas não esperavam que ele pisoteasse a convenção. Eles o preveniram, na verdade, de que os peitos dentro das camisas engomadas de Nova York não reagiram bem à oratória e que, se ele não quisesse entediar os Stillman, Harriman e Vanderbilt, era melhor limitar-se a quinze ou vinte minutos de pompa e cortesia e parar por aí.

Até John Pierpont Morgan, sentado à direita de Schwab como convinha à sua honra imperial, pretendia agraciar a mesa de banquete com sua presença apenas brevemente. E, com relação à imprensa e ao público, o evento todo era tão pouco importante que não houve qualquer menção nas publicações do dia seguinte.

Assim, os dois anfitriões e seus distintos convidados comeram os habituais sete ou oito pratos. Houve pouca conversa, e a que houve foi contida. Poucos banqueiros e corretores conheciam Schwab, cuja carreira havia transbordado pelas margens do Monongahela, e ninguém o conhecia bem. Mas, antes de a noite acabar, eles – e Morgan, o Mestre do Dinheiro – seriam surpreendidos, e um bebê de US$ 1 bilhão, a United States Steel Corporation, seria concebido.

Talvez seja um infortúnio para a história que nenhum registro do discurso de Charlie Schwab no jantar tenha sido feito.

É provável, porém, que tenha sido um discurso "doméstico", sem atenção à gramática (porque as delicadezas da linguagem nunca despertaram o interesse de Schwab), cheio de epigramas e entremeado de humor. Mas, além disso, teve uma força e um efeito eletrizantes sobre os US$ 5 bilhões de capital estimado representado pelos presentes. Terminado o discurso e com os convidados ainda sob seu encanto, embora Schwab tenha falado durante noventa minutos, Morgan levou o orador para perto de uma janela afastada, onde, com as pernas balançando em um assento alto e desconfortável, eles conversaram por mais uma hora.

A magia da personalidade de Schwab havia sido lançada com toda a força, mas mais importante e duradouro foi o programa preciso e completo que ele havia exposto para o engrandecimento da Steel. Muitos outros homens haviam tentado convencer Morgan a criar um truste do aço semelhante aos padrões das combinações das indústrias de biscoito, arame e fios, açúcar, borracha, uísque, petróleo ou goma de mascar.

COMENTÁRIO

O dicionário *Random House College* define truste como "uma combinação ilegal de empresas comerciais ou indústrias na qual os produtos são controlados por um conselho central de membros, tornando, assim, impossível o controle de preços e destruindo a concorrência".

Muitas das novas indústrias norte-americanas cresceram tão depressa que ainda nem eram lucrativas. Ficaram sobrecarregadas com dívidas enormes contraídas no esforço de elevar o capital para financiar sua rápida expansão e, ao mesmo tempo, se viram diante da necessidade de cortar custos e baixar os preços ou encerrar as atividades. A resposta para muitas foi se juntar a outras do ramo e formar o que era chamado de truste ou combinação.

Embora os trustes fossem ilegais desde a aprovação da Lei Sherman Antitruste em 1890, as empresas ainda tentavam encontrar meios de monopolizar seus setores, e, se esse esforço não era tecnicamente truste, era algo muito próximo.

A necessidade dos proprietários da grande companhia que montavam esses trustes era levantar capital para comprar as diversas companhias menores que teriam que adquirir para dominar efetivamente um setor. J.P. Morgan era o banqueiro que financiava muitas dessas aquisições.

John W. Gates, o jogador, havia insistido nisso, mas Morgan não confiava nele. Os rapazes Moore, Bill e Jim, corretores de ações de Chicago que haviam montado um truste incendiário e uma corporação explosiva, tentaram e falharam. Elbert H. Gary, o advogado santarrão do país, quis promover a operação, mas não era grande o bastante para ser impressionante. Até a eloquência de Schwab levar J.P. Morgan à altura de onde ele poderia visualizar os sólidos resultados da mais arrojada aquisição financeira jamais concebida, o projeto era visto como um sonho delirante de malucos atrás de dinheiro fácil.

O magnetismo financeiro que uma geração atrás havia começado a atrair milhares de empresas pequenas, às vezes dirigidas de maneira ineficiente, na direção de grandes combinações que esmagavam a concorrência tinha se tornado operativo no mundo do aço por meio dos expedientes do jovial pirata empresarial John W. Gates. Gates já tinha formado a American Steel and Wire Company a partir de uma cadeia de pequenos negócios e, com Morgan, havia criado a Federal Steel Company.

Mas, comparado ao gigantesco truste vertical de Andrew Carnegie, um truste que pertencia e era operado por 53 sócios, essas outras combinações eram insignificantes. Eles podiam se associar como quisessem, mas nem todos juntos conseguiriam causar sequer um arranhão na organização de Carnegie, e Morgan sabia disso. O velho escocês excêntrico também sabia disso.

COMENTÁRIO

Andrew Carnegie nasceu na Escócia e foi para os Estados Unidos ainda menino. Fez o primeiro movimento para integrar o grupo de elite dos empresários norte-americanos quando se demitiu do emprego de mensageiro em um moinho de algodão, onde ganhava US$ 1,20 por semana, e conseguiu outro emprego como mensageiro do telégrafo. Logo aprendeu a operar um aparelho de telégrafo e foi contratado como telegrafista pessoal e secretário do chefe da Pennsylvania Railroad. Não demorou muito até ele progredir e chegar ao cargo de superintendente da divisão de Pittsburgh, o que, por sua vez, o colocou em condições de se tornar um investidor no início da Pullman Company, que se tornou a principal fabricante de vagões ferroviários. O investimento de Carnegie na Pullman e alguns empreendimentos imobiliários bem-sucedidos deram a ele o capital para começar um negócio sozinho.

No fim da guerra civil, Carnegie deixou as ferrovias e fundou uma empresa que construía pontes de ferro para companhias ferroviárias. Da construção de pontes de ferro foi um pulo para fundar a própria siderúrgica, que o levou a adquirir o controle sobre outras siderúrgicas, depois campos de carvão para abastecer suas fundições, depois barcos de minério e ferrovias para transportar minério e carvão. Por causa da integração vertical de Carnegie e seu uso dos métodos de produção mais atualizados, ele conseguiu vender aço de alta qualidade pelo menor preço. Ele conseguiu baixar o preço do aço de US$ 140 para US$ 20 a tonelada. Em 1899, a Carnegie Steel Company controlava cerca de 25% da produção de ferro e aço dos Estados Unidos.

Os produtores menores de aço não conseguiam concorrer com Carnegie, por isso foram pedir ajuda a J.P. Morgan. Ele providenciou o financiamento, e se estabeleceu uma aliança de grande alcance das companhias do setor de fabricação de produtos de aço. Parte do acordo era que elas não comprariam aço de Carnegie.

Andrew Carnegie não se deixaria expulsar dos negócios por um conjunto de empresas pequenas. Ele anunciou que compraria ou construiria fábricas para produzir bens acabados feitos de aço.

Da magnífica altura do Castelo de Skibo ele tinha visto, primeiro com humor e depois com ressentimento, as tentativas das pequenas empresas de Morgan de tirá-lo dos negócios. Quando as tentativas se tornaram muito ousadas, a disposição de Carnegie se traduziu em raiva e retaliação. Ele decidiu duplicar cada usina que pertencia aos rivais. Até então, ele não se interessava por arame, canos, aros ou lâminas. Em vez disso, se contentava em vender aço para essas companhias e deixá-las trabalhar para dar a forma que quisessem. Agora, com Schwab como chefe e assessor capaz, ele planejava botar os inimigos contra a parede.

E foi assim que Morgan viu no discurso de Charles M. Schwab a resposta para seu problema de combinação. Um truste sem Carnegie – o gigante do ramo – não seria truste de jeito nenhum, e sim um pudim de ameixas, como disse um escritor, sem as ameixas.

O discurso de Schwab na noite de 12 de dezembro de 1900 sem dúvida transmitiu a inferência, embora não a garantia, de que o vasto empreendimento de Carnegie podia ser levado para o conglomerado de Morgan. Ele falou do futuro mundial do aço, da reorganização para a eficiência, da especialização, da liquidação de usinas malsucedidas e da concentração de esforço nas propriedades prósperas, da economia no transporte de minério, da economia nos departamentos administrativo e geral, da conquista de mercados estrangeiros.

Mais que isso, ele disse aos bucaneiros presentes onde estavam os erros de sua habitual pirataria. Seus propósitos, ele inferiu, haviam sido criar monopólios, elevar preços e arrecadar altos dividendos pelo privilégio. Schwab condenou o sistema à sua maneira mais franca. A miopia dessa política, disse aos ouvintes, estava no fato de restringir o mercado em uma era quando tudo clamava por expansão. Barateando o custo do aço, ele argumentou, um mercado em constante expansão seria criado, mais utilidades para o aço seriam sugeridas, e uma boa fatia do comércio mundial poderia ser conquistada. Na verdade, embora não soubesse disso, Schwab era um apóstolo da moderna produção de massa.

COMENTÁRIO

Para J. P. Morgan, toda a conversa de Schwab sobre economia de escala e mercados em expansão significou uma só coisa. Até aquela noite, presumia-se que Andrew Carnegie continuaria construindo as próprias fábricas para competir com os trustes de aço que Morgan havia ajudado a criar. Morgan sabia que Carnegie precisaria de um enorme capital para isso e também sabia que Carnegie sempre havia sido veementemente contrário a levantar capital pela venda de ações de sua companhia.

O que Schwab parecia estar insinuando era que, em vez de ir a Wall Street buscar o dinheiro necessário para combater os trustes, Carnegie poderia estar interessado em vender sua empresa.

E assim o jantar do University Club chegou ao fim. Morgan foi para casa e pensou nas previsões róseas de Schwab. Schwab voltou a Pittsburgh para comandar o setor de aço da "Wee Andra Carnegie", enquanto Gary e os demais voltaram suas cotações de ações, matando tempo à espera do próximo passo.

Não tiveram que esperar muito. Morgan levou cerca de uma semana para digerir o banquete de argumentos servido por Schwab. Quando teve certeza de que nenhuma indigestão financeira ocorreria, mandou chamar Schwab – e descobriu que o jovem era bem recatado. Carnegie, Schwab indicou, poderia não gostar de saber que o confiável presidente de sua companhia andava flertando com o Imperador de Wall Street, a rua que Carnegie estava decidido a nunca percorrer. Então John W. Gates, o intermediário, sugeriu que, se Schwab "por acaso" estivesse no Bellevue Hotel, na Filadélfia, J.P. Morgan também poderia estar lá "por acaso". Porém, quando Schwab chegou, Morgan estava inconvenientemente doente em sua casa em Nova York; assim, por convite persistente do homem mais velho, Schwab foi a Nova York e apresentou-se à porta da biblioteca do financista.

Alguns historiadores econômicos professaram a crença de que, desde o início até o fim da trama, o palco foi preparado por Andrew Carnegie – o jantar para Schwab, o famoso discurso, a reunião na noite de domingo entre Schwab e o Rei do Dinheiro foram eventos arranjados pelo astuto escocês. A verdade é exatamente o contrário. Quando Schwab foi chamado para fechar o acordo, ele nem sabia se o "chefinho", como Andrew era chamado, sequer ouviria uma oferta pela empresa, especialmente de um grupo de homens que considerava longe de serem santos. Mas Schwab levou à reunião com Morgan seis folhas de próprio punho, em caligrafia elegante, com números que, para ele, representavam o valor físico e a capacidade de ganho potencial de cada companhia de aço que ele via como uma estrela essencial no novo firmamento do metal.

Quatro homens passaram a noite toda examinando aqueles números. O chefe, é claro, era Morgan, firme em sua crença no direito divino do dinheiro. Com ele estava seu sócio aristocrata, Robert Bacon, um estudioso e um cavalheiro. O terceiro era John W. Gates, de quem Morgan desdenhava por ser um jogador e a quem usava como instrumento. O quarto homem era Schwab, que sabia mais sobre o processo de produzir e vender aço do que qualquer grupo de homens vivos então. Durante a reunião, os números do homem de Pittsburgh nunca foram questionados.

Se ele dizia que uma companhia valia tanto, ela valia exatamente isso e não mais. Ele também insistiu em incluir na combinação apenas as empresas por ele identificadas. Havia concebido uma corporação na qual não haveria duplicação, nem mesmo para satisfazer a ganância de amigos que queriam descarregar suas empresas sobre os ombros largos de Morgan.

Quando o dia amanheceu, Morgan levantou-se e endireitou as costas. Restava apenas uma questão.

"Você acha que consegue convencer Andrew Carnegie a vender?", ele perguntou.

"Posso tentar", disse Schwab.

"Se conseguir convencê-lo a vender, eu assumo o assunto", declarou Morgan.

Até aí, tudo bem. Mas Carnegie venderia? Quanto pediria? (Schwab pensava em uns US$ 320 milhões.) Como aceitaria receber? Ações comuns ou preferenciais? Títulos? Dinheiro? Ninguém poderia levantar um terço de bilhão de dólares em dinheiro.

Houve um jogo de golfe em janeiro no charco gelado dos campos de St. Andrews em Westchester, com Andrew entrouxado em suéteres para se proteger do frio e Charlie falando com eloquência, como sempre, para se manter animado. Mas ninguém falou de negócios até a dupla se sentar no calor aconchegante do chalé de Carnegie perto dali. Então, com o mesmo poder de persuasão que havia hipnotizado oitenta milionários no University Club, Schwab derramou as promessas cintilantes de aposentadoria com conforto, de milhões incontáveis para satisfazer os caprichos sociais do velho. Carnegie cedeu, anotou um valor em um pedaço de papel, entregou-o a Schwab e disse: "Muito bem, vendemos por essa quantia".

O número era aproximadamente US$ 400 milhões e resultou dos US$ 320 milhões mencionados por Schwab como valor básico, aos quais foram acrescidos US$ 80 milhões para representar o capital aumentado durante os dois anos anteriores.

Mais tarde, no convés de um transatlântico, o escocês disse a Morgan com tom triste: "Queria ter pedido mais US$ 100 milhões".

"Se tivesse pedido, teria recebido", Morgan respondeu em tom jovial.

Houve comoção, é claro. Um correspondente britânico reportou que o mundo estrangeiro do aço estava "chocado" com a gigantesca combinação. O presidente Hadley, de Yale, declarou que, a menos que os trustes fossem regulamentados, o país poderia contar com um "imperador em Washington nos próximos 25 anos". Mas o capaz manipulador de ações, Keene, dedicou-se ao trabalho de empurrar as novas ações para o público com tanto vigor que todo o excesso – estimado por alguns em US$ 600 milhões – foi absorvido em um piscar de olhos. Carnegie teve seus milhões, o consórcio de Morgan ficou com US$ 62 milhões por todo seu "trabalho", e todos os "rapazes", de Gates a Gary, receberam seus milhões.

COMENTÁRIO

Charles M. Schwab, de 38 anos, também teve sua recompensa. Ele foi nomeado presidente da nova corporação, a United States Steel, e permaneceu no controle até 1930. Quando deixou a U.S. Steel, Schwab fundou a gigantesca Bethlehem Steel Corporation, da qual também se tornou presidente.

A RIQUEZA COMEÇA COM O PENSAMENTO

A história dramática da grande transação que você acabou de ler é uma ilustração perfeita do método pelo qual o desejo pode ser transmutado em seu equivalente físico!

Aquela organização gigantesca foi criada na mente de um homem. O plano que proporcionou à organização as usinas de aço que garantiram sua estabilidade financeira foi criado na mente do mesmo homem. Sua fé, seu desejo, sua imaginação, sua persistência foram os verdadeiros ingredientes da United States Steel. As usinas de aço e o equipamento adquirido pela corporação depois de ela ter passado a existir legalmente foram incidentais. Porém, uma análise cuidadosa revela que o valor calculado pelas propriedades adquiridas pela corporação aumentou em estimados US$ 600 milhões [aproximadamente US$ 12 bilhões atuais]. O aumento no valor dos ativos pode ser atribuído à mera transação que os consolidou sob uma só administração.

Em outras palavras, a ideia de Charles M. Schwab, mais a fé com que ele a transmitiu à mente de J.P. Morgan e dos outros, foi comercializada por um lucro de aproximadamente US$ 600 milhões. Não é uma soma insignificante por uma única ideia!

A United States Steel Corporation prosperou e se tornou uma das mais ricas e poderosas corporações dos Estados Unidos, empregando milhares de pessoas, desenvolvendo novos usos para o aço e abrindo novos mercados, provando, assim, que os US$ 600 milhões de lucro produzidos pela ideia de Schwab foram merecidos.

A riqueza começa na força de pensamento.

O montante é limitado apenas pela pessoa em cuja mente o pensamento é posto em movimento. A fé remove limitações! Lembre-se disso quando estiver pronto para negociar com a vida seu preço por ter trilhado esse caminho.

COMENTÁRIO

Nos anos seguintes à publicação do artigo no *New York World-Telegram*, a história bem contada de negociações se tornou um gênero próprio no ramo editorial. Há *best-sellers* e biografias escritos por líderes empresariais de todos os setores e sobre eles. Os editores desta edição sugerem veementemente que você dê uma olhada em alguns desses livros. Podem ser divertidos e inspiradores, e neles você vai poder ver exemplos dos princípios de sucesso de Hill em ação no mundo real. E os melhores não são só divertidos e inspiradores, mas também são repletos de ideias e técnicas que você pode adaptar e usar.

Existem literalmente *best-sellers* demais entre os quais escolher para compor uma lista de "melhores" e incluir aqui. Qualquer escolha desse tipo que os editores pudessem fazer não seria necessariamente dos melhores, mas dos que mais refletem os interesses da pessoa fazendo as escolhas. Porém, há dois livros que os editores recomendam e que não são de ou sobre um único indivíduo ou setor. Esses livros são *In Search of Excellence*, de Tom Peters, e *Breakthroughs!*, de P. R. Nayak e John M. Ketteringham. Cada um deles lida com um amplo espectro de áreas, e dentro de cada área eles escolhem certas companhias e indivíduos para analisar.

Ambos foram publicados no começo da onda de livros sobre negócios na década de 1980, mas há alguns outros depois deles que transmitem melhor a importância da fé em uma boa ideia. *In Search of Excellence*, escolhido por um painel de especialistas como o livro mais influente dos últimos vinte anos, é um *best-seller* campeão e provavelmente será impresso por anos. *Breakthroughs!* pode ser mais difícil de encontrar, mas vale a pena procurar.

UM DESISTENTE NUNCA VENCE,
E UM VENCEDOR NUNCA DESISTE

CAPÍTULO 5

AUTOSSUGESTÃO

O MEIO DE INFLUENCIAR A MENTE SUBCONSCIENTE

O terceiro passo rumo à riqueza

utossugestão é um termo que se aplica a todas as sugestões e todos os estímulos autoadministrados que chegam à mente pelos cinco sentidos. Posto de outra forma, autossugestão é sugestionar a si mesmo. É o jeito de estabelecer comunicação entre aquela parte da mente onde acontecem os pensamentos conscientes e a outra que serve de lugar de ação para a mente subconsciente.

Por meio dos pensamentos dominantes que você permite que permaneçam em sua mente consciente (não importa se esses pensamentos são negativos ou positivos), o princípio da autossugestão chega à mente subconsciente e a influencia com esses pensamentos.

A natureza moldou o ser humano de forma que, por intermédio dos cinco sentidos, possamos ter controle sobre o material que chega à nossa mente subconsciente. Porém, isso não significa que sempre exercemos esse controle. Na grande maioria dos casos, não o exercitamos, o que explica por que tanta gente passa a vida na pobreza.

Lembre-se do que eu disse sobre sua mente subconsciente parecer um jardim fértil no qual a erva daninha cresce se não forem plantadas as sementes de safras mais desejáveis. A autossugestão é como você pode alimentar seus pensamentos criativos ou subconscientes, ou pode, ao negligenciá-los, permitir que pensamentos de natureza destrutiva encontrem o caminho para o rico jardim da mente.

COMENTÁRIO

Numerosos estudos e experimentos psicológicos com hipnoterapia validaram o conceito de Napoleon Hill de que a mente subconsciente de uma pessoa retém tudo que essa pessoa experimentou. Estudos também sustentam a teoria de que o subconsciente não julga, não filtra ou interpreta, simplesmente processa a informação literalmente e a armazena. Para os leitores que possam ter dúvidas sobre o subconsciente ou a respeito de os pensamentos armazenados abaixo do nível da consciência poderem exercer influência suficiente para afetar atitude e comportamento, a explicação a seguir deve aliviar tais dúvidas.

Não há dúvida sobre a existência de condições conhecidas pelos nomes psicológicos de *fixação*, *fobia* e *comportamento compulsivo*. Essas condições ocorrem quando uma criança aprendeu alguma coisa de um jeito tão dramático que o conhecimento se planta com firmeza em seu subconsciente. Então, mesmo quando a criança se torna um adulto e a mente consciente aprende a compreender a informação de um ponto de vista maduro, como o aprendizado da experiência na infância foi muito poderoso, o subconsciente ainda retém a compreensão infantil da informação. O resultado é uma fixação, fobia ou comportamento compulsivo que provoca uma resposta enraizada na infância, que não faz sentido lógico para a mente consciente do adulto. Isso porque ela não vem do consciente. Vem da crença subconsciente, que foi tão carregada de emoção que atropela a mente consciente lógica do adulto.

A teoria de Hill se baseia exatamente nos mesmos princípios psicológicos. Os pensamentos permanecem armazenados no subconsciente, permanecem exatamente como eram quando foram armazenados e, quanto mais carregados de emoções tenham sido ao serem armazenados, mais influência exercem sobre atitude e comportamento. É esse aspecto do subconsciente que vai permitir que você use a autossugestão como uma ferramenta para armazenar pensamentos positivos que vão ajudar na aquisição do sucesso que você deseja.

VEJA E SINTA DINHEIRO EM SUAS MÃOS

No último dos seis passos descritos no Capítulo 3, sobre desejo, você foi instruído a ler em voz alta duas vezes por dia a declaração escrita de seu desejo por dinheiro. Também foi orientado a se ver e sentir já de posse do dinheiro. Ao seguir essas instruções, você comunica o objeto de seu desejo diretamente ao seu subconsciente em um espírito de fé absoluta. Pela repetição desse procedimento, você vai criar hábitos de pensamento que reforçam seus esforços para transmutar o desejo em seu equivalente monetário.

Leia esses passos novamente com muito cuidado antes de ir adiante.

1. Fixe em sua mente a quantidade exata de dinheiro que deseja. Não é suficiente dizer apenas "eu quero muito dinheiro". Defina o valor.
2. Determine exatamente o que você pretende dar em troca do dinheiro que deseja. (Não existe uma realidade do tipo "algo a troco de nada".)
3. Estabeleça uma data definida para quando pretende ter o dinheiro que deseja.
4. Crie um plano definido para realizar seu desejo e comece imediatamente, esteja você pronto ou não para pôr esse plano em prática.

5. Agora anote tudo. Escreva uma declaração clara e concisa da quantidade de dinheiro que pretende adquirir, estabeleça a data-limite para a aquisição, declare o que pretende dar em troca do dinheiro e descreva claramente o plano por intermédio do qual pretende acumular a quantia.
6. Leia em voz alta duas vezes por dia a declaração que escreveu. Leia uma vez pouco antes de dormir e outra de manhã, depois de se levantar. Enquanto lê, veja, sinta e acredite que o dinheiro já é seu.

Lembre-se, quando ler em voz alta a declaração do seu desejo (por meio da qual você vai desenvolver uma "consciência do dinheiro"), que a mera leitura das palavras não tem nenhum efeito – a menos que você acrescente a elas emoção ou sentimento. Seu subconsciente reconhece e age de acordo apenas com pensamentos bem misturados com emoção ou sentimento.

Esse é um fato importante o suficiente para ser repetido em praticamente todos os capítulos. A falta de compreensão desse fato é a principal razão pela qual a maioria das pessoas que tentam aplicar o princípio da autossugestão não chega a resultados desejáveis.

Palavras simples e sem emoção não influenciam a mente subconsciente. Você não terá resultados apreciáveis até aprender a alcançar seu subconsciente com pensamentos ou palavras que tenham sido carregados de emoção com crença.

Não se deixe desanimar se não puder controlar e direcionar suas emoções na primeira tentativa. Lembre-se, não existe a possibilidade de ter alguma coisa sem dar nada em troca. Você não consegue trapacear, mesmo que queira. O preço da capacidade de influenciar seu subconsciente é a persistência em aplicar os princípios aqui descritos. Você não pode desenvolver a habilidade desejada por um preço inferior. Você, e só você, deve decidir se a recompensa (a consciência do dinheiro) vale ou não o preço que deve pagar por ela com esforço.

Sua capacidade de usar o princípio de autossugestão vai depender em grande parte da sua capacidade de se concentrar em determinado desejo até esse desejo se tornar uma obsessão ardente.

COMO FORTALECER SEUS PODERES DE CONCENTRAÇÃO

Quando começar a pôr em prática as instruções dos seis passos, você precisará usar o princípio da concentração. Seguem as instruções para o uso eficiente da concentração.

Quando você começar o primeiro dos seis passos – "fixar em sua mente a quantidade exata de dinheiro que deseja" –, feche os olhos e mantenha os pensamentos no montante de dinheiro até poder ver a aparência física do dinheiro. Faça isso ao menos uma vez por dia. Quando fizer esses exercícios, siga as instruções dadas no Capítulo 4, sobre fé, e veja-se de fato de posse do dinheiro.

Um fato muito importante: a mente subconsciente aceita todas as ordens dadas a ela em uma disposição de fé absoluta e age de acordo com essas ordens. Mas geralmente as ordens precisam ser apresentadas muitas e muitas vezes (afirmação positiva repetida) antes de serem interpretadas pela mente subconsciente. Por causa disso, você pode considerar a possibilidade de usar um "truque" perfeitamente legítimo com a mente subconsciente. Faça-a acreditar (porque você acredita) que precisa ter o montante de dinheiro que está visualizando. Faça-a acreditar que esse dinheiro já está esperando por você, de forma que a mente subconsciente tenha que lhe entregar planos práticos para adquirir o dinheiro que é seu.

Entregue esse pensamento à sua imaginação e veja o que sua imaginação, ou vontade, faz para criar planos práticos para acumular dinheiro por meio da transmutação do seu desejo.

Não espere um plano definido pelo qual você possa trocar serviços ou mercadoria pelo dinheiro que está visualizando. Comece agora a se ver de posse do dinheiro, exigindo e esperando que sua mente subconsciente entregue os planos de que você precisa. Esteja alerta para esses planos e, quando aparecerem, ponha-os em ação imediatamente. Quando aparecerem, os planos provavelmente vão "lampejar" em sua mente na forma de uma inspiração ou intuição (da Inteligência Infinita). Trate-os com respeito e entre em ação de acordo com eles assim que os receber.

No quarto dos seis passos, você foi instruído a "criar um plano definido para realizar seu desejo e a começar imediatamente a pôr esse plano em ação". Faça a mesma coisa aqui. Feche os olhos e crie em sua mente uma imagem vívida de você seguindo as instruções. Não confie na "razão" quando criar seu plano para acumular dinheiro pela transmutação do desejo. Sua faculdade de raciocínio pode ser preguiçosa, e, se você depender inteiramente dela, pode se decepcionar.

Quando visualizar o dinheiro que pretende acumular, veja-se prestando o serviço ou entregando a mercadoria que pretende dar em troca desse dinheiro. Isso é importante!

COMENTÁRIO

O princípio básico subjacente à autossugestão está intimamente relacionado à auto-hipnose, e as duas técnicas desempenharam um papel importante no desenvolvimento da psicoterapia moderna. Embora os três conceitos – autossugestão, hipnose e psicoterapia – tenham tido que superar o ceticismo público inicial, a autossugestão e o hipnotismo infelizmente foram prejudicados por eventos que postergaram ainda mais sua aceitação.

A hipnose fez parte das terapias utilizadas pelos grandes nomes no desenvolvimento da psiquiatria, incluindo Sigmund Freud, Carl Jung e William James. Caiu em desuso como método terapêutico quando mágicos começaram a usar a técnica no palco em suas apresentações. As pessoas tinham dificuldade para levar a sério um método usado em teatros e boates para induzir membros da plateia a fazer coisas ridículas pelo efeito cômico.

A autossugestão encontrou um problema semelhante. O psiquiatra francês Emile Coué foi um dos primeiros e o mais conhecido defensor da autossugestão. Contemporâneo de Sigmund Freud, Coué mantinha uma clínica que tratava pacientes com diagnósticos de doenças psicossomáticas (indivíduos que se convenciam de que estavam doentes e até exibiam sintomas, mas não tinham realmente uma doença). Coué tratava seus pacientes com uma técnica de autossugestão que envolvia a repetição de declarações que ele chamava de afirmações positivas.

Coué criou uma frase geral, inespecífica, que fornecia ao subconsciente uma instrução positiva, mas era aberta o bastante para não informar o subconsciente como segui-la. A afirmação positiva era "Todo dia, em todos os sentidos, estou cada vez melhor", e ele orientava seus pacientes a repetir a frase várias vezes por dia. Os pacientes melhoraram tão depressa e de forma drástica que o método se tornou assunto nos círculos médicos e científicos, e o uso da frase tornou-se praticamente um movimento na Europa.

A notícia sobre o sucesso que Coué obtinha com seu método se espalhou pelos Estados Unidos, e logo ele foi contratado para fazer uma turnê de palestras. Em um de seus primeiros compromissos nessa turnê, um repórter cético fez uma piada sobre a técnica, chamando-a de "*Hells bells, I'm well*" (em tradução livre, "sinos do inferno, eu estou bem"). A piada acompanhou Coué em todas as palestras, e a cobertura da imprensa foi tão negativa que ele cancelou a turnê e voltou para sua clínica na Europa.

Cientistas e terapeutas sérios continuaram trabalhando com autossugestão, mas, como havia acontecido quando mágicos lançaram dúvida sobre a eficiência da hipnose, o método de afirmação positiva de Coué perdeu a credibilidade do público em geral. Foi necessária a abertura da última parte do século 20 para que as técnicas de hipnose e autossugestão reconquistassem a aceitação geral.

Hoje, se você acessar a internet, existem mais de 40 mil *links* sobre afirmações positivas, e foram escritos muitos *best-sellers* sobre o assunto. Praticamente todos os jornais, revistas e programas de notícias na televisão divulgam de forma regular histórias sobre o papel crucial que a mente desempenha no crescimento e na realização pessoal. Técnicas baseadas em autossugestão deram origem a incontáveis livros de sucesso, audiolivros e programas de vídeo, e toda semana milhares de pessoas participam de seminários, palestras e retiros para serem inspirados por oradores motivacionais ou líderes espirituais e aprender técnicas que vão ajudar a alcançar o sucesso – quase tudo baseado nos princípios básicos que Napoleon Hill defende neste livro.

Quando Hill instrui o leitor a "fechar os olhos e manter os pensamentos no montante de dinheiro até poder realmente ver a aparência física do dinheiro", ele, na verdade, está descrevendo a técnica de autossugestão mais ensinada por especialistas motivacionais contemporâneos. Hoje ela é chamada de visualização criativa e é usada regularmente por alguns dos mais bem-sucedidos treinadores de atletas olímpicos e times esportivos profissionais, é usada pela NASA no treinamento de astronautas, e profissionais da medicina a utilizam de várias maneiras, inclusive ensinando-a aos pacientes que precisam melhorar seu sistema imunológico.

Usar a visualização com eficiência é muito mais do que simplesmente sonhar acordado com alguma coisa que você gostaria de ter ou com um objetivo que gostaria de alcançar. Visualização é uma técnica específica que envolve o uso da imaginação, criatividade, imagens *vívid*as e afirmações, tudo focado na criação de alguma coisa que você quer manifestar na realidade. Napoleon Hill identificou a prática da visualização e escreveu sobre ela em 1928, em seu primeiro *best-seller*, *Law* *of Success* (lançado no Brasil pela Citadel como *O manuscrito original – As leis do triunfo e do sucesso de Napoleon Hill*). Desde então, muitos outros psicólogos, profissionais da área médica, oradores motivacionais e autores desenvolveram sistemas baseados nos mesmos princípios.

Maxwell Maltz, famoso cirurgião plástico, descobriu que frequentemente a mudança da percepção interna era tão importante para seus pacientes quanto a mudança da aparência externa. O inovador *best-seller* de Maltz, *Psicocibernética*, conta com a visualização como um meio de elevar a autoestima e melhorar uma grande gama de capacidades. O Método Silva, outra variação da visualização, começou a ser ensinado a milhões de pessoas por treinadores Silva certificados que comandam seminários por todo o país. O *best-seller* de José Silva, *The Silva Mind Control Method*, também vendeu muitos milhões de cópias.

Em 1978, cinquenta anos depois de Napoleon Hill escrever sobre visualização em *Law of Success*, Shakti Gawain publicou o fenomenal *best-seller Visualização criativa*, e Adelaide Bry publicou *Visualization: Directing the Movies of Your Mind*. Mais ou menos na mesma época, O. Carl Simon, um oncologista, concluiu que pacientes com câncer que usavam a visualização em conjunto com tratamentos de quimioterapia tinham uma melhora acentuada em comparação àqueles que não usavam. Seu *best-seller*, *Getting Well Again*, causou um profundo impacto e foi seguido por livros de outros médicos respeitados, como *Love, Medicine, and Miracles*, de Bernie Segal, e *Superimmunity*, de Paul Persal. Outros *best-sellers* de John Sarno, Depak Chopra e Andrew Weil fizeram o que um dia foi chamado de medicina alternativa tornar-se hoje parte da prática médica comum.

ESTIMULE SEU SUBCONSCIENTE

As instruções dadas anteriormente para os passos necessários em seu desejo por dinheiro serão agora resumidas e fundidas com os princípios cobertos por este capítulo, como segue:

1. Vá para algum lugar tranquilo onde não será perturbado ou interrompido. Feche os olhos e repita em voz alta (de forma que possa ouvir as próprias palavras) a declaração escrita do montante de dinheiro que pretende acumular. Seja específico sobre o tempo-limite para acumular o valor e faça uma descrição do serviço ou da mercadoria que pretende dar em troca do dinheiro. Enquanto segue essas instruções, veja-se já de posse do dinheiro.

   Por exemplo, suponha que pretenda acumular US$ 50 mil até o 1º de janeiro, daqui a cinco anos, e que pretenda prestar serviços em troca do dinheiro. A declaração escrita do seu objetivo deve ser parecida com esta:

   No dia 1º de janeiro de ____, terei em meu poder US$ 50 mil, que chegarão até mim em várias quantias de tempos em tempos nesse ínterim.

   Em troca desse dinheiro, prestarei o serviço mais eficiente de que sou capaz. Entregarei a maior quantidade possível e a melhor qualidade possível de serviço como vendedor de ____________ (descreva o serviço ou a mercadoria que pretende vender).

   Acredito que terei esse dinheiro em meu poder. Minha fé é tão forte que posso ver esse dinheiro diante dos meus olhos. Posso tocá-lo com minhas mãos. Ele agora espera ser transferido para mim no tempo e na proporção em que presto o serviço que darei em troca. Estou esperando um plano para ter esse dinheiro e vou seguir esse plano quando ele for recebido.

2. Repita esse programa à noite e de manhã até você poder ver (na sua imaginação) o dinheiro que pretende acumular.

3. Coloque uma cópia escrita da sua declaração onde puder vê-la à noite e de manhã e leia antes de ir se deitar e ao se levantar, até memorizá-la.

COMENTÁRIO

A seguir outra sugestão, adaptada de *O manuscrito original – As leis do triunfo e do sucesso de Napoleon Hill* e também presente em *Keys to Success*, de Napoleon Hill:

> Cerque-se de livros, fotos, lemas e outros artefatos sugestivos. Escolha coisas que simbolizam e reforçam a realização e a autossuficiência. Adicione elementos constantemente à sua coleção e mova as coisas para lugares novos, onde possa vê-las sob uma luz diferente e em associação com coisas diferentes.
>
> Tive uma amiga que era corretora de imóveis e mantinha seu certificado do Million Dollar Club sobre a mesa para se lembrar do que era capaz. Um dia ela o pegou para limpar e colocou em cima de um jornal. Quando o pegou de novo, viu no jornal um artigo sobre o novo treinador de futebol contratado pela universidade. Adivinhe quem comprou a casa que ela estava se esforçando para vender?

Quando seguir essas instruções, lembre-se de que você está aplicando o princípio da autossugestão com o objetivo de dar ordens à sua mente subconsciente. Lembre-se também de que seu subconsciente vai agir com base nas instruções que forem carregadas de emoção e entregues a ele com "sentimento". A fé é a mais forte e a mais produtiva das emoções.

Essas instruções podem de início parecer abstratas. Não se deixe incomodar por isso. Siga as instruções, por mais que possam parecer abstratas ou impraticáveis. Se você fizer tudo conforme foi instruído, em espírito e em ações, logo chegará o tempo em que um universo de poder inteiramente novo se descortinará para você.

Ceticismo em relação a todas as novas ideias é característico de todos os seres humanos. Se você seguir as instruções, seu ceticismo logo será substituído por crença. E a crença se cristalizará em fé absoluta.

Muitos filósofos afirmaram que o homem é senhor de seu destino na Terra, mas a maioria deixou de dizer por que ele é o senhor. O motivo pelo qual o homem pode se tornar senhor de si mesmo e de seu ambiente é que ele tem o poder de influenciar o próprio subconsciente.

A transmutação de desejo em dinheiro acontece por meio da autossugestão. Esse é o princípio pelo qual você pode alcançar e influenciar a mente subconsciente. Os outros princípios são simplesmente ferramentas com as quais aplicar a autossugestão. Mantenha isso em mente e você terá consciência o tempo todo do importante papel que o princípio da autossugestão desempenha em seus esforços para acumular dinheiro por meio dos métodos descritos neste livro.

Depois de ter lido este livro inteiro, volte a este capítulo e siga, em espírito e ações, esta instrução: leia o capítulo inteiro em voz alta uma vez todas as noites, até se convencer completamente de que o princípio da autossugestão é sólido e vai realizar para você tudo que a ele é atribuído. Enquanto ler, sublinhe com um lápis todas as frases que o impressionarem.

Siga a instrução ao pé da letra, e ela abrirá o caminho para uma completa compreensão e total domínio dos princípios do sucesso.

CADA ADVERSIDADE,
CADA FRACASSO
E CADA MÁGOA
TRAZ JUNTO A
SEMENTE DE UM
BENEFÍCIO EQUIVALENTE
OU MAIOR.

CAPÍTULO 6

CONHECIMENTO ESPECIALIZADO

EXPERIÊNCIAS PESSOAIS OU OBSERVAÇÕES

O quarto passo rumo à riqueza

Há dois tipos de conhecimento. Um é geral, o outro é especializado. Conhecimento geral, por maior que possa ser em quantidade ou variedade, tem pouca utilidade para o acúmulo de dinheiro. As faculdades das grandes universidades têm praticamente toda forma de conhecimento geral conhecido pela civilização. A maioria dos professores tem pouco dinheiro. Eles se especializam em ensinar conhecimento, mas não se especializam na organização ou no uso do conhecimento.

Conhecimento não atrai dinheiro, a menos que seja organizado e dirigido por intermédio de planos práticos para o objetivo específico de acumular dinheiro. A falta de compreensão desse fato tem sido fonte de confusão para milhões de pessoas que acreditam falsamente que "conhecimento é poder". Não é nada disso! Conhecimento só é poder potencial.

Só se torna poder quando e se organizado em planos definidos de ação e direcionado para um fim definido.

O elo perdido em todos os sistemas de educação é que as instituições educacionais falham em ensinar aos alunos como organizar e usar o conhecimento depois de o terem adquirido.

Muita gente cometeu o erro de presumir que, por ter pouca escolaridade, Henry Ford não era um homem educado. Aqueles que cometeram esse erro não entendem o verdadeiro significado da palavra educado. Essa palavra é derivada do latim *educo*, que significa inferir, extrair ou desenvolver de dentro para fora.

Uma pessoa educada não é necessariamente alguém que tem muito conhecimento geral ou especializado. Uma pessoa educada é alguém que desenvolveu de tal forma suas faculdades mentais que pode adquirir o que quiser, ou seu equivalente, sem violar os direitos dos outros.

Durante a Primeira Guerra Mundial, um jornal de Chicago publicou editoriais nos quais, entre outras afirmações, chamou Henry Ford de "pacifista ignorante". Ford protestou contra as declarações e processou o jornal por injúria. Quando o caso foi julgado, os advogados do jornal chamaram Ford ao banco das testemunhas com a intenção de provar ao júri que ele era ignorante. Fizeram muitas e variadas perguntas a Ford, todas para provar que, embora ele pudesse ter considerável conhecimento especializado sobre a fabricação de automóveis, no geral era ignorante.

Perguntaram a Ford coisas como "quem era Benedict Arnold" e "quantos soldados os britânicos mandaram à América para sufocar a rebelião de 1776". Em resposta à última pergunta, Ford respondeu: "Não sei o número exato de soldados enviados pelos britânicos, mas ouvi dizer que foi um número consideravelmente maior do que os que voltaram".

Finalmente, Ford se cansou daquela linha de interrogatório. Em resposta a uma pergunta particularmente ofensiva, ele se inclinou à frente, apontou o dedo para o advogado que a havia feito e disse: "Se eu quisesse mesmo responder à pergunta tola que você acabou de fazer ou a qualquer outra que vocês têm feito, deixe-me lembrar-lhe de que tenho uma fileira de botões na minha mesa e, ao apertar o botão certo, posso chamar assistentes capazes de responder a qualquer pergunta que eu queira fazer relacionadas ao assunto ao qual eu esteja dedicando meu esforço. Agora poderia, por favor, me explicar por que tenho que entupir minha cabeça com conhecimento geral só para poder responder a perguntas quando estou cercado de homens capazes de fornecer todo o conhecimento de que preciso?".

A resposta acabou com o advogado. Todas as pessoas no tribunal perceberam que aquela não era a resposta de um homem ignorante, mas de um homem educado. Qualquer pessoa é educada quando sabe onde buscar o conhecimento de que precisa e como organizar esse conhecimento em planos de ação definidos. Com a ajuda de seu grupo de MasterMind, Henry Ford tinha a seu dispor todo o conhecimento especializado necessário para se tornar um dos homens mais ricos dos Estados Unidos. Não era essencial que ele detivesse esse conhecimento.

VOCÊ PODE TER TODO O CONHECIMENTO DE QUE PRECISA

Antes de poder transmutar seu desejo em dinheiro, você vai precisar de conhecimento especializado sobre o serviço, a mercadoria ou a profissão que pretende oferecer em troca da fortuna. Talvez possa precisar de muito mais conhecimento especializado do que tem capacidade ou inclinação para adquirir. Se for esse o caso, você pode compensar sua fraqueza com a ajuda de seu grupo de MasterMind.

O MasterMind é definido como "Coordenação de conhecimento e esforço em espírito de harmonia, entre duas ou mais pessoas, para a realização de um objetivo definido". O significado maior do grupo de MasterMind é explicado com mais detalhes nos próximos capítulos.

COMENTÁRIO

Depois de ler a definição de Hill do MasterMind, muita gente pode deduzir que ele está descrevendo trabalho em equipe. Isso não é correto. A seguinte explicação é adaptada do livro *Believe and Achieve*, da Fundação Napoleon Hill:

> O trabalho em equipe pode ser feito por qualquer grupo – mesmo por um cujos membros tenham interesses discrepantes – porque tudo que ele exige é cooperação. No trabalho em equipe, as pessoas podem colaborar simplesmente porque gostam do líder ou por noção de dever. Alguns membros da equipe vão dar 100% a qualquer equipe que pague a eles o suficiente para isso, mas se preocupam pouco com o objetivo. E às vezes o trabalho em equipe é bom porque membros diferentes têm objetivos diferentes. Um conselho de diretores pode discordar, pode até ser hostil, e ainda assim dirigir uma empresa de forma bem-sucedida. Grupos musicais são compostos por pessoas reconhecidamente autocentradas que trabalham em equipe, se isso servir para levá-los adiante.
>
> O MasterMind, por outro lado, é formado por indivíduos que têm o mesmo interesse, uma profunda noção de missão e de compromisso com o mesmo objetivo. O MasterMind representa a mais alta ordem de pensamento de um grupo de pessoas com conhecimento, cada uma contribuindo com o que tem de melhor de acordo com as próprias capacidades, especialidade e formação. Se você já participou de uma reunião onde tudo se encaixava e as ideias eram construídas uma a partir das outras, com cada membro contribuindo até que da atividade do grupo surgia a melhor ideia ou solução possível, isso foi um MasterMind em ação.

Napoleon Hill acreditava que você deve fazer da experiência do MasterMind algo regular em sua vida, se quiser realmente alcançar o sucesso. Como escolher as pessoas certas para o seu MasterMind será discutido mais adiante no Capítulo 11, o Poder do MasterMind.

O acúmulo de grandes fortunas exige poder, e poder é adquirido por meio de conhecimento especializado altamente organizado e dirigido com inteligência. Esse conhecimento não precisa ser necessariamente da pessoa que acumula a fortuna.

Isso deve dar esperança e incentivo àqueles que querem acumular uma fortuna, mas não têm necessariamente a "educação" para fornecer esse conhecimento especializado. As pessoas às vezes passam pela vida sofrendo com complexos de inferioridade por não terem "educação". O indivíduo capaz de organizar e dirigir um grupo de MasterMind de pessoas que têm o conhecimento necessário é tão educado quanto qualquer membro do grupo.

Thomas Edison teve apenas três meses de escolaridade durante toda a vida. Mas não carecia de educação nem morreu pobre.

Henry Ford não foi nem até o sexto ano na escola, mas conseguiu se dar muito bem financeiramente.

Albert Einstein trabalhava como atendente em um escritório de patentes quando começou a desenvolver as teorias científicas que mudaram o mundo.

COMENTÁRIO

Se Einstein tivesse nascido hoje, poderia ter sido diagnosticado nos primeiros anos de vida como portador de distúrbio de déficit de atenção. Quando criança, demorou para aprender a falar. Como estudante, era pouco promissor e foi expulso ao menos de uma escola. Mas o que Einstein conseguia fazer era focar a concentração em um objetivo de sua escolha. Suas famosas teorias foram o resultado de "experimentos mentais" – experimentos que aconteceram dentro da cabeça dele!

Dizem que a revelação que o levou à teoria da relatividade não surgiu de conhecimento especializado em física ou matemática, mas de sua capacidade de imaginar o que aconteceria se ele estivesse viajando pelo espaço em um raio de luz estelar.

Conhecimento especializado está entre as formas de serviço mais abundantes e mais baratas que se pode ter. Se você duvida disso, verifique a folha de pagamento de qualquer universidade.

É BOM SABER COMO COMPRAR CONHECIMENTO — E É BOM SABER ONDE PROCURAR

Em primeiro lugar, decida o tipo de conhecimento especializado de que você precisa e para que ele é necessário. Em grande parte, seu maior objetivo na vida, o propósito pelo qual você está trabalhando, vai ajudar a determinar de que conhecimento você precisa. Seu próximo movimento requer informação precisa sobre fontes confiáveis de conhecimento. As mais importantes são:

- Sua experiência e sua educação
- Experiência e educação disponíveis pela cooperação de outras pessoas (uma aliança de MasterMind)
- Faculdades e universidades
- Bibliotecas públicas **[e, ainda mais fácil, a internet]**
- Cursos especiais (escolas noturnas e cursos à distância em particular)

Conforme for adquirido, o conhecimento deve ser organizado e posto em uso para um objetivo definido, por meio de planos práticos. Conhecimento não tem valor, exceto pelo que pode ser adquirido com sua aplicação relacionada a algum fim válido.

Pessoas bem-sucedidas nunca deixam de adquirir conhecimento especializado relacionado a seus maiores objetivos, seus negócios ou sua profissão. As que não são bem-sucedidas normalmente cometem o engano de acreditar que o período de aquisição de conhecimento acaba quando se conclui a escola. A verdade é que as escolas fazem pouco mais do que ensinar *como* adquirir conhecimento prático.

COMENTÁRIO

Nesse ponto da edição original, Napoleon Hill incluiu um artigo de jornal sobre educação e oportunidades de emprego. Embora o mercado de trabalho contemporâneo tenha mudado consideravelmente, o autor do artigo, Robert Moore, diretor de colocações na Columbia University, fez alguns comentários perfeitamente alinhados com a filosofia de *Quem pensa enriquece* e ainda hoje verdadeiros. Um desses comentários foi: "O homem que foi ativo no *campus*, cuja personalidade permite que ele se dê bem com todo tipo de pessoa e que tenha feito um bom trabalho com seus estudos, tem uma boa vantagem sobre o estudante estritamente acadêmico".

Uma das maiores indústrias, líder em seu ramo, ao escrever para Moore sobre a contratação de formandos na universidade, informou: "Enfatizamos qualidades como caráter, inteligência e personalidade, mais que o histórico educacional específico".

Embora poucos neguem o valor da educação, como Moore sugere acima e como Hill apontou antes sobre Edison, Ford e Einstein, desempenho acadêmico nunca foi um indicador seguro de sucesso. A edição de 27 de outubro de 2003 da revista *Time* fez uma análise semelhante em sua matéria de capa sobre as mudanças em curso no exame SAT*. Embora o principal foco do artigo seja o esforço para tornar o SAT menos

* SAT: Scholastic Aptitude Test, exame utilizado pelas universidades norte-americanas nos processos de admissão de alunos. (N.T.)

tendencioso, também aponta que pesquisa recente indica que nem o SAT nem testes de QI provaram ser previsões confiáveis de realização futura no mundo real.

Em seu *best-seller Inteligência emocional*, Daniel Goleman criou um argumento convincente de que o jeito como as pessoas lidam consigo e com seus relacionamentos, o qual ele chama de inteligência emocional ou IE, é um indicador muito melhor que o QI para prever se uma pessoa será bem-sucedida na vida. Em seus últimos livros, *Trabalhando com a inteligência emocional* e *Primal Leadership*, Goleman aplica sua teoria ao local de trabalho, focando em técnicas de liderança de IE e comparando a IE de administradores corporativos a seus QI para analisar qual deles tem o maior efeito positivo no resultado financeiro.

As teorias de Daniel Goleman causaram algumas mudanças significativas dentro de círculos educacionais e entre teóricos de gestão, mas seu maior impacto tem sido sobre indivíduos que vivem intimidados por acreditarem que "não são suficientemente inteligentes". Para eles, os livros de Goleman oferecem evidência convincente de que, embora eles talvez não tenham educação convencional, suas capacidades naturais e habilidades interpessoais podem ser muito mais importantes para a aquisição do sucesso.

Uma das fontes de conhecimento mais confiáveis e práticas à disposição daqueles que precisam de instrução especializada são as escolas noturnas, cursos de extensão e seminários. As escolas por correspondência dão treinamento especializado em qualquer lugar acessível ao correio dos Estados Unidos [ou pela internet]. Uma vantagem do treinamento à distância é a flexibilidade do programa de estudos, que permite que você estude no seu tempo livre. Outra vantagem do treinamento à distância (se a escola for escolhida com cuidado) é que a maioria dos cursos oferece algum método de consulta pessoal, que pode ser de inestimável valor para quem precisa de conhecimento especializado. Onde quer que você more, pode desfrutar dos benefícios.

Uma aula de uma empresa de cobrança

Qualquer coisa adquirida sem esforço e sem custo em geral não é apreciada e frequentemente é desacreditada. Talvez por isso se aproveite tão pouco da maravilhosa oportunidade que se tem nas escolas públicas. A autodisciplina que você vai aprender com um programa de estudo especializado pode compensar a oportunidade perdida quando o conhecimento estava disponível sem nenhum custo. Ter que pagar, sejam suas notas boas ou ruins, faz você acompanhar o curso, quando de outra forma o abandonaria.

Aprendi essa lição quando me matriculei em um curso à distância de publicidade. Depois de concluir oito ou dez aulas, parei de estudar. Mas a escola não parou de mandar as cobranças. Na verdade, insistia em receber o pagamento, quer eu estudasse ou não. Decidi que, se tinha que pagar pelo curso (obrigação que eu havia assumido legalmente), devia acompanhar as aulas e fazer esse dinheiro valer a pena.

Escolas por correspondência são empresas bem organizadas. Na época, senti que o sistema de cobrança era organizado até demais, mas mais tarde aprendi que essa foi uma parte valiosa da minha educação. A verdade é que o departamento de cobrança da escola foi o melhor tipo de treinamento para tomada de decisões, prontidão e desenvolvimento do hábito de terminar o que se começa. O sistema de cobrança que me obrigou a terminar o curso se mostrou muito valioso na forma de rendimentos.

A estrada para o conhecimento especializado

Temos neste país o que dizem ser o maior sistema de escolas públicas do mundo. Uma das coisas estranhas no ser humano é valorizar só aquilo que tem um preço. As escolas gratuitas dos Estados Unidos e as bibliotecas públicas gratuitas não impressionam as pessoas *porque* são gratuitas. Essa é a principal razão por que tanta gente acha necessário adquirir treinamento adicional depois que termina os estudos e vai trabalhar. É também uma das grandes razões pelas quais empregadores valorizam mais empregados que fazem cursos de treinamento especializado. Eles aprenderam que aqueles que têm a ambição para abrir mão de uma parte de seu tempo livre em casa têm também as qualidades que se traduzem em liderança.

Existe um ponto fraco nas pessoas para o qual não existe remédio. É a fraqueza universal da falta de ambição. Pessoas que abrem mão de parte de seu tempo livre para fazer cursos raramente ficam na parte de baixo por muito tempo. Fazendo esses cursos, elas abrem caminho para a subida, removem muitos obstáculos do trajeto e atraem o interesse daqueles que têm o poder para ajudá-las.

O método de treinamento à distância é especialmente adequado a quem já começou a trabalhar. É comum as pessoas descobrirem, depois de sair da escola, que ainda precisam de conhecimento especializado adicional, mas não têm tempo para voltar à escola.

Stuart Austin Wier era engenheiro civil. Ele seguiu nessa área até a Depressão chegar e limitar gravemente o ramo da construção. Depois de uma autoanálise, ele decidiu mudar para a área legal. Voltou à escola e fez cursos especiais para se preparar para ser advogado corporativo. Concluiu o treinamento, passou no exame da ordem e construiu rapidamente uma lucrativa prática legal como advogado de patente.

Só para esclarecer as coisas, e antecipando as desculpas daqueles que diriam "eu não poderia ir à escola, tenho família para sustentar", ou "sou velho demais", acrescento que Wier tinha mais de quarenta anos e era casado quando voltou a estudar. Além disso, escolhendo com cuidado cursos altamente especializados, Wier completou em dois anos o trabalho que a maioria dos estudantes de direito leva quatro anos para concluir. Vale a pena saber como comprar conhecimento!

Uma ideia simples que rendeu

Aqui vai mais um exemplo específico, o de um atendente de armazém que se viu desempregado de repente. Como tinha alguma experiência com livro-caixa, ele fez um curso especial de contabilidade, familiarizou-se com tudo que havia de mais moderno em livros fiscais e equipamentos de escritório e entrou na área. Começando pelo dono do armazém para quem havia trabalhado, esse homem fez contratos com mais de cem pequenos comerciantes para cuidar de sua contabilidade por uma pequena mensalidade. Sua ideia era tão prática que logo sentiu necessidade de montar um escritório portátil de contabilidade em um pequeno caminhão. Ele agora tem uma frota desses escritórios de contabilidade "sobre rodas". Emprega uma grande equipe de assistentes que fornecem aos pequenos comerciantes serviços de contabilidade iguais aos melhores que o dinheiro pode comprar, por um custo bem baixo.

Conhecimento especializado, mais imaginação, foram os ingredientes que formaram esse negócio singular e bem-sucedido. No ano passado, o proprietário desse negócio pagou imposto de renda quase dez vezes mais alto do que o armazém que o havia demitido.

COMENTÁRIO

Seria impossível escrever um livro contemporâneo sobre sucesso sem incluir a história de Bill Gates. E, embora a relação entre o homem mais rico do mundo e a história de Hill sobre um homem que criou um escritório de contabilidade móvel possa não ser imediatamente óbvia, o fato é que este é um lugar muito propício para incluir a história da Microsoft. Como com o contador móvel, as duas características que definem o sucesso de Bill Gates são conhecimento especializado e imaginação.

Todos perceberam que desde pequeno Bill Gates era um aluno brilhante, mas tinha pouco interesse em alguma coisa além de ciências e matemática. Quando o grupo de mães de sua escola arranjou aulas de computação para os alunos, essa se tornou sua paixão. Aos 13 anos, ele havia aprendido programação de computadores sozinho e, durante os anos de ensino médio e universidade, sua vida girou em torno de clubes de computação e empregos eventuais para empresas que tinham alguma coisa a ver com computadores.

Embora em vários momentos ele tenha considerado a ideia de uma carreira na área de ciências ou legal, provavelmente é justo dizer que, enquanto ainda estava na escola, Bill Gates sabia, em termos gerais, qual seria seu "desejo ardente" na vida. Ele deu pouca atenção ao conhecimento geral, mas dedicou-se a reunir o conhecimento especializado de que precisaria para alcançar seu principal objetivo definido.

O desejo ardente de Gates se inflamou no dia em que Paul Allen, seu amigo e companheiro no clube de computação, comprou uma cópia da edição de janeiro de 1975 da *Popular Electronics*. Na capa da revista havia a foto de um computador de mesa barato, o Altair 8800, que podia ser montado com um kit. Gates e Allen sabiam que havia outros alunos como eles que adorariam pôr as mãos em uma dessas coisas. Na época, era preciso ter muita imaginação para antever o impacto que os computadores poderiam ter sobre uma pessoa comum. E, apesar de não terem um Altair, eles decidiram que poderiam criar um programa para ele. Isso exigiu ainda mais imaginação!

Gates e Allen procuraram Ed Roberts, fundador da empresa que fabricava o Altair, e expuseram sua ideia. Roberts disse que estava recebendo ofertas de todos os lugares, e sua política era que quem criasse o programa primeiro seria o escolhido. Eles passaram os dois meses seguintes analisando o manual, reunindo o conhecimento especializado de que precisariam para criar o programa. Foram os primeiros a entregar um sistema operacional funcional, que Roberts comprou por US$ 3 mil mais um *royalties* sobre as vendas.

Com sua visão de futuro ardendo na imaginação, Gates e Allen usaram o adiantamento e os *royalties* para fundar uma empresa que atuaria no ramo de programação de computadores. Deram à nova empresa o nome de Microsoft e chamaram velhos amigos do clube de computação do colégio para trabalhar nela. Bill Gates tinha 19 anos, e Paul Allen era pouco mais que dois anos mais velho. Eles e os amigos do clube de computação começaram a criar programas para a Apple Computer, Commodore e quem mais contratasse os serviços da empresa.

Durante os cinco anos seguintes, Bill Gates e Paul Allen tiveram ideias criativas, mas se concentraram principalmente em adquirir o conhecimento especializado necessário para administrar e ampliar uma empresa de sucesso. Então, em 1980, a IBM, que finalmente havia decidido entrar no ramo dos pequenos computadores, precisou de ajuda para se acelerar. A empresa procurou a Microsoft para encomendar um sistema operacional para o novo computador. Novamente, conhecimento especializado e imaginação foram as qualidades que guiaram Bill Gates.

Em sua imaginação, Gates e Allen podiam ver um futuro ainda maior que antes e, com o conhecimento especializado sobre o que os computadores podiam fazer, sabiam que papel poderiam desempenhar nesse futuro. Foi então que tomaram duas atitudes que foram a base do sucesso da Microsoft. Primeiro, por causa do prazo apertado da IBM, Gates procurou um programador de computadores, Tim Patterson, e comprou dele um sistema operacional rudimentar, mas já desenvolvido. Gates se dedicou a modificar o sistema e mudou o nome para MS-DOS, de Microsoft Disc Operating System.

A outra atitude crucial para o sucesso foi a negociação com a IBM. Eles partiram do ponto de que não venderiam um sistema operacional para a IBM; o que fariam seria licenciar o sistema para a IBM em troca de um *royalties* por cada cópia vendida com um computador IBM. E não seria uma licença exclusiva, o que significava que a Microsoft também poderia licenciar o sistema para outras empresas de computadores.

Se continuasse acompanhando a história da Microsoft, você encontraria as mesmas qualidades – desejo ardente, ideia, conhecimento especializado e imaginação – por trás de cada atitude que Bill Gates tomou e continua a tomar, assim como estavam por trás do homem que começou a empresa de contabilidade móvel.

O começo da bem-sucedida empresa de contabilidade móvel foi uma ideia. Sei disso porque fui eu que dei a ideia.

Agora quero contar a história de outra ideia. E foi meu amigo contador que indiretamente a sugeriu para mim.

Quando propus a ele a ideia da contabilidade pela primeira vez, ele disse: "Gostei da ideia, mas não saberia como transformá-la em dinheiro". Em outras palavras, ele não sabia como vender seu conhecimento contábil depois de tê-lo adquirido.

Então, com a ajuda de uma jovem redatora, foi preparada uma apresentação muito atraente descrevendo as vantagens do novo sistema de escrituração. O catálogo contava a história da nova empresa com tanta eficiência que seu proprietário logo se viu com mais contas do que poderia administrar.

Há milhares de pessoas no país que precisam dos serviços de um especialista em *merchandising* capaz de preparar uma apresentação atraente para divulgar serviços personalizados.

Essa ideia nasceu da necessidade de resolver um problema específico, mas não se ateve a atender a apenas uma pessoa. A mulher que criou a apresentação tem uma imaginação aguçada. Ela viu em sua criação recente o começo de uma nova profissão para atender a milhares de pessoas que precisam de orientação prática na divulgação de serviços personalizados.

Instigada a agir pelo sucesso de seu primeiro "plano preparado para divulgar serviços personalizados", essa mulher se dedicou a resolver um problema semelhante para o filho dela. Ele havia terminado a faculdade recentemente, mas não conseguia encontrar um mercado para seus serviços. O plano que ela criou para o filho foi o melhor exemplo de divulgação de serviços que já vi.

A apresentação pronta continha quase cinquenta páginas de informação lindamente datilografadas e adequadamente organizadas. Contava a história das habilidades naturais do filho dela, sua escolaridade, experiências pessoais e uma grande variedade de outras informações. O livro também continha uma descrição completa da posição que o filho dela desejava, junto com uma maravilhosa imagem criada com palavras do plano exato que ele poria em prática ao ocupar a posição.

A preparação dessa apresentação tomou várias semanas do tempo dessa mulher, período em que ela mandou o filho à biblioteca pública quase todos os dias em busca de dados específicos para vender seus serviços da maneira mais vantajosa. Ela também o mandou a todos os concorrentes de seu empregador potencial, onde ele reuniu informações sobre seus métodos comerciais. Isso foi de grande valor na formação do plano que ele pretendia usar para conquistar a posição que procurava. Quando o plano ficou pronto, continha mais de meia dúzia de sugestões muito boas que beneficiariam o potencial empregador.

Você não precisa começar de baixo

Você pode ficar inclinado a perguntar: "Por que se dar a todo esse trabalho para arrumar um emprego?". A resposta é: "Fazer bem uma coisa nunca é se dar ao trabalho". O plano preparado por essa mulher para seu filho o ajudou a conseguir o emprego na primeira entrevista, com um salário determinado por ele.

Além de tudo – e isso também é importante –, a posição não exigia que o jovem começasse de baixo. Ele começou como executivo júnior, com um salário de executivo.

"Por que se dar a todo esse trabalho?"

Bom, para começar, a apresentação planejada por esse jovem o salvou de nada menos que dez anos de "trabalhar para progredir".

A ideia de começar de baixo e trabalhar para progredir pode parecer sólida, mas a maior objeção a isso é: muitos daqueles que começam por baixo nunca conseguem levantar a cabeça o suficiente para serem vistos por aqueles que contam. E o que se vê de baixo não é muito radiante ou encorajador. Costuma matar a ambição. Você cai na monotonia e aceita seu destino porque cria o hábito da rotina diária. Frequentemente, esse hábito, por fim, se torna tão forte que você nem tenta superá-lo. E essa é outra razão pela qual vale a pena começar um ou dois degraus acima do fundo. Assim, você vai criar o hábito de olhar em volta, observar como os outros seguem em frente, ver a oportunidade e agarrá-la sem hesitação.

Um exemplo esplêndido do que quero dizer é Dan Halpin. Durante o tempo de faculdade, ele foi técnico do famoso time de futebol da Notre Dame no campeonato de 1930, quando a equipe era dirigida pelo falecido Knute Rockne.

Halpin terminou a faculdade em um momento muito desfavorável. A Depressão havia tornado os empregos escassos. Então, depois de uma passagem por um banco de investimentos e pelo cinema, aceitou o primeiro emprego com um futuro potencial que conseguiu encontrar: vender aparelhos auditivos elétricos ganhando comissão. Qualquer um podia começar nesse tipo de emprego, e Halpin sabia disso, mas foi o suficiente para abrir a porta da oportunidade para ele.

Durante quase dois anos ele trabalhou nesse emprego, mas não estava satisfeito. Ele nunca teria ido além disso se não tivesse feito alguma coisa em relação à sua insatisfação. Primeiro mirou na vaga de gerente assistente de vendas da companhia e conseguiu o emprego. Aquele único passo para cima o colocou suficientemente acima da multidão para enxergar oportunidade ainda maior. E também o colocou onde a oportunidade podia vê-lo.

Em sua nova função, ele se deu tão bem vendendo aparelhos auditivos que A. M. Andrews, presidente do conselho da Dictograph Products

Company, concorrente da empresa para a qual Halpin trabalhava, pediu para encontrá-lo. Andrews queria saber algo sobre aquele Dan Halpin que estava tirando vendas da Dictograph Company, estabelecida havia muito tempo. Quando a entrevista terminou, Halpin era o novo gerente de vendas, encarregado da Acousticon Division da Dictograph. Então, para testar o ímpeto do jovem Halpin, Andrews viajou para a Flórida por três meses, deixando-o para afundar ou nadar no novo emprego.

Halpin não afundou! O espírito de Knute Rockne de "Todo mundo ama um vencedor e não tem tempo para um perdedor" o inspirou a investir tanto nesse emprego que ele foi eleito vice-presidente da empresa. Vice-presidente era um cargo que muitos se orgulhariam de conquistar em dez anos de esforço leal, mas Halpin conseguiu a façanha em pouco mais de seis meses.

Um dos pontos principais que estou tentando enfatizar por meio de toda essa filosofia é que progredimos para posições elevadas ou ficamos lá embaixo por causa de condições que podemos controlar. Mas só se quisermos controlá-las.

Também estou tentando enfatizar outro ponto – que sucesso e fracasso são em grande parte resultados do hábito. Não tenho a menor dúvida de que a associação próxima de Dan Halpin com o maior treinador de futebol que os Estados Unidos já conheceram plantou em sua mente o mesmo tipo de desejo de excelência que fez o time de futebol da Notre Dame mundialmente famoso. Realmente, tem alguma coisa na ideia de que idolatrar um herói é útil, desde que você idolatre um vencedor.

Minha crença na teoria de que associações comerciais são fatores vitais, tanto para o fracasso quanto para o sucesso, foi claramente demonstrada quando meu filho Blair estava negociando um emprego com Dan Halpin. Halpin ofereceu a ele um salário inicial de mais ou menos metade do que Blair poderia ter conseguido em uma empresa concorrente. Pus em prática a pressão parental e incentivei Blair a aceitar o emprego oferecido por Halpin. Acredito que se associar a pessoas que se recusam a se comprometer com circunstâncias é um bem que nunca pode ser avaliado em termos de dinheiro.

A base é um lugar monótono, terrível e não lucrativo para qualquer pessoa. Por isso, me dediquei a descrever como um começo de baixo pode ser superado por planejamento adequado.

FAÇA SUAS IDEIAS TEREM ÊXITO POR MEIO DE CONHECIMENTO ESPECIALIZADO

A mulher que preparou o plano de vendas de serviços para o filho hoje recebe pedidos de todas as partes do país de pessoas que querem divulgar seus serviços por mais dinheiro.

Mas não pense que todo o plano dela consiste de astúcia de vendedor para ajudar seus clientes a ganhar mais dinheiro com os mesmos serviços que antes vendiam por menos. Ela cuida dos interesses do comprador bem como do vendedor de serviços. Ela prepara seus planos de modo que os empregadores recebam todo o valor pelo dinheiro a mais que pagam.

Se você tem a imaginação e procura um mercado mais lucrativo para seus serviços, essa sugestão pode ser o estímulo que você está procurando. A ideia pode gerar um rendimento muito maior que o do médico, advogado ou engenheiro "mediano" cuja educação exigiu vários anos de faculdade.

COMENTÁRIO

Mary Kay Ash estava literalmente pesquisando e anotando conhecimento especializado quando a ideia para um novo negócio surgiu em sua imaginação. Mary Kay havia se demitido do emprego de gerente de vendas bem-sucedida no ramo de presentes porque tinha desanimado ao ver os homens que ela havia treinado ganhando mais e sendo promovidos antes dela. Ela decidiu escrever um livro de orientação para mulheres profissionais, mas, quando reuniu o conhecimento que as mulheres precisariam para ir em frente, percebeu que estava escrevendo um plano de negócios para o tipo de empresa que ela gostaria de administrar.

Ela pegou as economias de toda a sua vida, US$ 5 mil, procurou e encontrou um creme para a pele de que gostou, comprou os direitos desse creme e começou a entrar em contato com as amigas e as amigas das amigas para ver se gostariam de ser consultoras de beleza de sua nova companhia. Mas o que ela oferecia não era só uma chance de vender produtos para a pele. Era uma combinação muito criativa de filosofia e oportunidade que dava às mulheres a chance de adquirir satisfação pessoal e sucesso financeiro.

A empresa teve um lucro modesto em seu primeiro ano e continuou crescendo todo ano, até que, no começo do século 21, havia mais de um milhão de consultoras independentes de beleza em trinta países, com vendas brutas de mais de US$ 1,5 bilhão. A Mary Kay Cosmetics foi nomeada três vezes como uma das 100 Melhores Companhias para trabalhar nos Estados Unidos, e a Lifetime Television Network nomeou Mary Kay como Empresária do Século. Ela se tornou uma das mais requisitadas oradoras motivacionais e autora de três *best-sellers*.

Neil Balter também fundou sua empresa baseado em conhecimento especializado e imaginação. Ele adquiriu seu conhecimento especializado como aprendiz de carpinteiro. Sua imaginação entrou em cena no dia em que foi contratado por um cliente que queria arrumar um armário bagunçado instalando prateleiras. Esse tipo de trabalho deve ser oferecido a milhares de carpinteiros, mas nenhum deles teve a imaginação de ver nisso o que Neil Balter viu. Quando terminou o trabalho, Balter não viu apenas prateleiras perfeitamente ajustadas, ele viu que havia criado uma solução para um problema comum a todas as casas do país.

Ele pegou o dinheiro que ganhou com o serviço e começou um negócio próprio, a California Closet Company, empresa especializada em prateleiras e acessórios planejados para organizar de maneira atraente o espaço de armários para obter eficiência máxima. Mas a imaginação de Balter não parou depois que ele começou a administrar sua empresa. Agora ele conseguia imaginar uma operação ainda maior, por isso foi buscar novo conhecimento especializado sobre a operação de franquias. Neil Balter havia licenciado mais de cem franquias da California Closet quando a Williams-Sonoma ofereceu US$ 12 milhões para comprar a empresa.

O conhecimento especializado de Lillian Vernon era sobre um assunto do qual muitas mulheres entendem, mas sem ter a imaginação dela. Citando sua autobiografia, *An Eye for Winners*: "Bolsas. Eu entendia delas, por que não vender bolsas e cintos que combinavam? Toda adolescente que anda pela rua em qualquer parte dos Estados Unidos não tem uma bolsa e um cinto? E minhas bolsas ofereceriam algo especial: cada uma seria personalizada com iniciais. Eu tinha certeza absoluta de que as adolescentes gostariam de itens que as fizessem se sentir únicas". Ela acreditou o suficiente na própria ideia para gastar US$ 495 em um pequeno anúncio na revista *Seventeen*. O anúncio rendeu US$ 32 mil em pedidos!

Foi então que Lillian Vernon começou a reunir outros conhecimentos especializados – aluguel de espaço, fabricação de produtos, estoque e envio –, tudo de que precisava para transformar a ideia de bolsas e cintos em uma empresa de resposta direta que venderia uma ampla variedade de produtos distintamente monogramados. Em poucos anos ela precisou de mais conhecimento especializado – sobre fotografia de produto, *layout*, impressão e mala direta –, porque imaginou ter o próprio catálogo.

Começou enviando um catálogo de dezesseis páginas em preto e branco para 125 mil consumidores que haviam comprado produtos dela no passado. No começo do século 21, Lillian Vernon ainda selecionava mercadorias e supervisionava a criação de seus catálogos, muitos dos quais hoje têm mais de cem páginas coloridas e são enviados para milhões de pessoas muitas vezes por ano, gerando aproximadamente US$ 250 milhões em vendas anuais.

Tem outra história sobre reunir conhecimento especializado, e ela é tão boa que vamos usá-la para concluir o comentário editorial. Ela vem dos arquivos de Napoleon Hill, e, embora ele não a tenha incluído neste livro, muitas vezes a usou como um exemplo em palestras e seminários.

Um jovem havia começado a trabalhar para a ferrovia em 1893 como maquinista por cinco centavos a hora. Ele estava sempre fazendo cursos e aprendendo o que podia sobre locomotivas a vapor e, em 1905, havia galgado posições e se tornado superintendente de locomotivas da Chicago Great Western em Oelwein, Iowa. Então fez uma coisa que deve ter dado aos amigos a impressão de que havia perdido o juízo. Ele estava na Feira do Automóvel de Chicago quando um Locomobile vermelho e branco chamou sua atenção. Pegou as economias de toda a sua vida, US$ 700, e convenceu um amigo a ser fiador de um empréstimo de US$ 4,3 mil para poder comprar o carro. Prontamente o levou para casa, pôs em um galpão, içou e começou a desmontá-lo peça por peça. Depois remontou. Depois desmontou e remontou novamente. Depois de repetir a operação mais algumas vezes, ele havia aprendido o que precisava saber.

E foi assim que Walter P. Chrysler reuniu o conhecimento especializado de que precisava para sair da ferrovia e entrar na indústria automobilística.

Não há preço fixo para boas ideias!

Por trás de todas as ideias existe conhecimento especializado. Mas lembre-se: conhecimento especializado é mais abundante e mais facilmente adquirido que ideias. Por causa dessa verdade, existem oportunidades cada vez maiores para a pessoa capaz de ajudar homens e mulheres a vender seus serviços. Capacidade significa imaginação – a única qualidade necessária para combinar conhecimento especializado com ideias para criar planos organizados que vão produzir riqueza.

Se você tem imaginação, este capítulo pode trazer uma ideia que será o começo da riqueza que você deseja. Lembre-se, a ideia é o principal. Conhecimento especializado pode ser encontrado ali na esquina – em qualquer esquina.

A FELICIDADE ESTÁ EM FAZER, NÃO SÓ EM TER

CAPÍTULO 7

IMAGINAÇÃO

A OFICINA DA MENTE

O quinto passo rumo à riqueza

imaginação é literalmente a oficina onde todos os planos são criados. É onde o impulso, o desejo, ganha forma e ação com a ajuda da capacidade imaginativa da mente.

Já foi dito que podemos criar qualquer coisa que podemos imaginar.

Com a ajuda da imaginação, descobrimos e dominamos mais das forças da natureza nos últimos cinquenta anos do que em toda a história da raça humana antes desse período. E, mesmo com tudo que realizamos, não chegamos nem perto do limite do que somos capazes de fazer. Nossa única limitação razoável está no desenvolvimento e uso da nossa imaginação. A imaginação humana oferece tantas possibilidades que é como se tivéssemos apenas descoberto que temos uma imaginação e só houvéssemos começado a usá-la de um jeito muito elementar.

DUAS FORMAS DE IMAGINAÇÃO

A capacidade imaginativa funciona de duas maneiras. Uma é conhecida como "imaginação sintética", e a outra como "imaginação criativa".

COMENTÁRIO

No uso moderno, a palavra *sintético* adquiriu uma conotação negativa, sugerindo que algo é artificial, que não é o real. Hoje a palavra *sintetizado*, que pode ser definida como "algo feito de partes componentes", descreveria melhor o que Hill tinha em mente, e foi substituída aqui de acordo com isso.

IMAGINAÇÃO SINTETIZADA. Por meio dessa capacidade, você organiza antigos conceitos, ideias ou planos em novas combinações. A imaginação sintetizada não *cria* nada. Simplesmente funciona com o material da experiência, educação e observação com que é alimentada. É a capacidade usada pela maioria dos inventores, com exceção daqueles gênios que recorrem à imaginação criativa quando não conseguem resolver problemas pela imaginação sintetizada.

IMAGINAÇÃO CRIATIVA. Por meio da faculdade da imaginação criativa, a mente humana finita tem comunicação direta com a Inteligência Infinita, a faculdade pela qual "palpites" e "inspirações" são recebidos. É por intermédio dessa faculdade que todas as ideias básicas ou novas são entregues à humanidade. É por essa faculdade que captamos "vibrações" de outras pessoas e que um indivíduo pode sintonizar ou se comunicar com o subconsciente de outros. [Esse conceito é explicado em mais detalhes mais adiante.]

A imaginação criativa funciona automaticamente, mas só quando sua mente consciente é motivada, energizada e trabalha em uma frequência tão alta que se torna muito perceptiva e receptiva, como quando ela é estimulada pela emoção de um forte desejo.

Os grandes líderes do comércio, da indústria e das finanças e os grandes artistas, músicos, poetas e escritores se tornaram grandes porque desenvolveram a capacidade da imaginação criativa.

COMENTÁRIO

Nesse ponto você deve ter notado que os dois tipos de imaginação são igualmente valiosos e trabalham juntos de um jeito tão sincronizado que frequentemente se torna difícil dizer onde acaba um e começa o outro. Por exemplo, quando Jeff Bezos criou a ideia da Amazon.com, foi imaginação sintetizada ou imaginação criativa? Na época, muita gente começava a pegar a ideia da internet como meio de vendas. A partir disso, seria possível concluir que ele recorreu a experiência, educação e observação, o que significa que estava usando imaginação sintetizada. Mas por que ele decidiu vender livros? Isso foi imaginação sintetizada ou criativa? Essa ideia saiu de alguma coisa em seu subconsciente que acreditava que livros eram a escolha certa? E o nome? Chamar uma livraria de Amazon não fazia sentido para ninguém além de Bezos, mas certamente chamou a atenção do público. Quanto o nome foi importante para o sucesso da loja? Essa escolha foi imaginação sintetizada ou criativa?

Agora, dê um passo à frente. E o eBay? A Amazon já havia mostrado que era possível vender muitos produtos pela internet. Quando Pierre Omidyar teve a ideia de vender coisas na internet transformando-a em uma casa de leilões, que parte disso foi imaginação sintetizada e que parte foi imaginação criativa?

A resposta é: não importa. Quer você reúna conscientemente as partes de um plano, ou as partes se encaixem em seus lugares subconscientemente e de repente você tenha um *flash* de inspiração, tudo que importa é que você está colocando sua imaginação para trabalhar. E, quanto mais a usa, melhor as imaginações sintetizada e criativa vão trabalhar para você.

Desejo é um pensamento, um impulso. É nebuloso e efêmero. É abstrato e não tem nenhum valor até ser transformado em sua contraparte física. A imaginação sintetizada é a que será usada com mais frequência no processo de transformar desejo em dinheiro, mas vão surgir circunstâncias e situações que exigem o uso da imaginação criativa também.

Imaginação sintetizada e criativa se tornam mais alertas e receptivas com o uso. E, embora sua capacidade de imaginação possa ter enfraquecido pela falta de uso, você pode reavivá-la. Assim como qualquer músculo ou órgão do corpo se desenvolve com o uso, sua imaginação se torna mais receptiva em resposta direta à quantidade de uso.

Use sua imaginação sintetizada

Primeiro vamos focar a atenção no desenvolvimento da imaginação sintetizada. Essa é a faculdade que você vai usar com mais frequência na conversão do desejo em dinheiro.

A transformação do impulso intangível do desejo na realidade tangível do dinheiro pede o uso de um plano ou planos. Para fazer planos, você deve usar sua imaginação. De maneira geral, isso vai requerer o uso da imaginação sintetizada à medida que você recorre à sua experiência, educação e observações.

COMENTÁRIO

O trecho a seguir é adaptado de um texto posterior de Napoleon Hill e aparece em *Keys to Success*:

> Um excelente exemplo de imaginação sintetizada é a invenção da lâmpada elétrica de Edison. Ele começou com um fato reconhecido que outras pessoas haviam descoberto: um fio pode ser

aquecido por eletricidade até produzir luz. O problema era que o calor intenso queimava rapidamente o fio, e a luz nunca durava mais que alguns minutos.

Edison falhou mais de dez mil vezes enquanto tentava controlar o calor. Ele encontrou o método mediante a aplicação de outro fato comum que simplesmente havia escapado à observação de todas as demais pessoas. Edison percebeu que o carvão é produzido pela queima da madeira coberta com terra, para o fogo arder lentamente e sem chama. A terra permite a entrada de ar suficiente apenas para haver fogo brando, de modo que a madeira não seja incinerada.

Quando Edison reconheceu esse fato, sua imaginação associou-o imediatamente à ideia do aquecimento do fio. Ele colocou o fio dentro de uma garrafa, tirou dela a maior parte do ar e produziu a primeira lâmpada incandescente. Ela ficou acesa por oito horas e meia.

Tudo que Edison usou para fazer a lâmpada elétrica era amplamente conhecido, mas o jeito como ele sintetizou o conhecimento mudou o mundo. E fez dele um homem muito rico.

W. Clement Stone chamou o processo de fórmula R2A2 – Reconhecer e Relacionar, Assimilar e Aplicar. Se você fizer isso com tudo que vê, ouve, pensa e experimenta, desenvolverá um novo jeito de olhar para coisas conhecidas. Se faz isso, você pode realizar o que outras pessoas acreditam ser impossível.

Mais adiante neste capítulo você vai ler sobre outras fortunas que cresceram a partir de ideias sintetizadas ainda mais simples, e essas histórias devem levá-lo a concluir que a combinação de ideias não é nada que você não pudesse ter pensado. Só isso deve fazer sua imaginação começar a sintetizar ideias. No entanto, mesmo que você seja inspirado por essas histórias e fique ansioso para começar, esse ainda não é o ponto em que deva começar a fazer planos. Aqui, e ao longo de todo *Pensa e enriqueça*, Napoleon Hill lembra o leitor de que este livro deve ser lido completamente antes de sua filosofia ser posta em prática. Há outras ideias a serem assimiladas nos capítulos posteriores, ideias que vão influenciar sua imaginação e, portanto, afetar os planos que você possa desenvolver.

Leia todo o livro, depois volte a este capítulo e comece a pôr sua imaginação para trabalhar na elaboração de um plano para transformar seu desejo em dinheiro. Exemplos e instruções para criar planos são dados em quase todos os capítulos. Siga as instruções mais adequadas às suas necessidades e escreva seu plano. No momento em que completar essa etapa, você terá dado forma concreta a seu desejo intangível.

Agora leia a frase mais uma vez de um jeito um pouco diferente: "No momento em que escrever meu plano, terei dado forma concreta ao meu desejo".

Agora leia em voz alta e perceba o que está dizendo a si mesmo.

Desejo é só um pensamento. Por meio da imaginação sintetizada, sua experiência, educação e observações darão a ele forma e ação. A partir do momento em que seguir essas instruções e escrever seu desejo e seu plano, você terá realmente dado o primeiro de uma série de passos que permitirão converter o pensamento em sua contraparte física.

COMENTÁRIO

A imaginação sintetizada desempenha um papel em todas as fases de um plano de negócios. De fato, algumas das empresas mais bem-sucedidas começam com a imaginação sintetizada, quando um empreendedor, recorrendo à sua educação, experiência e observações, pega uma ideia de uma fonte e dá a ela uma nova aplicação.

Foi exatamente isso que aconteceu com Ruth Handler. Ela e o marido, junto com outro sócio, fundaram uma pequena fábrica que evoluiu para a produção de brinquedos. O sucesso do negócio dependia de haver novas ideias para brinquedos. Vendo a filha pequena brincar, Ruth Handler notou que ela estava fascinada com livros de recortar que tinham bonecas de papel representando meninas adolescentes ou mulheres profissionais para as quais ela podia recortar roupas. Ruth Handler também sabia que menininhas adoravam brincar de vestir roupas de adultos. Essas ideias (extraídas da educação, experiência e observações) sintetizaram-se em sua imaginação e se combinaram em uma nova ideia: Ruth Handler anunciou que deviam fazer uma boneca adolescente realista. Não uma boneca de papel, mas uma boneca tridimensional adulta, com corpo de mulher; e também poderiam fazer roupas de adulto para acompanhar, e as meninas poderiam brincar de vestir a boneca.

Em homenagem à fonte de inspiração, Ruth Handler deu à nova boneca o nome de sua filha: Barbie.

Por mais óbvio que agora pareça, até Ruth Handler, ninguém tivera a imaginação de fazer e vender uma boneca como a dela. E certamente ninguém jamais havia feito intermináveis coleções de roupas femininas para uma boneca vestir.

Anteriormente, mencionamos Jeff Bezos, que criou a Amazon combinando a ideia de uma livraria com a internet, e Pierre Omidyar, que fez a mesma coisa com os leilões quando criou o eBay. Mary Kay Ash pegou a ideia de mulheres administrarem as próprias empresas e acrescentou a ideia de vendas de porta em porta. Anita Roddick usou a tendência dos ingredientes naturais, combinou-a aos cosméticos e criou o império The Body Shop. Bernard Marcus e Arthur Blank combinaram o conceito de supermercado com loja de ferragens e criaram a Home Depot. Thomas Stemberg e Leo Kahn fizeram o mesmo com material de escritório e lançaram a Staples. Uma vez feitas as conexões, pode parecer óbvio, mas fazer essas conexões supostamente óbvias trouxe sucesso para muita gente.

Napoleon Hill diz que a imaginação é como um músculo que pode ser fortalecido com o uso. Da mesma que existem exercícios específicos que desenvolvem e melhoram a musculatura física, foram desenvolvidos exercícios específicos para melhorar e desenvolver a imaginação, e acredita-se que a criatividade desenvolvida em uma área vai afetar sua criatividade em outras. Edward De Bono, um dos mais respeitados especialistas no campo, escreveu mais de 25 livros, inclusive os *best-sellers O pensamento lateral* e *Os seis chapéus do pensamento*, cujo objetivo é, literalmente, fazer você pensar. O *best-seller* de Betty Edwards *Drawing on the Right Side of the Brain* usa técnicas de desenho para despertar a criatividade. O *best-seller* de Gabriel Rico *Writing the Natural Way* usa uma técnica chamada *clustering* para romper o bloqueio de escritor, e Tony Buzan utiliza um método similar para abrir a mente, que ele chama de *Mind Mapping*. Em seu *best-seller Superlearning*, Sheilah Ostrander e Lynn Schroeder mostram maneiras de usar a música clássica, e Roger von Oech sugere quebra-cabeça e charadas como estímulos em *A Whack on the Side of the Head*.

RECORRENDO À IMAGINAÇÃO CRIATIVA

O planeta onde você vive, você mesmo e todas as outras coisas materiais são resultado de mudança evolutiva, por meio da qual fragmentos de matéria foram organizados e arranjados em ordem.

Até onde a ciência foi capaz de determinar, todo o universo consiste apenas de quatro coisas: tempo, espaço, matéria e energia. Mais do que isso – e essa afirmação é de incrível importância –, essa terra, cada um dos bilhões de células individuais de seu corpo e todas as partículas subatômicas de matéria começaram como uma forma intangível de energia. Pela combinação de energia e matéria foi criado tudo que é perceptível, da maior estrela no céu até e inclusive o próprio homem.

Desejo é um impulso de pensamento. Impulsos de pensamento são formas de energia. Quando você começa o processo de adquirir dinheiro usando o impulso de pensamento do desejo, está recrutando para seu serviço a mesma "coisa" que a natureza usou ao criar a Terra, bem como toda forma material no universo, incluindo seu corpo e seu cérebro, onde operam os impulsos de pensamento.

COMENTÁRIO

Embora recentes avanços da física (teorias de calibre, teoria das cordas, teoria das membranas e outras) tenham ampliado nossa compreensão sobre matéria e energia, a descrição anterior de Hill permanece de acordo com a ciência moderna. As teorias mais recentes são variações e refinamentos do conceito básico de que tudo no universo é tempo, espaço, matéria ou energia, e, como Einstein afirmou, energia e matéria são, na verdade, formas diferentes da mesma coisa.

Como diz Hill, tudo, das estrelas ao sistema solar, da Terra a você, seu cérebro e aquela pequena faísca chamada de pensamento são a mesma "coisa". É como quando uma toalha de mesa é estendida, há dobras e saliências no tecido que são diferentes umas das outras, mas ainda são todas a mesma toalha de mesa. Como as dobras e saliências na toalha de mesa, energia e matéria são a mesma coisa em formas diferentes. Portanto, você (matéria), seus pensamentos (energia), todas as outras pessoas (matéria) e seus pensamentos (energia) e todas as outras coisas (matéria) não só estão interconectados como também, em essência, são a mesma coisa. Hill chama essa inter-relação de tudo com tudo de Inteligência Infinita. No capítulo sobre fé, ele fez a primeira menção à Inteligência Infinita como a origem de palpites, intuição e *flashes* de inspiração. No capítulo sobre autossugestão, ele propôs que a mente subconsciente é a conexão com a Inteligência Infinita. Neste capítulo,

Hill elabora que a imaginação criativa é o receptor pelo qual os *flashes* de *insight* chegam até nós da Inteligência Infinita.

Em algumas circunstâncias, quando sua mente está operando em ritmo acelerado, sua inteligência criativa recebe não só uma ideia, mas também um *flash* de intuição. Você tem um palpite ou uma premonição sobre alguma coisa ou alguém. Esse *flash* não pode ter vindo do consciente ou do subconsciente porque nenhum dos dois jamais teve a informação. Como tudo é parte de alguma outra coisa, sua imaginação criativa (energia) extraiu o pensamento (energia) diretamente do lago comum de Inteligência Infinita (energia) que contém não só o seu subconsciente (energia), mas também o subconsciente de todo mundo (energia).

Inteligência Infinita é um conceito complexo, e os leitores que se pegam questionando o processo podem ter certeza de que Hill explica a teoria nos capítulos a seguir. Os editores aconselham o leitor a deixar de lado todas as questões por enquanto e a se concentrar na aplicação lógica e prática que Hill tinha em mente.

Você está envolvido em tentar transformar seu desejo em sua contraparte física ou monetária, e existem leis da física e princípios de psicologia que podem ajudar. Mas antes você deve se dar um tempo para se familiarizar com essas leis e aprender a usá-las. Pela repetição e pela descrição desses princípios a partir de todos os ângulos concebíveis, espero revelar o segredo pelo qual toda grande fortuna foi acumulada. Por mais estranho e paradoxal que possa parecer, o "segredo" não é um segredo. Ele faz-se óbvio na Terra, nas estrelas, nos planetas, nos elementos acima e em torno de nós, em cada folha de grama e em cada forma de vida dentro da nossa visão.

Não desanime se não entender ou aceitar completamente essa teoria. Não espero que você aceite tudo que há neste capítulo em sua primeira leitura. Assimile o máximo que puder agora, enquanto lê tudo pela primeira vez. Depois, quando reler e estudar o material, vai descobrir que alguma coisa aconteceu para esclarecê-lo e dar uma compreensão mais ampla do todo. Acima de tudo, não pare nem hesite no estudo desses princípios até ter lido o livro pelo menos três vezes. Depois você não vai querer parar.

COMO FAZER USO PRÁTICO DA IMAGINAÇÃO

Ideias são o ponto de partida de todas as fortunas. Ideias são produtos da imaginação. A seguir, duas histórias verdadeiras sobre ideias que renderam imensas fortunas. Espero que essas histórias transmitam o quanto é importante o papel que a imaginação pode ter na transformação de uma ideia em sucesso e que ilustrem o método pelo qual a imaginação pode ser usada para o acúmulo de riqueza.

A chaleira encantada

No fim dos anos 1880, um velho médico rural foi até a cidade, amarrou seu cavalo, entrou discretamente em uma drogaria pela porta dos fundos e começou a regatear com o jovem atendente.

Durante mais de uma hora, atrás do balcão, o velho médico e o atendente falaram em voz baixa. Então o médico saiu. Foi até a carroça e pegou uma grande e antiquada chaleira, uma grande colher de pau (para mexer o conteúdo da chaleira) e as depositou no fundo da loja.

O atendente inspecionou a chaleira, pôs a mão no bolso interno, pegou um rolo de notas e entregou para o médico. O rolo continha exatamente US$ 500 – todas as economias do atendente!

O médico entregou a ele um pedacinho de papel no qual estava escrita uma fórmula secreta. As palavras naquele pedacinho de papel valiam o resgate de um rei. Mas não para o médico. Aquelas palavras mágicas eram necessárias para fazer o conteúdo da chaleira começar a ferver, mas nem o médico, nem o jovem atendente sabiam que fabulosas fortunas estavam destinadas a jorrar daquela chaleira.

O velho médico ficou feliz por vender o utensílio por US$ 500. O atendente correu um grande risco apostando as economias de sua vida inteira em um pedaço de papel e uma chaleira velha. Ele jamais sonhou que seu investimento faria uma chaleira transbordar ouro que um dia superaria o desempenho miraculoso da lâmpada de Aladim.

O que o atendente realmente comprou foi uma ideia!

A velha chaleira, a colher de pau e a mensagem secreta em um pedacinho de papel eram incidentais. O milagre daquela chaleira só começou a acontecer depois que o novo proprietário misturou às instruções secretas um ingrediente sobre o qual o médico nada sabia.

Veja se consegue descobrir o que aquele jovem acrescentou à mensagem secreta e fez a chaleira transbordar ouro. Aqui você tem uma história de fatos mais estranhos que ficção – fatos que começaram na forma de uma ideia.

Apenas olhe para as vastas fortunas em ouro que essa ideia produziu. Ela pagou, e ainda paga, imensas fortunas a homens e mulheres no mundo todo, gente que distribui o conteúdo da chaleira a milhões de pessoas.

A velha chaleira é hoje um dos maiores consumidores de açúcar do mundo, dando emprego a milhares de homens e mulheres que cultivam cana e trabalham refinando e vendendo açúcar.

A velha chaleira consome, anualmente, milhões de garrafas de vidro [e de plástico e latas], dando emprego a elevado número de trabalhadores.

A velha chaleira dá emprego a um exército de secretários, estenógrafos, redatores e especialistas em propaganda em todo o país. Ela levou fama e fortuna a muitos artistas que criaram imagens magníficas descrevendo o produto.

A velha chaleira transformou Atlanta, que era uma pequena cidade sulista, na capital de negócios do Sul, onde agora beneficia, direta ou indiretamente, todos os negócios e praticamente todos os residentes da cidade.

A influência dessa ideia agora beneficia todo país civilizado do mundo, despejando um jorro contínuo de ouro para todos que a tocam. O ouro da chaleira construiu e mantém uma das mais proeminentes faculdades do Sul, onde milhares de jovens recebem o treinamento essencial para o sucesso.

Se o produto daquela velha chaleira de metal pudesse falar, contaria histórias incríveis em todos os idiomas. Histórias de amor, de negócios, de profissionais, de homens e mulheres diariamente estimuladas por ele.

Tenho certeza de pelo menos uma história romântica, pois fiz parte dela, e tudo começou não muito longe do lugar onde o atendente da drogaria comprou a velha chaleira. Foi lá que conheci minha esposa, e foi ela quem me contou sobre a chaleira encantada. Era o produto daquela chaleira que bebíamos quando pedi a ela para me aceitar "na alegria e na tristeza". Seja você quem for, onde quer que more, qualquer que seja sua ocupação, cada vez que vir as palavras *Coca-Cola*, lembre-se de que esse vasto império de riqueza e influência cresceu a partir de uma única ideia. E essa ideia – o ingrediente misterioso que o atendente Asa Candler misturou à fórmula secreta – foi... imaginação!

Pare e pense nisso por um momento.

Tenha em mente que os degraus para a riqueza descritos neste livro são os mesmos princípios pelos quais a influência da Coca-Cola tem sido estendida a cada cidade, município, vilarejo e cruzamento de vias do mundo.

Aqui vai o que há de mais importante para lembrar: as ideias que você cria podem ter a possibilidade de repetir o enorme sucesso dessa bebida mundial.

COMENTÁRIO

Harlan Sanders também tinha uma receita e uma chaleira mágica. Na verdade, sua chaleira era uma panela, mas nem sua panela, nem sua receita de onze ervas e temperos seriam mencionadas aqui se ele não tivesse imaginação também.

Harlan Sanders era proprietário e administrador de um motel e café bem-sucedido em Corbin, Kentucky. Mas, quando a nova rodovia interestadual foi construída, ela não passou pelo endereço de Sanders. Em pouco tempo, seu estabelecimento faliu, deixando-o com pouco mais que sua receita de frango frito e um jeito de prepará-lo rapidamente em uma panela.

Aos 62 anos de idade, o Coronel, como as pessoas o chamavam, teve que encontrar um novo meio de vida. Foi quando o ingrediente mágico, a imaginação, entrou na receita. Ele decidiu que não venderia mais frango frito. Em vez disso, venderia seu método para prepará-lo. Ele pôs a receita e a panela no porta-malas do carro e pegou a estrada para mostrar seu frango frito a outros proprietários de restaurante. Nos primeiros dois anos, conseguiu vender cinco franquias. Dois anos depois, tinha vendido duzentas. Quatro anos depois, estava perto de ter seiscentos endereços, quando foi procurado por um grupo de investimentos que queria comprar sua empresa.

Reconhecendo que a magia não estava só na chaleira ou na receita, os novos proprietários pediram ao Coronel Sanders para permanecer como porta-voz da companhia, o que ele fez até sua morte, em 1980. Hoje existem quase doze mil endereços do KFC em mais de oitenta países, com vendas de quase US$ 10 bilhões ao ano.

Debbie Fields era uma dona de casa de 20 anos que adorava fazer *cookies*. Ela não tinha educação formal, nem experiência profissional, mas tinha uma receita e uma ideia imaginativa de que as pessoas gostariam de comprar *cookies* frescos, quentes e macios em uma loja. Empresários e banqueiros que ela procurou disseram que ela era maluca, mas essa mulher e seu marido continuaram levando sua ideia de banco em banco, até finalmente convencerem um deles a dar a Debbie Fields um empréstimo para ela abrir uma loja em Palo Alto, Califórnia. Na hora do almoço de seu primeiro dia, ela ainda não havia vendido nenhum *cookie*, então foi para a rua e distribuiu amostras. Foi o bastante. A loja de biscoitos decolou. Hoje as lojas *Sra. Fields* estão por todo o país, a Faculdade de Administração de Harvard usa seus métodos como um estudo de caso de eficiência, e Debbie Fields se tornou uma autora de sucesso, oradora motivacional e personalidade da televisão.

Wally "Famous" Amos era um agente de talentos de Los Angeles que copiou uma receita de *cookie* do verso de uma embalagem de gotas de chocolate da Nestlé. Fez algumas modificações para personalizar a receita e começou a distribuir sua versão de *cookies* caseiros como uma espécie de cartão de visitas. Seus clientes e parceiros comerciais gostaram tanto que Wally finalmente decidiu se retirar do *show business* e abrir uma loja. E fez isso com o charme de um agente de Hollywood. Abriu a loja em Sunset Boulevard, com dois mil convidados, um tapete vermelho e celebridades. Com o mesmo charme, ele pôs sua foto na embalagem, encheu-a de *cookies* e começou a vender para lojas de departamento exclusivas e lojas de especialidades. Dez anos depois, a Famous Amos era um negócio de US$ 10 milhões.

Ray Kroc tinha mais de 50 anos e vendia *mixers* para *milk-shake* quando ouviu falar de um quiosque de hambúrguer na Califórnia, propriedade de Dick e Mac McDonald, que estava indo muito bem. Pegou o carro e foi até San Bernardino dar uma conferida. O que viu foi um restaurante com um cardápio limitado e uma boa receita de hambúrguer, e eles serviam mais depressa que qualquer lugar que ele já tivesse visto. Pensando que, se houvesse mais lugares como aquele, ele poderia vender muitos *mixers* de *milk-shake*, Kroc sugeriu aos irmãos McDonald a ideia de abrir mais alguns McDonald's. Eles se interessaram, mas não sabiam com quem poderiam abrir os novos restaurantes. Dessa vez havia uma receita e uma grelha mágica, mas ainda faltava o ingrediente extra – imaginação. Na hora Ray se ofereceu para ser sócio e abrir os restaurantes ele mesmo. De acordo com as placas nos Golden Arches, a imaginação de Ray Kroc rendeu bilhões de hambúrgueres vendidos.

Em 1982, Howard Schultz foi trabalhar como diretor de *marketing* de uma pequena importadora atacadista de café chamada Starbucks, que só tinha uma loja no Pike Place Market, em Seattle. Durante uma viagem à Itália, Schultz teve a ideia de que a cultura de cafeteria que ele vira em Milão poderia ser transposta para o cenário do centro de Seattle. Convenceu a empresa a tentar. Sua ideia de cafeteria foi um sucesso tão grande que Schultz se empenhou e levantou o dinheiro para comprar a empresa. Cinco anos depois de ter entrado para a Starbucks, ele era CEO de uma companhia com dezessete lojas. Quinze anos mais tarde, a cultura de cafeteria de Schultz estava em todas as esquinas dos Estados Unidos e havia mais de sete mil Starbucks no mundo todo.

Como último exemplo de imaginação, oferecemos o molho para salada de Paul Newman. Bom, era de se esperar que não fosse necessária muita imaginação para uma grande celebridade colocar seu nome em um produto, e foi isso que Newman pensou também. Mas, quando ele e seu sócio, A. E. Hotchner, levaram sua ideia de molho para salada para empresas especializadas em comercializar alimentos, ninguém se interessou, a menos que eles mesmos investissem cerca de US$ 1 milhão para o primeiro ano de operações. De acordo com o livro de Newman e Hotchner, *Shameless Exploitation*, eles descobriram que quase todos os produtos de celebridades no ramo alimentício haviam sido fracassos desastrosos, e agora ninguém queria saber disso.

Então, nem mesmo o grande nome de Paul Newman era a mágica de que eles precisavam para comercializar o molho para saladas. E, a menos que estivessem dispostos a investir uma quantia ridícula, dinheiro também não era a mágica. A magia teria que estar no jeito imaginativo pelo qual convenceriam as pessoas certas a ajudá-los e na perseverança para insistir até conseguirem. E, como todo mundo que tem uma ideia, foram informados de que era loucura tentar. Foram rejeitados por empresas de engarrafamento que não aceitavam pedidos pequenos e foram rejeitados por distribuidores que não queriam se arriscar com nenhum produto de celebridade.

No fim, foi o proprietário de um supermercado, Stew Leonard, que ajudou a encontrar os fornecedores certos. Mas nem isso teria sido suficiente se Stew Leonard não tivesse tido imaginação suficiente para ver as possibilidades e colocar o Newman's Own Salad Dressing nas prateleiras de sua loja. Quinze anos depois, a Newman's Own Brands era uma companhia de US$ 100 milhões (que doa todos os lucros para caridade).

O que eu faria se tivesse US$ 1 milhão

A história a seguir comprova a verdade do velho ditado: "Quem quer, faz". Quem me contou foi o querido educador e clérigo Frank W. Gunsaulus, que começou a carreira de pregador na região dos armazéns de Chicago.

Quando estava na faculdade, Gunsaulus notou muitos defeitos em nosso sistema educacional. Defeitos que ele acreditava que poderia corrigir se fosse diretor de uma faculdade.

Ele decidiu organizar uma nova faculdade em que pudesse pôr em prática suas ideias sem ser prejudicado por métodos ortodoxos de educação.

Gunsaulus precisava de US$ 1 milhão para colocar o projeto em andamento! Onde arranjaria uma quantia tão alta? Essa era a questão que ocupava a maioria dos pensamentos do jovem e ambicioso pregador. Mas ele não conseguia fazer nenhum progresso.

Todas as noites ele dormia pensando naquilo. Acordava pensando naquilo. Pensava naquilo em todos os lugares aonde ia. Pensava e pensava, até a ideia se tornar uma obsessão que o consumia.

Gunsaulus era filósofo além de pregador e, como todos que alcançam sucesso na vida, reconhecia que definição de objetivo é o ponto de partida. Também reconhecia que a definição de objetivo adquire vida e força quando é respaldada por um desejo ardente de traduzir esse objetivo em seu equivalente material.

Ele conhecia todas essas grandes verdades, mas não sabia onde ou como arrumar US$ 1 milhão. O normal teria sido desistir e dizer: "Ah, bom, minha ideia é boa, mas não posso fazer nada com ela porque não consigo arrumar US$ 1 milhão". É exatamente isso que a maioria das pessoas teria dito, mas não foi o que Gunsaulus disse. O que ele disse e o que fez é tão importante que vou deixá-lo falar por si:

"Em um sábado à tarde, eu estava no meu quarto pensando em maneiras de levantar o dinheiro para realizar meus planos. Havia pensado por quase dois anos, mas não tinha feito nada além de pensar. Tinha chegado a hora de agir!

"Decidi naquele momento que conseguiria o milhão de dólares necessário no prazo de uma semana. Como? Eu não estava preocupado com isso. O mais importante foi a decisão de levantar o dinheiro dentro de um prazo específico. Quero dizer que, no momento em que cheguei a uma decisão definitiva de conseguir o dinheiro dentro de um período determinado, surgiu um estranho sentimento de segurança que eu nunca tinha experimentado antes. Algo dentro de mim parecia dizer: 'Por que você não tomou essa decisão há tempos? O dinheiro estava esperando por você o tempo todo!'.

"As coisas começaram a acontecer depressa. Liguei para os jornais e anunciei que na manhã seguinte faria um sermão intitulado 'O que eu faria se eu tivesse milhões de dólares'.

"Comecei a trabalhar no sermão de forma imediata, mas devo dizer que, francamente, a tarefa não foi difícil, porque eu o preparava havia quase dois anos.

"Terminei de escrever o sermão muito antes da meia-noite. Fui para a cama e dormi me sentindo confiante, pois já podia me ver de posse do milhão de dólares. Na manhã seguinte, levantei cedo, fui ao banheiro, li o sermão, me ajoelhei e pedi que, com ele, eu conseguisse chamar a atenção de alguém que fornecesse o dinheiro necessário.

"Enquanto rezava, tive novamente a certeza de que o dinheiro estava próximo. Na minha animação, saí sem o sermão e só percebi o descuido quando já estava no púlpito, pronto para começar a pregar.

"Era tarde demais para ir buscar minhas anotações, e que bênção foi não poder voltar! Em vez disso, meu subconsciente produziu o material de que eu precisava. Quando me levantei para começar o sermão, fechei os olhos e falei dos meus sonhos com o coração e a alma. Não só conversei com a minha congregação, como acho que também conversei com Deus. Eu disse o que faria com US$ 1 milhão se esse valor fosse colocado em minhas mãos. Descrevi o plano que tinha em mente para organizar uma grande instituição educacional onde os jovens aprenderiam a fazer coisas práticas e, ao mesmo tempo, desenvolveriam o pensamento.

"Quando terminei e me sentei, um homem levantou-se lentamente do banco na terceira fileira do fundo e se dirigiu ao púlpito. Eu não sabia o que ele ia fazer. Ele subiu no púlpito, estendeu a mão e disse: 'Reverendo, gostei do seu sermão. Acredito que pode fazer tudo que disse que faria se tivesse US$ 1 milhão. Para provar que acredito em você e no seu sermão, se for ao meu escritório amanhã de manhã, lhe darei o milhão de dólares. Meu nome é Philip D. Armour."

O jovem Gunsaulus foi ao escritório de Armour e recebeu o milhão de dólares. Com esse dinheiro, fundou o Instituto de Tecnologia Armour, conhecido hoje como Instituto de Tecnologia de Illinois.

O milhão de dólares para a fundação do Instituto Armour foi resultado de uma ideia. Por trás da ideia havia o desejo que o jovem Gunsaulus nutriu por quase dois anos.

Observe este fato importante: ele conseguiu o dinheiro 36 horas depois de ter tomado a decisão de obtê-lo e traçar um plano definido para conseguir!

Não havia nada de novo ou único em o jovem Gunsaulus pensar vagamente em US$ 1 milhão e ter uma leve esperança de obtê-lo. Outros tiveram pensamentos semelhantes. Mas havia algo de muito único e diferente na decisão que ele tomou naquele sábado memorável, quando colocou a imprecisão em segundo plano e disse de um jeito definido: "Terei esse dinheiro em uma semana!".

O princípio pelo qual Gunsaulus obteve seu milhão de dólares ainda está vivo. Está disponível para você. Essa lei universal é tão viável hoje como era quando o jovem pregador a usou com tanto sucesso.

COMENTÁRIO

O Instituto de Tecnologia Armour foi inaugurado em 1893, oferecendo cursos de engenharia, química, arquitetura e biblioteconomia, e, em 1940, tornou-se o Instituto de Tecnologia de Illinois (IIT) quando se juntou ao Instituto Lewis, uma faculdade de Chicago fundada em 1895 que oferecia cursos de artes liberais, além de ciências e engenharia. Em 1949, o Instituto de Design, fundado em 1937, também se juntou ao IIT, seguido em 1969 pela Faculdade de Direito Chicago-Kent e pela Escola de Administração Stuart e, em 1986, pela Faculdade de Engenharia do Meio-Oeste. Hoje existem vários *campi* no centro de Chicago. O IIT tem sido chamado de *alma mater* de realizações.

COMO TRANSMUTAR IDEIAS EM DINHEIRO

Asa Candler e Frank Gunsaulus tinham uma característica em comum. Ambos conheciam a surpreendente verdade de que ideias podem ser transmutadas em dinheiro por meio do poder do objetivo definido somado a planos definidos.

Se você é um desses que acreditam que trabalho duro e honestidade por si só trarão riqueza, pode esquecer! Não é verdade. Quando chega em grandes quantidades, a riqueza nunca é resultado só de trabalho duro. A riqueza vem, se vier, em resposta a demandas definidas baseadas na aplicação de princípios definidos, não por acaso ou sorte.

De modo geral, uma ideia é um pensamento que leva à ação porque atrai a imaginação. Todos os grandes vendedores sabem que ideias podem ser vendidas onde uma mercadoria não pode. Os vendedores comuns não sabem disso. Por isso são "comuns."

Um editor de livros de preços baixos fez uma descoberta que tem sido de grande valor para os editores. Ele aprendeu que muita gente compra os títulos, não o conteúdo dos livros. Ao simplesmente mudar o nome de um livro que não estava saindo, as vendas deram um salto de mais de um milhão de cópias. O interior do livro não teve nenhuma alteração. Ele simplesmente trocou a capa por outra com um título que tinha apelo de "bilheteria".

Por mais simples que possa parecer, foi uma ideia. Foi imaginação.

COMENTÁRIO

Para os leitores que pensam que substituir a capa de um livro é muito simples, ou algo que não poderiam fazer por não serem do ramo, os editores diriam que, se você tivesse tido essa ideia simples antes daquele editor, ele provavelmente teria ficado satisfeito por vender os livros encalhados para você por centavos de dólar. Você então poderia ter trocado a capa e de repente teria se tornado editor de um *best-seller*. No entanto, a ideia de substituir as capas não significaria nada se você também não tivesse ideias sobre como comercializar e promover a nova capa atraente. E é isso que Hill argumenta. A Coca-Cola era uma receita, uma ideia criativa, mas teria permanecido apenas uma receita se Asa Candler não tivesse também outras ideias criativas para comercializá-la e fé em si mesmo para pôr essas ideias em prática.

Spence Silver era um químico que trabalhava para a 3M quando, por acidente, criou uma cola que não era muito aderente. Nem é preciso dizer que a 3M não ficou muito interessada em uma cola sem aderência, e a invenção de Silver foi arquivada como um erro. Mas Silver gostou da cola e durante cinco anos continuou falando do produto para quem quisesse ouvir. Ninguém queria até Arthur Fry, que trabalhava na divisão de fitas da 3M, descobrir que, quando estava no ensaio do coral, sempre perdia a página do hinário porque os pedaços de papel que usava para marcá-las escorregavam ou caíam do livro. No entanto, com um pouco da cola não muito aderente de Silver, os pedaços de papel ficavam onde ele queria e se soltavam com facilidade quando ele terminava. Esse foi o momento eureca. Eles tinham acabado de inventar o melhor marcador do mundo: Post-it.

Mas esse não é o fim da história, nem o fim das ideias imaginativas que foram necessárias para fazer o Post-it acontecer. Fry também precisaria de perseverança. Primeiro, teve de convencer os engenheiros a resolver problemas de produção; para isso, ele abriu um buraco na parede do porão de sua casa para instalar um protótipo do equipamento de produção. Ele insistiu e, finalmente, dois anos depois, a 3M mandou o projeto para o departamento de *marketing*. Os especialistas em *marketing* criaram anúncios e folhetos que vendiam a ideia do "bloco de notas aderentes" e lançaram o produto em quatro cidades para testar. Os resultados foram um desastre. Ninguém "sacou" e ninguém comprou. Quem pagaria por papel de rascunho?

O projeto do Post-it estava prestes a ser descartado quando Geoffrey Nicholson e Joseph Ramey colocaram sua imaginação nele. Como Silver e Fry, Nicholson e Ramey tinham fé na ideia porque viam como as pessoas no escritório se apaixonavam pelos pequenos pedaços de papel adesivo quando começavam a usá-los. Nicholson e Ramey foram para Richmond, Virgínia, uma das quatro cidades dos testes malsucedidos, e percorreram a área comercial, entrando nos escritórios e dando bloquinhos de Post-it para recepcionistas, secretárias e qualquer outro que aceitasse.

A máquina de *marketing* convencional da 3M tinha falhado, mas distribuir Post-its às pessoas que realmente os usariam deu resultado. Quando os funcionários de escritório de Richmond começaram a usar o Post-it, a ideia de pagar pelo papel de rascunho deixou de parecer tão má. Eles "sacaram" e compraram. O teste de Richmond passou do fracasso ao sucesso, e logo os Post-its estavam grudando em tudo no mundo todo.

Aqui está outra ideia simples que a imaginação transformou em sucesso. A história começou com um homem cujo problema era exatamente o oposto do de Spence Silver. Esse homem tinha algo que grudava bem demais. George de Mestral era um montanhista suíço que um dia foi caçar com seu cachorro. Quando chegaram em casa, ambos estavam cobertos de carrapichos. Os carrapichos eram tão difíceis de remover que Mestral os estudou com uma lupa para entender por quê. Ele viu que as plantas eram cobertas de pequenos ganchos que se prendiam ao pelo e ao tecido. Foi quando ele teve a ideia. Se os carrapichos ficavam presos onde você não queria, por que não colocar ganchinhos nas coisas para que ficassem onde você queria?

Como todos os outros mencionados neste livro, Mestral teve uma ideia imaginativa. Mas foi só o início. Ele também teve fé em si para continuar quando as pessoas riram de sua ideia, o que muitos fizeram, até finalmente encontrar uma fábrica têxtil francesa que o ajudou a fazer o que queria. No entanto, mesmo quando enfim elaboraram uma maneira de usar tecido de algodão para fazer o que chamaram de "fita de fechamento", não tinham como arcar com os custos da produção em massa. E foi assim que Mestral descobriu de forma acidental que, quando se costura o náilon sob luz infravermelha, ele produz naturalmente pequenos ganchos. Agora que poderiam fabricar por baixo custo, só precisavam de um nome. Um lado era felpudo como veludo e o outro era de crochê, a palavra francesa para gancho. Pegue "vel" e "cro", combine com a imaginação, o resultado é Velcro, e um alpinista suíço se torna um magnata da indústria.

Uma vez a Sony Corporation tentou fabricar um gravador muito pequeno que funcionasse com cassetes de tamanho padrão, mas não conseguiu. Eles poderiam produzir uma pequena máquina de reprodução, mas na época os componentes eletrônicos necessários para torná-la também uma máquina de gravação não eram suficientemente pequenos. Concluíram que o projeto era um fracasso.

Um dia o presidente honorário da Sony, Masaru Ibuka, entrou no laboratório e viu que alguns dos engenheiros estavam usando os protótipos do gravador fracassado para ouvir fitas de música. Eles não pareciam se importar com o fato de o aparelho não poder gravar, só gostavam de poder andar por aí ouvindo suas músicas favoritas.

Então surgiu a ideia imaginativa que fez toda a diferença. Ibuka lembrou que outra divisão estava trabalhando em fones de ouvido leves. Esse foi o *flash*. A imaginação de Ibuka fez a conexão que os outros engenheiros não tinham feito. Na opinião de Ibuka, eles não haviam projetado um "gravador" que deu errado, mas criado um "reprodutor estéreo particular" bem-sucedido. Adicionaram os fones de ouvido, chamaram de Walkman e revolucionaram o negócio da música e a indústria eletrônica.

Clarence Saunders era funcionário em um pequeno varejo no sul. Um dia estava de pé com uma bandeja nas mãos, esperando sua vez em uma lanchonete. Ele nunca tinha ganhado mais de US$ 20 por semana, antes disso, e ninguém jamais havia notado nele alguma coisa que indicasse habilidade incomum, mas algo aconteceu em sua mente enquanto ele estava na fila, algo que fez sua imaginação funcionar. Ele teve a ideia de que aquele mesmo conceito de autoatendimento também funcionaria no mercadinho.

Clarence Saunders levou a ideia para o chefe. Naturalmente, o chefe disse que ele estava louco. Então Saunders largou o emprego, fez o que precisava fazer para levantar o dinheiro e abriu a primeira mercearia *self-service*. Chamou de Piggly-Wiggly, e Clarence Saunders, o funcionário de mercearia que ganhava US$ 20 por semana rapidamente se tornou o multimilionário dono de uma cadeia de mercearias dos Estados Unidos.

Sylvan Goldman era dono de várias lojas Piggly-Wiggly em Oklahoma e, como qualquer bom empresário, passava muito tempo observando os clientes andando pelos corredores, colocando seus produtos em cestas ou sacolas de compras. Uma noite, ao tentar descobrir como fazer os clientes comprarem mais em cada visita, ele deu por si olhando para uma cesta sobre o assento de uma cadeira dobrável de madeira. Eureca! Chamou seu mecânico, Fred Young, colocaram rodas na extremidade inferior das pernas da cadeira, adicionaram outra cesta debaixo do assento, e assim nasceu o carrinho de compras.

No momento em que preparamos esta edição para publicação, existem cerca de 35 milhões de carrinhos de compras nos Estados Unidos, e em torno de 1,25 milhão de carrinhos novos são vendidos a cada ano.

Thomas Stemberg, que também mencionamos anteriormente, era outro executivo de supermercado que observava os clientes enquanto faziam compras. Naquele momento, os carrinhos de compras estavam bem estabelecidos nos supermercados, e foi vendo seus clientes empurrando carrinhos para cima e para baixo pelos corredores que ele teve seu *flash* de inspiração. Ficou tão seguro da ideia que convenceu outro executivo de supermercado, Leo Kahn, a se juntar a ele. Juntos, pegaram o conceito de supermercado e o aplicaram à venda de material de escritório e, em 1986, abriram sua primeira loja em Brighton, Massachusetts. Chamaram-na de Staples.

Em 1989, abriram o capital da empresa e dez anos depois havia mais de mil lojas da Staples, com receitas acima de US$ 7 bilhões.

Vamos concluir este comentário com outro conjunto de histórias relacionadas que mostram que às vezes a parte mais imaginativa do *marketing* é o *timing*. Se você fosse fazer compras no final do século 19, normalmente teria que interagir com um comerciante, que pegaria as mercadorias em prateleiras atrás do balcão. Na década de 1870, os preços fixos começavam a ser usados pelos lojistas. Os comerciantes experimentavam a ideia, usando uma tabela de mercadorias que tinham todas o mesmo preço, geralmente cinco centavos.

Frank Winfield Woolworth era funcionário de um armazém e convenceu o proprietário a deixá-lo tentar a ideia da tabela de cinco centavos. Embora tenha funcionado, o proprietário não ficou impressionado. Assim, Woolworth pegou US$ 350 emprestado de seu chefe e em 1879 abriu sua primeira loja Five Cents, em Utica, Nova York. Era uma loja inteira cheia de produtos onde tudo custava um níquel. Um ano depois ele tinha quatro lojas, e a quarta, em Lancaster, Pensilvânia, foi a primeira que ele chamou de F.W. Woolworth's Five and Ten Cents Store. Vinte anos depois, eram 238 lojas. Na época de sua morte, em 1919, eram mais de mil endereços F.W. Woolworth, ele havia estabelecido a primeira rede nacional de lojas de variedades e construído o prédio mais alto da cidade de Nova York para instalar sua sede.

A empresa Woolworth permaneceu fiel à ideia original e não comercializou nenhuma mercadoria que custasse mais de dez centavos até 1932, quando o maior preço foi aumentado para vinte centavos. Mas, à medida que os tempos mudaram, o preço fixo foi derrubado, as mercadorias se tornaram mais variadas, e a empresa continuou crescendo até ter mais de oito mil lojas em todo o mundo, vendendo de tudo, desde aviamentos até utensílios domésticos e móveis.

Então, nos anos de 1960 e 70, algo começou a acontecer. O estado de espírito dos Estados Unidos estava mudando, mas as lojas Woolworth, não. Foi quando Sam Walton abriu o primeiro Wal-Mart em Rogers, Arkansas, em 1962.

Walton entrou no ramo do varejo depois da Segunda Guerra Mundial, quando seu sogro emprestou a ele o dinheiro para comprar uma franquia da loja Butler Brothers em Bentonville, Arkansas. Em 1962, Sam e seu irmão Bud tinham dezesseis lojas de variedades em Arkansas, Missouri e Kansas. Foi nessas lojas que Sam Walton começou a adicionar o ingrediente mágico da imaginação. Além do faro para promoção, Sam tentou novas formas de vender produtos domésticos e mercadorias em geral no varejo. Ele insistia em interiores limpos e bem iluminados e introduziu o conceito de *self-service*, com corredores largos o bastante para carrinhos de compras e balcões de *checkout* na frente da loja. Também começou a comprar diretamente dos fabricantes e criou planos de participação nos lucros que mantinham sua família de funcionários leal, trabalhadora e prestativa.

Em 1962, Walton incorporou essas e outras ideias imaginativas quando abriu sua primeira loja, que chamou de Wal-Mart. A magia básica era vender produtos de marca por preços mais baixos que os de mercado, mas também havia magia em como ele mantinha um clima amistoso de cidadezinha natal em sua loja, embora ela fosse o que agora chamamos de megaloja.

A loja Wal-Mart de Sam Walton foi um sucesso. Então ele continuou construindo e abrindo mais delas. Primeiro em pequenas cidades e áreas rurais, depois em cidades maiores, depois nas grandes cidades, e não demorou muito para ter uma rede nacional. Em 1992, quando Sam Walton morreu, havia mais de 1,7 mil lojas Wal-Mart, a rede era a maior varejista do país, empregava mais de seiscentas mil pessoas, e Sam Walton era o homem mais rico dos Estados Unidos. Em 2003, havia mais de 3,2 mil lojas nos Estados Unidos e mais de 1,1 mil em outros países, a empresa empregava mais de 1,3 milhão de pessoas em todo o mundo e atendia mais de um milhão de clientes por semana.

Durante esse processo, a Woolworth e outras empresas varejistas mais antigas, como a Kresge, tentaram entrar nesse bonde com suas lojas Woolco e Kmart, mas não conseguiram acertar. Elas haviam renunciado à antiga identidade de cinco e dez centavos para se tornar varejistas de generalidades a preços mais altos, e, quando o Wal-Mart chegou e redefiniu essa parte do mercado, os demais pareciam ter esgotado o tipo de imaginação que haviam tido no começo.

E é aqui que a história muda de direção. David Gold administrava uma loja de bebidas que havia herdado do pai. Ele percebeu que, sempre que expunha itens por 99 centavos, a mercadoria era vendida mais rapidamente do que qualquer outro produto com outro preço baixo. Ele decidiu abrir uma loja chamada The 99¢ Only Store, onde tudo seria vendido por 99 centavos.

Parece familiar? A ideia imaginativa de Frank Woolworth em 1879, que havia sido abandonada pela rede de mesmo nome nos anos, de 1940 e 50, em 1982 levava uma nova injeção de imaginação de David Gold.

Como de costume, amigos e familiares disseram que ele estava louco, mas David Gold procurou fornecedores que vendessem produtos fora de linha ou excedentes de produção por um preço suficientemente baixo para ele poder oferecê-los ao público por 99 centavos. Ele os encontrou. E encontrou até todo tipo de produtos de marca, de *hardware* a meia-calça, produtos de limpeza, óleo de motor, utensílios de cozinha, cosméticos, eletrônicos, brinquedos, produtos enlatados, alimentos congelados, biscoitos, frutas frescas, até alimentos *gourmet*, mais de cinco mil que ele poderia vender por 99 centavos e ainda ter lucro!

David Gold abriu sua primeira loja de corredores largos, bem iluminada, de cores vivas, verde e fúcsia, em Inglewood, Califórnia, em 1982. Em 2003, ele tinha 142 lojas na Califórnia, Nevada e Arizona e era relacionado pela Forbes 400 como dono de uma fortuna pessoal estimada em mais de US$ 650 milhões.

Como Napoleon Hill escreveu em *O manuscrito original – As leis do triunfo e do sucesso de Napoleon Hill* sobre a criação de Piggly-Wiggly: "Onde nessa história você vê a menor indicação de algo que não poderia repetir? O plano, que rendeu milhões de dólares para seu criador, era uma ideia muito simples que qualquer um poderia ter adotado, mas que exigia uma imaginação considerável para ser posta em prática. Quanto mais simples e facilmente adaptada é uma ideia, maior é seu valor, já que ninguém está procurando ideias que sejam muito detalhadas ou de alguma forma complicadas".

Não há preço padrão para ideias. O criador da ideia define seu preço e, se for esperto, o alcança.

A história de praticamente todas as grandes fortunas começa no dia em que um criador de ideias e um vendedor de ideias se juntam e trabalham em harmonia. Carnegie cercou-se de homens que podiam fazer o que ele não sabia fazer, homens que criavam ideias e homens que colocavam as ideias em prática, e foi isso que fez dele e outros homens fabulosamente ricos.

Milhões de pessoas vivem esperando “brechas” favoráveis. Talvez uma brecha favorável possa proporcionar uma oportunidade, mas o plano mais seguro é não depender da sorte. Foi uma “brecha” favorável que proporcionou a maior oportunidade da minha vida, mas mais de vinte anos de esforço decidido foram dedicados a essa oportunidade antes que ela se tornasse um bem.

A brecha foi a minha boa sorte de conhecer e conquistar a cooperação de Andrew Carnegie. Naquela ocasião, Carnegie plantou em minha mente a ideia de organizar os princípios de realização em uma filosofia de sucesso. Milhões de pessoas se beneficiaram com as descobertas feitas nos anos de pesquisa, e fortunas foram acumuladas por meio da aplicação da filosofia. O começo foi simples. Era uma ideia que qualquer um poderia ter desenvolvido.

A brecha favorável surgiu por intermédio de Carnegie, mas o que dizer da determinação, da definição de objetivo, do desejo de atingir o objetivo e do esforço persistente em todos esses anos de pesquisa? Não foi um desejo comum que sobreviveu ao desapontamento, ao desânimo, à derrota temporária, à crítica e à constante lembrança de que estava desperdiçando meu tempo. Era um desejo ardente! Uma obsessão!

Quando a ideia foi plantada em minha mente por Carnegie, ela foi nutrida e persuadida e incentivada a permanecer viva. Gradualmente, a ideia tornou-se um gigante com força própria e me nutriu, persuadiu e conduziu. As ideias são assim. Primeiro, você dá vida, ação e orientação a elas, depois elas adquirem uma força própria e superam toda oposição.

Ideias são forças intangíveis, mas têm mais poder que os cérebros de onde nascem. Elas têm o poder de continuar vivas depois de o cérebro que as criou já ter voltado ao pó.

CONTE AO MUNDO
O QUE VOCÊ
PRETENDE FAZER,
MAS ANTES MOSTRE

CAPÍTULO 8

PLANEJAMENTO ORGANIZADO

A CRISTALIZAÇÃO DO DESEJO EM AÇÃO

O sexto passo rumo à riqueza

ocê aprendeu que tudo que criamos ou adquirimos começa em forma de desejo. Na primeira volta de sua jornada, o desejo é levado de abstrato a concreto na oficina da imaginação, onde os planos para sua transição são criados e organizados.

No Capítulo 3, Desejo, você foi instruído a seguir seis etapas práticas e definidas para começar a traduzir o desejo por dinheiro em seu equivalente monetário. Uma das etapas que você deve cumprir é a formação de um plano ou planos definidos, práticos, por intermédio dos quais essa transformação possa ser feita.

Seguem as instruções básicas para fazer planos práticos:

- Alie-se a um grupo de tantas pessoas quantas possam ser necessárias para a criação e a execução de seu plano ou planos para acúmulo de dinheiro utilizando o princípio do MasterMind. Esta instrução é absolutamente essencial. Não deixe de cumpri-la.

[A aliança de MasterMind é formada por duas ou mais mentes trabalhando ativamente juntas em perfeita harmonia, rumo a um objetivo comum. Esse conceito foi apresentado no Capítulo 6, Conhecimento especializado, e é descrito com mais detalhes no Capítulo 11, O poder do MasterMind.]

- Antes de formar sua aliança de MasterMind, decida quais vantagens e benefícios você pode oferecer aos membros de seu grupo em troca de cooperação. Ninguém vai trabalhar indefinidamente sem alguma compensação. Nenhuma pessoa inteligente deve solicitar ou esperar que outra trabalhe sem compensação adequada, embora esta nem sempre ocorra em forma de dinheiro.
- Reúna-se com os membros do seu grupo de MasterMind pelo menos duas vezes por semana, e mais frequentemente se possível, até ter aperfeiçoado o plano ou os planos necessários para o acúmulo de dinheiro.
- Mantenha perfeita harmonia entre você e todos os membros de seu grupo de MasterMind. Se não cumprir esta instrução ao pé da letra, pode contar com o fracasso. O princípio do MasterMind não funciona onde não prevalece a perfeita harmonia.

Mantenha-se atento aos seguintes fatos:

- Você está envolvido em um empreendimento muito importante para você. Para ter certeza do sucesso, precisa ter planos impecáveis.
- Você deve contar com a vantagem da experiência, educação, habilidade inata e imaginação das outras mentes. Assim tem sido feito por cada pessoa que acumulou uma grande fortuna.

Nenhum indivíduo tem experiência, educação, habilidade natural e conhecimento suficientes para garantir o acúmulo de uma grande fortuna sem a colaboração de outras pessoas. Todo plano que você adotar para ganhar dinheiro deve ser uma criação conjunta de todos os membros do seu grupo de MasterMind. Você pode criar os próprios planos no todo ou em parte, mas providencie para que esses planos sejam verificados e aprovados pelos membros de sua aliança de MasterMind.

SE O PRIMEIRO PLANO NÃO DER CERTO, TENTE OUTRO!

Se o primeiro plano que você adotar não for bem-sucedido, substitua-o por um novo plano. Se o novo plano não funcionar, substitua-o por outro e assim por diante até encontrar um plano que funcione. Esse é o ponto em que a maioria das pessoas fracassa, pela falta de persistência na criação de novos planos para substituir aqueles que falharam.

A pessoa mais inteligente na vida não consegue ter sucesso ao acumular dinheiro ou em qualquer outro empreendimento sem planos práticos e viáveis. Não se esqueça disso e lembre-se, quando seus planos falharem, que a derrota temporária não é um fracasso permanente. Isso significa apenas que seus planos não eram sólidos. Crie outros planos. Comece tudo de novo.

A derrota temporária deve significar apenas uma coisa: a certeza de que tem algo errado em seu plano. Milhões de pessoas passam a vida toda na miséria e na pobreza porque não têm um plano sólido para acumular uma fortuna.

Sua conquista só pode ser tão boa quanto os planos que você faz.

Você não estará vencido enquanto não desistir dentro de sua cabeça.

James J. Hill, que foi o maior de todos os construtores de ferrovias, sofreu uma derrota temporária quando tentou levantar o capital necessário para construir a Great Northern Railroad de leste a oeste, mas transformou a derrota em vitória com novos planos.

Henry Ford encarou derrotas temporárias não só no início da carreira automobilística, mas também depois de ter percorrido um longo caminho até o topo. Mas também criou novos planos e seguiu marchando para a vitória financeira.

Vemos pessoas que acumularam grandes fortunas, mas muitas vezes reconhecemos apenas o triunfo e ignoramos as derrotas temporárias que tiveram de superar antes de "chegar lá".

Nenhum seguidor dessa filosofia pode esperar acumular uma fortuna sem experimentar "derrotas temporárias". Quando a derrota vier, aceite-a como um sinal de que seus planos não são sólidos, reconstrua esses planos e volte a navegar em direção ao seu objetivo. Se desistir antes de alcançar o objetivo, você é um "desistente". Um desistente nunca vence – e um vencedor nunca desiste. Escreva essa frase em um pedaço de papel com letras de três centímetros de altura e coloque onde você possa vê-lo todas as noites antes de dormir e todas as manhãs antes de ir trabalhar.

Quando começar a selecionar membros para seu grupo de MasterMind, escolha aqueles que não levam a sério a derrota.

Algumas pessoas acham erroneamente que só o dinheiro pode fazer dinheiro. Isso não é verdade. O desejo, transmutado em seu equivalente monetário por meio dos princípios neste livro, é como o dinheiro é "feito". Dinheiro por si só não é nada além de matéria inerte. Não pode se mover, pensar ou conversar, mas pode "ouvir" quando alguém que o deseja o chama!

O planejamento inteligente é essencial para o sucesso em qualquer empreendimento destinado a acumular riqueza. A seguir, instruções detalhadas para aqueles que devem começar a acumular riqueza vendendo serviços pessoais.

Você vai se sentir animado por saber que praticamente todas as grandes fortunas começaram com a venda de serviços pessoais ou de ideias. Quando pensa nisso, o que mais, exceto ideias e serviços pessoais, você pode dar em troca de riqueza, se não tem produtos ou propriedades?

LÍDERES E SEGUIDORES

Falando de maneira geral, existem dois tipos de pessoas no mundo. Um tipo é conhecido como líderes, e o outro, como seguidores. Decida logo no início se você pretende se tornar um líder em sua vocação escolhida, ou se vai continuar sendo um seguidor. A diferença de compensação é enorme. O seguidor não pode esperar ganhar tanto quanto um líder, embora alguns seguidores cometam o erro de pensar que deveriam.

Não é desgraça ser seguidor. Por outro lado, não é mérito permanecer seguidor. A maioria dos grandes líderes começou como seguidor. Eles se tornaram grandes líderes porque eram seguidores inteligentes. Com poucas exceções, a pessoa que não pode seguir um líder de maneira inteligente não pode se tornar um líder eficiente. A pessoa capaz de seguir um líder de forma mais eficiente é, em geral, a pessoa que progride mais rapidamente para a liderança. Um seguidor inteligente tem muitas vantagens, inclusive a oportunidade de adquirir conhecimento com o líder.

Os principais atributos da liderança

Seguem importantes fatores de liderança:

1. Coragem inabalável: baseada no conhecimento de si mesmo e de sua ocupação. Nenhum seguidor deseja ser comandado por um líder que não tem autoconfiança e coragem. Com certeza nenhum seguidor inteligente será comandado por esse líder por muito tempo.
2. Autocontrole: a pessoa que não consegue se controlar jamais poderá controlar os outros. Autocontrole é um exemplo forte para seus seguidores e será seguido pelos mais inteligentes.

3. Senso de justiça aguçado: sem senso de justiça, nenhum líder pode comandar e manter o respeito de seus seguidores.
4. Decisão firme: aqueles que hesitam ao tomar decisões mostram que não têm certeza de si e, portanto, não podem liderar outras pessoas com sucesso.
5. Planos definidos: líderes bem-sucedidos devem planejar o trabalho e trabalhar seus planos. Líderes que atuam por adivinhação, sem planos práticos e definidos, são como um navio sem leme. Mais cedo ou mais tarde vão bater nas pedras.
6. O hábito de fazer mais do que aquilo para que é pago: uma das penalidades da liderança é a necessidade de os líderes fazerem voluntariamente mais do que exigem de seus seguidores.
7. Personalidade agradável: a liderança exige respeito. Os seguidores não respeitarão um líder que não tenha notas altas em todos os quesitos de uma personalidade agradável.
8. Solidariedade e compreensão: líderes bem-sucedidos devem ser solidários com seus seguidores. Além disso, devem compreendê-los e seus problemas.
9. Domínio dos detalhes: a liderança bem-sucedida exige domínio dos detalhes da posição de líder.
10. Disposição para assumir total responsabilidade: os líderes bem-sucedidos devem estar dispostos a assumir a responsabilidade pelos erros e deficiências de seus seguidores. Se um líder tenta transferir essa responsabilidade, não permanecerá sendo líder. Se um de seus seguidores cometeu um erro ou é incompetente, você deve considerar que a falha é sua.

11. Cooperação: o líder de sucesso deve entender e aplicar o princípio do esforço cooperativo e ser capaz de induzir os seguidores a fazer o mesmo. Liderança exige poder, e poder exige cooperação.

Existem duas formas de liderança. A primeira, e de longe a mais eficiente, é a liderança por consentimento e com a simpatia dos seguidores. A segunda é a liderança pela força, sem o consentimento e a simpatia dos seguidores.

A história está cheia de evidências de que a liderança pela força não se sustenta. A queda e o desaparecimento de ditadores e reis são significativos. Isso indica que as pessoas não vão seguir indefinidamente a liderança forçada.

Napoleão, Mussolini e Hitler foram exemplos de liderança pela força. Sua liderança passou. [Os seguintes nomes também podem ser adicionados à lista: Idi Amin, Francisco Franco, Saddam Hussein, Ferdinand Marcos, Slobodan Milosevic, Juan Perón, general Augusto Pinochet, Pol Pot, general Suharto, líderes talibãs no Afeganistão, marechal (Josip Broz) Tito, Joseph Stalin e líderes subsequentes da União Soviética, Alemanha Oriental e outros países do bloco comunista.] Aqueles que permanecem veem seu poder se desgastar e escapar. A liderança por consentimento dos seguidores é a única que consegue se sustentar.

As pessoas podem seguir a liderança forçada temporariamente, mas não o farão de boa vontade.

Líderes de sucesso vão acatar os onze fatores de liderança descritos neste capítulo, bem como alguns outros fatores. Aqueles que fazem desses atributos a base de sua liderança encontram muitas oportunidades de liderar em qualquer esfera da vida.

As dez principais causas do fracasso na liderança

A seguir relacionamos as principais falhas dos líderes que fracassam. Saber o que não fazer é tão essencial quanto saber o que fazer.

1. INCAPACIDADE DE ORGANIZAR DETALHES: liderança eficiente requer a capacidade de organizar e dominar detalhes. Um líder genuíno nunca está "ocupado demais" para fazer qualquer coisa que possa ser requisitada em sua posição de líder. Seja líder ou seguidor, quando admite que está "ocupado demais" para mudar seus planos ou para dar atenção a qualquer emergência, você admite sua ineficiência. O líder de sucesso deve dominar todos os detalhes relacionados à posição. Isso significa, é claro, que você deve adquirir o hábito de delegar detalhes a subordinados capazes.
2. RELUTÂNCIA EM SERVIR COM HUMILDADE: os líderes verdadeiramente grandes se dispõem, quando a ocasião exige, a realizar qualquer tipo de tarefa que pediriam para outro executar. "O maior dentre vós será servo de todos" é uma verdade que todos os líderes capazes observam e respeitam.
3. EXPECTATIVA DE PAGAMENTO PELO QUE "SABEM", não pelo que fazem com o que sabem. O mundo não paga pelo que você "sabe". Ele paga pelo que você faz ou induz outros a fazerem.
4. MEDO DA CONCORRÊNCIA DOS SEGUIDORES: líderes que temem que um de seus seguidores possa assumir sua posição vão, quase com toda certeza, viver a realização desse medo mais cedo ou mais tarde. Os líderes capazes treinam suplentes para quem podem delegar qualquer um dos detalhes de sua posição. Só assim os líderes podem se desdobrar, estar em muitos lugares e dar atenção a muitas coisas ao mesmo tempo. É uma verdade eterna que os líderes recebem remuneração mais alta pela capacidade de fazer outras pessoas executarem tarefas do que poderiam receber por seus próprios esforços. Um líder eficiente pode, pelo conhecimento do trabalho e pela personalidade magnética, aumentar consideravelmente a eficiência de outras pessoas e levá-las

a prestar mais e melhores serviços do que poderiam prestar sem a sua orientação.

5. Falta de imaginação: sem imaginação, o líder é incapaz de enfrentar emergências ou criar planos para orientar os seguidores de forma eficiente.
6. Egoísmo: líderes que reivindicam toda a honra pelo trabalho de seus seguidores certamente despertarão ressentimento. O líder grande de fato não reivindica honra nenhuma. Grandes líderes se contentam ao ver as honras, quando existem, ir para seus seguidores, porque os grandes líderes sabem que a maioria das pessoas trabalha mais por elogio e reconhecimento do que por dinheiro.
7. Intemperança: os seguidores não respeitam um líder descontrolado. Além disso, intemperança de qualquer tipo destrói a resistência e a vitalidade daqueles que se entregam a ela.
8. Deslealdade: talvez devesse estar no topo da lista. Líderes que não são fiéis ao dever e aos que estão acima e abaixo deles não podem se manter na liderança por muito tempo. A deslealdade marca o indivíduo como alguém abaixo da crítica e conquista o merecido desprezo. A falta de lealdade é uma das principais causas do fracasso em todas as esferas da vida.
9. Ênfase na "autoridade" da liderança: o líder eficiente lidera encorajando, e não tentando instilar medo no coração dos que o seguem. Os líderes que tentam impressionar seus seguidores com sua "autoridade" se enquadram na categoria da liderança pela força. Se você é um verdadeiro líder, não precisa anunciar esse fato. Ele fica evidente em sua conduta – sua solidariedade, compreensão, justiça e na demonstração de que você conhece seu trabalho.

10. ÊNFASE NO TÍTULO: líderes competentes não precisam de "título" para ter o respeito dos seguidores. Os líderes que exageram a importância de seus títulos geralmente não têm mais nada a enfatizar. A porta da sala do verdadeiro líder está aberta a todos, sem formalidades ou ostentação.

Essas são algumas das causas mais comuns do fracasso na liderança. Qualquer uma delas é suficiente para levar ao fracasso. Se você almeja a liderança, estude cuidadosamente a lista e procure se livrar dessas falhas.

COMENTÁRIO

Warren Bennis, professor de gestão e organização, disse: "Um gestor é alguém que faz as coisas corretamente. Um líder é alguém que faz a coisa certa".

A almirante Grace Hopper era a oficial de mais alta graduação da Marinha quando foi entrevistada pelo *60 Minutes*. Ela disse: "Você administra coisas. Você lidera pessoas".

Quando e como se candidatar a um cargo

A informação aqui descrita é resultado de muitos anos de experiência durante os quais milhares de homens e mulheres foram ajudados a comercializar seus serviços de maneira eficiente.

COMENTÁRIO

Os currículos pela internet, por *e-mail* e fax mudaram radicalmente a forma como os empregadores recrutam novos funcionários e como a maioria das pessoas se candidata a empregos. No entanto, *Quem pensa enriquece* nunca foi destinado à "maioria das pessoas". Foi escrito para aqueles que querem se destacar. Se você é essa pessoa, os editores desta edição atualizada recomendam enfaticamente que pense com seriedade sobre cada uma das sugestões a seguir a respeito de como se candidatar a uma vaga e preparar um currículo. Se você se sente inclinado a pensar que essas sugestões são óbvias, simplistas ou ultrapassadas, nós garantimos que não são. Nos casos em que é necessária alguma atualização do material, adicionamos comentários.

1. Agências de emprego: é preciso ter o cuidado de selecionar apenas empresas sérias que possam mostrar registros adequados de resultados satisfatórios.

   [Como qualquer um no mercado de trabalho sabe, hoje as agências de emprego vão de empresas que fornecem mão de obra temporária a *headhunters* que fazem a ponte entre executivos de alto nível e empresas que procuram gestores com talento e experiência. Se você procura uma posição de nível médio a superior, aquele velho ditado sobre receber aquilo pelo que paga é particularmente verdadeiro.]

2. Anúncio em jornais, publicações da área, revistas: classificados podem dar resultados satisfatórios àqueles que se candidatam a posições que não exigem experiência, administrativas ou assalariadas. Para aqueles que procuram cargos executivos, um anúncio bem redigido e bem diagramado, embora mais caro, pode ser melhor. A edição deve ser preparada por um especialista que entenda como injetar as qualidades suficientes para produzir respostas.

   [Para indivíduos, a abordagem do anúncio não é muito comum no mercado de trabalho contemporâneo. Mas, por isso mesmo, se você tem certeza da posição que deseja, um anúncio bem escrito e bem diagramado anunciando suas qualidades em um veículo adequado da área pode ser o que você necessita para atrair a atenção que quer. No entanto, se tentar essa abordagem, esteja preparado para pagar caro por ela. Na verdade, você vai entrar no campo da publicidade, e é uma regra geral na publicidade que um só anúncio raramente vende qualquer coisa; geralmente são necessárias exposições múltiplas antes que o comprador (o empregador, nesse caso) se sinta motivado a comprar (contratar) um produto (você).]

3. Cartas pessoais de candidatura: devem ser dirigidas a empresas ou indivíduos específicos que possam precisar do tipo de serviço ou experiência que você tem para oferecer. As cartas devem ser escritas sempre com capricho e assinadas de próprio punho. Você deve incluir um currículo completo ou um resumo das suas qualificações. Tanto a carta de candidatura como o currículo devem ser preparados por um especialista.

[No mercado de trabalho contemporâneo, mandar uma carta se oferecendo quando nenhuma vaga foi anunciada pode de fato ser uma abordagem muito bem-sucedida. Mas isso vale apenas para aqueles que realmente sabem o que querem e se dedicam a preparar uma apresentação convincente.

Gestores encarregados das contratações estão sempre de olho em possíveis bons funcionários. Se receberem uma apresentação bem construída e intrigante que indique claramente que você está interessado em uma vaga quando ela estiver disponível, esse material não será descartado. E a primeira coisa que os bons gestores fazem quando têm uma vaga aberta é pesquisar em seus arquivos. Quando isso acontecer, se sua apresentação tiver deixado uma impressão boa e convincente, ela estará lá.

A única questão é: você está disposto a se disponibilizar quando chamarem? Se está só atirando para todos os lados e distribuindo uma carta padronizada na esperança de conseguir um emprego, é bem provável que não dê certo. Essa abordagem não é para alguém que procura um emprego. Essa abordagem é só para aqueles que realmente querem uma carreira específica.]

4. Candidatar-se pessoalmente: em alguns casos, pode ser mais eficaz se o candidato oferecer pessoalmente seus serviços a futuros empregadores; nesse caso, deve ser apresentada uma declaração completa por escrito com as qualificações para o cargo, já que os empregadores potenciais provavelmente vão querer discutir seu currículo com os sócios.

   [Solicitar uma entrevista quando nenhuma vaga foi anunciada é uma declaração ainda mais forte de que você sabe o que quer e está falando sério sobre trabalhar em um setor específico. Se adotar essa abordagem, lembre-se de que está pedindo o tempo de alguém. Alguns gestores não serão receptivos porque isso não se enquadra na política da empresa, e outros vão considerar um aborrecimento. Essa abordagem só vai funcionar se você estiver confiante de que pode causar uma impressão excepcional pessoalmente. Se deixar uma impressão forte e positiva, será lembrado quando houver uma vaga disponível.]

5. Candidatura por indicação de conhecidos: quando possível, o candidato deve abordar empregadores potenciais por intermédio de algum conhecido em comum. Esse método é particularmente vantajoso no caso daqueles que procuram contatos executivos e não querem dar a impressão de estar "se oferecendo".

Informação a ser fornecida em um currículo por escrito

Um bom currículo deve ser preparado com tanta atenção quanto a de um advogado ao preparar a papelada de um caso que será julgado no tribunal. A menos que o candidato tenha experiência na preparação desses documentos, é melhor consultar um especialista. Quando empresas bem-sucedidas querem anunciar, contratam especialistas que entendem a psicologia da propaganda para vender seus produtos. Se você está "vendendo" seus serviços pessoais, deve fazer a mesma coisa.

COMENTÁRIO

O mercado de trabalho dos Estados Unidos nunca foi tão ruim quanto na época em que Napoleon Hill escreveu o parágrafo anterior. Por causa da Grande Depressão, muitos adultos nunca haviam tido nenhum tipo de emprego estável, muito menos um cargo de carreira, e havia poucos lugares para aprender a procurá-los. Desde então, muitos livros excelentes foram publicados sobre o assunto, e as empresas que oferecem ajuda profissional na preparação de currículos tornaram-se muito comuns. No entanto, nem livros nem redatores são mágicos. Tudo começa com o que você tem para oferecer.

Os editores desta edição sugerem que você comece a montar sua apresentação usando as diretrizes fornecidas abaixo. Quando tiver um rascunho inicial, você deve procurar pelo menos um dos livros sobre o assunto para ver quais sugestões oferecidas podem ajudá-lo a vender seus serviços melhor do que você já fez. Então, dependendo de quanto estiver satisfeito, você também pode procurar os conselhos de um profissional especializado nessas apresentações.

Tome cuidado com duas coisas: primeiro, tenha certeza de que sua apresentação não ficou parecida com o produto de uma fábrica de currículos. Tendo recebido muitos currículos ao longo dos anos, os editores advertem que alguns profissionais usam as mesmas frases feitas, palavras-chave e formatos para todos os clientes, e isso pode ser uma dica certeira de que outra pessoa preparou seu currículo ou de que você simplesmente o copiou de um livro. A intenção é fazer o seu currículo se destacar.

A segunda coisa com a qual você deve tomar cuidado é não exagerar na tentativa de se destacar. Existe um ponto de equilíbrio entre chamar a atenção de um empregador e dar a impressão de que está se esforçando mais do que deveria.

Por exemplo, se você é um executivo de *marketing* de Nova York e se candidata a uma empresa em Los Angeles mandando seu currículo e uma embalagem de pãezinhos frescos por FedEx na manhã seguinte, provavelmente cria uma boa impressão, mas mandar um alvo de dardos com sua imagem no centro pode ser considerado engraçadinho demais e um pouco exagerado. Astúcia é bom, mas profissionalismo é indispensável. Nunca seja astuto a ponto de não parecer profissional.

A seguir você verá um conjunto de diretrizes para a preparação do seu currículo. Como parte da busca por emprego consiste em responder a anúncios de vagas e como se tornou comum responder enviando o currículo via fax, as diretrizes de Napoleon Hill devem ser usadas para preparar duas apresentações distintas: como Hill sugere abaixo, você deve preparar uma apresentação elaborada para ser enviada por correio ou levada pessoalmente. Mas também deve preparar uma segunda versão mais curta, criada especificamente para ser mandada por fax. Tome cuidado para a versão de fax ser completa e interessante, mas sem ultrapassar três páginas.

Sua apresentação deve conter as seguintes informações:

1. EDUCAÇÃO: informe rapidamente, mas com exatidão, qual o grau de escolaridade e em que áreas se especializou, fornecendo os motivos para essa especialização.

[Nunca exagere. Este é um conselho muito sério e vale não só para a educação, mas também para as duas próximas categorias, experiência e referências. Os empregadores espertos vão verificar as três áreas.

As leis trabalhistas se tornaram tão exigentes que os empregadores que ocupam cargos de responsabilidade tomam muito cuidado com quem contratam. Existem regras sobre coisas como a diferença entre emprego assalariado e pago por hora, assédio sexual, o que constitui motivo de demissão, quais perguntas podem e não podem ser feitas nas entrevistas de emprego e uma série de outras coisas que deixam o empregador exposto a eventuais ações judiciais. Consequentemente, os empregadores inteligentes, como aqueles com quem você quer trabalhar, vão verificar sua educação, experiência e referências.

Além disso, tenha em mente que você está fornecendo informações que o acompanharão pelo resto de sua carreira. Se acompanha as notícias, você sabe que nos últimos tempos até altos executivos foram demitidos, militares foram para a reserva em desgraça, políticos foram removidos do cargo e professores foram forçados a se demitir, tudo porque alguém verificou seus antecedentes e descobriu que eles haviam exagerado em suas qualificações.]

2. Experiência: se você tem experiência em cargos semelhantes aos que procura, descreva-a por completo. Dê nomes e endereços de ex-empregadores. Indique claramente qualquer experiência especial que você tenha tido e que o capacite para ocupar o cargo que busca.
3. Referências: praticamente todas as empresas querem saber o máximo possível do histórico de funcionários potenciais que buscam cargos de responsabilidade. Anexe cópias de cartas de ex-empregadores, de professores com quem estudou e de pessoas proeminentes cujo julgamento seja confiável.
4. Fotografia: inclua uma fotografia recente e profissional como parte de sua apresentação.

[No mercado de trabalho contemporâneo, essa não é uma prática comum. No entanto, por experiência própria, os editores desta edição sabem que isso pode ser vantajoso. Recebemos só um pedido de emprego com fotografia, mas sem dúvida foi a foto que nos levou a chamar o candidato para a entrevista.

Se você acredita que sua aparência causa uma boa impressão profissional, talvez deva considerar essa abordagem incomum. Existe o risco de ser considerado vaidoso ou egocêntrico, mas também pode ser que tenha alguma vantagem com essa apresentação.]

5. Solicite uma posição específica: nunca se candidate só a "um emprego". Isso indica que você não tem qualificações específicas.
6. Indique suas qualificações para o cargo específico a que se candidata: dê todos os detalhes dos motivos pelos quais acredita ser qualificado para o cargo específico que procura. Esse é o detalhe mais importante da sua candidatura. Vai determinar, mais do que qualquer outra coisa, que tipo de consideração você recebe.
7. Ofereça-se para trabalhar em caráter experimental: pode parecer uma sugestão radical, mas a experiência provou que isso raramente deixa de resultar em pelo menos um período de teste. Se você tem certeza de suas qualificações, um teste é tudo de que precisa. Aliás, essa oferta indica que você tem confiança em sua capacidade para ocupar o cargo que busca. É muito convincente. Deixe claro que a oferta é baseada na confiança que tem em sua capacidade para preencher o cargo, na confiança na decisão de seu eventual empregador de contratá-lo após o período de experiência e em sua determinação em conquistar o posto.

   [Como você vai ver no Capítulo 10, quando ler a história de como Napoleon Hill se candidatou para trabalhar com Rufus Ayers, Hill dá esse conselho com base em sua experiência pessoal. Infelizmente, esse é um caso em que os tempos podem ter mudado tanto que a abordagem raramente é aplicável. Hoje as modernas leis trabalhistas e a política empresarial podem impedir que um empregador aceite essa oferta, mas muitas empresas têm programas de estágio que permitem que um empregador "teste" funcionários para ver como eles se adaptariam.]

8. Conhecimento da empresa de seu empregador potencial: antes de candidatar-se a um cargo, faça pesquisas suficientes para se familiarizar com a empresa e demonstre o conhecimento que

adquiriu nesse campo. Isso vai impressionar, pois mostra que você tem imaginação e um interesse real na posição que procura.

[Quando demonstrar esse conhecimento, e você certamente deve demonstrá-lo, lembre-se de que estará falando com pessoas que realmente conhecem a empresa. Mesmo pesquisando muito, na melhor das hipóteses, você só saberá sobre os negócios. Se tentar parecer muito informado ou familiar, pode acabar dando um tiro no pé e revelando que tem apenas uma visão superficial do negócio. A menos que você já esteja trabalhando na área específica e tenha *insights* com base na experiência, não seja presunçoso. Use seu conhecimento para demonstrar que estudou e se preparou, que está realmente interessado, mas não tente dizer a um empregador potencial como você administraria a empresa.]

Lembre-se de que não é o advogado que conhece mais leis que sai vencedor, mas aquele que melhor prepara seu caso. Se o seu "caso" for devidamente preparado e apresentado, você terá percorrido mais da metade do caminho para a vitória.

Não tenha medo de estender sua apresentação por tempo excessivo. Os empregadores estão tão interessados em contratar os serviços de candidatos bem qualificados quanto você em garantir o emprego. De fato, o sucesso dos empregadores mais bem-sucedidos é decorrente da capacidade de escolher subordinados bem qualificados. Eles querem todas as informações disponíveis.

[Conforme mencionado anteriormente, um currículo enviado por fax não deve ter mais que três páginas, e nele você deve indicar que terá prazer em fornecer um currículo mais detalhado, caso solicitado.]

Lembre-se de mais uma coisa: organização ao preparar o currículo e a carta de apresentação indica que você é uma pessoa caprichosa. Vendedores bem-sucedidos se vestem com cuidado. Eles entendem que a primeira impressão é duradoura. Sua apresentação é o seu representante de vendas. Dê a ela um bom traje para que se destaque em comparação a qualquer outra coisa que seu futuro empregador já tenha visto. Se a posição que você procura vale a pena, compensa caprichar ao ir atrás dela. Mais importante, se você se vender de uma maneira que mostre sua individualidade, provavelmente terá um salário melhor desde o início, mais do que teria caso se candidatasse ao emprego da maneira usual e convencional.

Quando o pacote de currículos estiver completo, você deve preparar cópias individuais e personalizadas para cada empresa ou pessoa a quem se apresentará. Esse toque pessoal certamente vai chamar atenção. Garanta um currículo bem digitado, revisado e impresso, adequadamente encadernado no melhor papel que puder obter. Sua fotografia deve ser incluída em uma das páginas. Faça uma página separada com o nome da empresa, caso pretenda enviá-lo para mais de uma.

Se você procura emprego por meio de uma agência de emprego, peça ao agente que use cópias de sua apresentação quando for apresentar seus serviços. Isso vai ajudar a conquistar a preferência, tanto do agente como dos potenciais empregadores.

Eu ajudei a preparar apresentações para clientes que eram tão impressionantes e incomuns que resultaram na contratação do candidato sem uma entrevista pessoal. Se você quiser resultados semelhantes, siga as instruções ao pé da letra, melhorando-as de acordo com o que sua imaginação sugerir.

COMENTÁRIO

Hoje todas as lojas de material de escritório oferecem uma grande variedade de papéis, pastas e materiais de apresentação que podem ser combinados de forma única e profissional. Com todas essas possibilidades disponíveis, se você apresentar só folhas de papel padrão grampeadas no canto, a resposta provavelmente também será padrão.

Se você usar um pouco de criatividade, não deve ter problemas para preparar uma apresentação adaptada à empresa à qual está se candidatando, apropriada à posição que procura e que reflita sua personalidade e estilo.

COMO CONQUISTAR A EXATA POSIÇÃO QUE DESEJA

Todo mundo gosta de fazer o tipo de trabalho para o qual é mais adequado. Um artista gosta de trabalhar com tintas, um artesão com as mãos, um escritor gosta de escrever. Aqueles com talentos menos definidos preferem certas áreas do comércio e da indústria. Se tem uma coisa que os Estados Unidos fazem bem, é oferecer uma gama completa de ocupações.

1. Decida exatamente o tipo de emprego que deseja. Se o emprego ainda não existe, talvez você possa criá-lo.
2. Escolha a empresa ou o indivíduo para quem deseja trabalhar.
3. Estude a empresa com relação a políticas, recursos humanos e oportunidades de progresso.
4. Analise a si mesmo, seus talentos e suas capacidades e descubra o que pode oferecer. Planeje meios específicos de oferecer vantagens, serviços, desenvolvimentos ou ideias que acredita poder entregar com sucesso.
5. Esqueça o "emprego". Esqueça a existência ou não de uma vaga. Esqueça a rotina habitual do "você tem um emprego para mim?". Concentre-se no que você pode oferecer.
6. Quando tiver seu plano em mente, coloque-o no papel de forma clara e com todos os detalhes.
7. Apresente-o à pessoa adequada, e o resto virá automaticamente. Toda empresa procura pessoas que possam oferecer algo de valor, sejam

ideias, serviços ou "conexões". Toda empresa tem espaço para alguém que tenha um plano de ação definido que seja vantajoso para ela.

Esse procedimento pode consumir alguns dias ou semanas de tempo extra, mas a diferença no salário, no progresso e no reconhecimento vai evitar anos de trabalho duro e salário baixo. O método tem muitas vantagens, e a principal é que você pode economizar entre um e cinco anos do seu tempo para alcançar um objetivo determinado.

Toda pessoa que começa, ou "embarca", a meio caminho da subida da escada consegue essa façanha por planejamento deliberado e cuidadoso.

O novo jeito de vender serviços

Homens e mulheres que comercializam seus serviços devem reconhecer a mudança que ocorreu na relação entre empregador e empregado. No futuro, esse relacionamento deve ser mais como uma parceria composta por empregador, empregado e o público por eles atendido.

No passado, empregadores e empregados negociavam entre si, sem levar em conta que, na verdade, estavam negociando à custa da terceira parte, o público a que serviam. Tanto empregador quanto empregado devem pensar em si como colegas de trabalho cuja tarefa é servir ao público de forma eficiente.

COMENTÁRIO

No parágrafo anterior e na próxima seção, Napoleon Hill mais uma vez demonstra sua antevisão dos rumos que os negócios nos Estados Unidos seguiriam. Como você vai ver, o que ele afirma em relação às empresas de carvão e gás seria posteriormente aplicável também aos monopólios telefônicos e, ainda mais tarde, às empresas de *software* e internet e às operadoras de TV a cabo quando os concorrentes começaram a oferecer TV por satélite. Esse retrato de como e por que os negócios

mudaram deve fornecer um mapa para a atitude que você deve adotar e como deve se comportar para alcançar o sucesso que está buscando.

Durante a Depressão, passei vários meses na região do antracite na Pensilvânia, estudando condições que quase destruíram a indústria do carvão. As mineradoras de carvão e os sindicatos endureceram muito a negociação dos contratos de trabalho. O preço da "barganha" foi repassado ao cliente, adicionado ao preço do carvão. No entanto, no final, eles descobriram que haviam sido prejudicados pelas próprias atitudes. Atrasos e preços elevados serviram, na verdade, para abrir o mercado à concorrência. Inadvertidamente, construíram um negócio maravilhoso para os fabricantes de fogões e fornalhas a óleo, bem como para os produtores de petróleo.

Uma experiência semelhante aconteceu com as empresas de gás. Todo mundo lembra do tempo em que o leitor da companhia de gás batia à porta com força suficiente para quebrar as vidraças. Quando abriam a porta, ele entrava sem ser convidado, com uma carranca que dizia claramente: "Por que diabo me fez esperar tanto?". Tudo isso mudou. O leitor da companhia de gás hoje se comporta como um cavalheiro "encantado em servi-lo, senhor". Antes que as empresas de gás entendessem que seus leitores carrancudos ofendiam os clientes, a concorrência, os educados vendedores de fogões a óleo, chegaram e estabeleceram um negócio próspero rapidamente.

Esses exemplos servem para mostrar que estamos onde estamos e somos o que somos em consequência de nossa própria conduta. Se existe um princípio de causa e efeito que controla negócios, finanças e transporte, esse mesmo princípio controla os indivíduos e determina seu *status* econômico.

"Cortesia" e "serviço" são as senhas do *merchandising* hoje e se aplicam a quem comercializa serviços pessoais ainda mais diretamente do que ao empregador. Em última análise, você é empregado pelo cliente. Se deixar de servir bem, tanto você quanto a empresa para a qual trabalha pagarão por isso com a perda do privilégio de servir.

Qual é sua avaliação de "QQE"?

Já foram aqui descritas com clareza as causas de sucesso efetivo e permanente na prestação de serviços. A menos que essas causas sejam estudadas, analisadas, compreendidas e aplicadas, ninguém pode vender serviços de forma eficaz e permanente. Todo indivíduo deve ser a própria equipe de vendas de seus serviços pessoais. A qualidade e a quantidade do serviço prestado e a disposição com que é prestado determinam o preço e a duração da contratação.

Para comercializar seus serviços pessoais de maneira efetiva (o que significa um mercado permanente a um preço satisfatório e em condições agradáveis), você deve adotar e seguir a fórmula "QQE". QQE significa que Qualidade, mais Quantidade, mais Espírito de cooperação adequado é igual à técnica de vendas perfeita do serviço. Lembre-se da fórmula "QQE", mas faça mais – aplique-a como hábito!

Analise a fórmula para ter certeza de que compreende exatamente o que significa.

- Qualidade de serviço significa desempenhar cada detalhe relacionado à sua posição da maneira mais eficiente possível, sempre com o objetivo da maior eficiência.

- Quantidade de serviço significa o hábito de prestar todo serviço de que você é capaz, em todos os momentos, com o propósito de aumentar a quantidade de serviço prestado enquanto desenvolve maior capacidade pela prática e experiência. A ênfase é novamente colocada na palavra hábito.

- Espírito de serviço significa o hábito da conduta agradável e harmoniosa, que induzirá a cooperação de associados e colegas de trabalho.

Qualidade e quantidade adequadas de serviços não são suficientes para assegurar um mercado permanente para seus serviços. O espírito com que você entrega o serviço é um forte fator determinante relacionado tanto ao preço que você consegue alcançar como à duração do seu emprego.

Andrew Carnegie destacou esse ponto em sua descrição dos fatores que levavam ao sucesso na comercialização de serviços pessoais. Ele enfatizou várias vezes a necessidade de uma conduta harmoniosa. Enfatizou repetidamente que não manteria nenhum homem, por maiores que fossem a quantidade e a qualidade de seu trabalho, a menos que ele trabalhasse em espírito de harmonia. Carnegie insistia para que seus empregados trabalhassem mantendo uma disposição agradável uns com os outros. Para provar que valorizava muito essa qualidade, ajudou muitos que atenderam aos seus padrões para enriquecer. Os que não se adaptavam tiveram que dar espaço para outros que correspondiam aos requisitos.

A importância de uma personalidade agradável foi destacada por ser muito importante para a prestação do serviço no espírito adequado. Se você tem uma personalidade agradável e presta um serviço em espírito de harmonia, esses recursos geralmente compensam o que pode faltar tanto na qualidade quanto na quantidade de serviço que você presta. Nada, no entanto, pode ser eficientemente substituído pela conduta agradável.

O valor do capital de seus serviços

A pessoa cuja única fonte de renda é a venda de serviços pessoais é uma comerciante, assim como a pessoa que vende bens físicos, e está sujeita exatamente às mesmas regras de conduta do comerciante que vende mercadorias.

Enfatizo esse ponto porque muitos que vivem da venda de serviços pessoais cometem o erro de se considerar livres das regras de conduta e responsabilidades atribuídas a quem se dedica a comercializar produtos.

Os tempos do "batalhador ambicioso" foram substituídos pelos tempos do "doador".

O verdadeiro valor capitalizado do seu poder intelectual pode ser determinado pela renda que você obtém comercializando seus serviços. Uma estimativa justa do valor de capital de sua força intelectual pode ser feita usando os seguintes pressupostos: dinheiro (o montante do capital) pode ser tomado emprestado de um banco a certa taxa de juros. Dinheiro não vale mais que cérebro, e muitas vezes vale muito menos. Portanto, se o seu poder intelectual é tão valioso quanto o dinheiro, na verdade, você deveria estar "emprestando" seu poder intelectual (sua quantidade de capital) pelo menos com a mesma taxa que os bancos cobram para emprestar dinheiro. Isso significa que o que você ganha em um ano (sua renda) é comparável ao que um banco ganha com um empréstimo em um ano (os juros que cobra).

Você pode então calcular o valor do capital de sua força intelectual usando essa fórmula: divida 100 pela taxa atual de juros cobrada pelos bancos para emprestar dinheiro. Em seguida, multiplique o resultado pelo valor da sua receita anual.

Por exemplo, suponha que a taxa de juros atual seja de 5%. Suponha que sua renda anual seja de US$ 50 mil. A fórmula seria a seguinte: 100 divididos por 5 são 20, e 20 multiplicados por US$ 50 mil equivalem a US$ 1 milhão. Portanto, se você emprestar seu poder intelectual (seu capital) com a mesma taxa que o banco cobra para emprestar dinheiro (5% de juros), sua força intelectual valerá US$ 1 milhão.

"Cérebros" competentes, se comercializados com eficiência, representam uma forma de capital muito mais desejável que o dinheiro necessário para operar uma empresa que comercializa bens. Isso é verdade porque "cérebros" são uma forma de capital que não pode ser depreciada permanentemente pelas crises econômicas, nem roubada ou gasta. Além disso, o dinheiro essencial para a condução dos negócios é tão inútil quanto uma duna de areia até se associar a "cérebros eficientes".

AS 31 GRANDES CAUSAS DE FRACASSO

A maior tragédia da vida consiste de indivíduos que tentam para valer e falham. A tragédia está na maioria esmagadora de pessoas que falham em comparação às poucas que alcançam o sucesso.

Tive o privilégio de analisar vários milhares de homens e mulheres, 98% dos quais classificados como "fracassos".

Minha análise provou que existem treze grandes princípios pelos quais as pessoas acumulam fortunas (cada um deles tem um capítulo próprio neste livro) e 31 grandes motivos para o fracasso. As 31 causas de fracasso estão relacionadas abaixo. Ao ler a lista, avalie-se ponto a ponto. Isso ajuda a descobrir quantas dessas causas de fracasso existem entre você e o sucesso.

1. ANTECEDENTES HEREDITÁRIOS DESFAVORÁVEIS: há pouca coisa, se é que alguma, que se possa fazer por pessoas que nasceram com uma deficiência de poder intelectual. Esta é a única das 31 causas de fracasso que não pode ser facilmente corrigida por qualquer indivíduo. Minha filosofia só pode oferecer um método para superar essa fraqueza com o auxílio do MasterMind.

2. FALTA DE UM OBJETIVO BEM DEFINIDO NA VIDA: não há esperança de sucesso para quem não tem um propósito central ou objetivo definido a alcançar. De cada cem pessoas que analisei, 98 não tinham tal objetivo. Talvez essa tenha sido a principal causa de seu fracasso.

3. FALTA DE AMBIÇÃO PARA MIRAR ACIMA DA MEDIOCRIDADE: não posso oferecer esperança para quem é tão indiferente que não quer progredir na vida e não se dispõe a pagar o preço.

4. EDUCAÇÃO INSUFICIENTE: esta é uma desvantagem que pode ser superada com relativa facilidade. A experiência provou que as pessoas mais bem-educadas são muitas vezes as autodidatas que se fizeram por si. É preciso mais que um diploma universitário para fazer de

você uma pessoa com educação. Qualquer pessoa educada aprendeu a conquistar o que quiser na vida sem violar os direitos dos outros. Educação não consiste tanto em conhecimento, mas em conhecimento aplicado de forma eficiente e persistente. Você não é pago apenas pelo que sabe, mas pelo que faz com o que sabe.

5. Falta de autodisciplina: a disciplina é consequência do autocontrole. Isso significa que você deve controlar todas as qualidades negativas. Antes que possa controlar as condições, você deve se controlar. O autocontrole é a tarefa mais difícil que você vai enfrentar. Se não se dominar, você será dominado por si mesmo. Quando olha para o espelho, você pode ver tanto seu melhor amigo quanto seu pior inimigo.

6. Saúde deficiente: ninguém pode ter sucesso notável sem uma boa saúde. Várias causas da saúde deficiente podem ser eliminadas com autodomínio e controle. As principais são:

   - Excesso de comida – não faz bem à saúde.
   - Hábitos errados de pensamento, ou pensamento negativo.
   - Uso errado do sexo e excesso de indulgência nele.
   - Falta de exercício físico adequado.
   - Suprimento inadequado de ar puro por respiração incorreta.

7. Influências ambientais desfavoráveis na infância: "Se o galho é torto, a árvore também será". A maioria das pessoas que têm tendências para o crime as adquire em consequência de um ambiente ruim e de companhias inadequadas na infância ou juventude.

8. Procrastinação: esta é uma das causas mais comuns de fracasso. A procrastinação vive escondida dentro de cada ser humano, esperando pela oportunidade de estragar suas chances de sucesso. A maioria

das pessoas passa a vida como fracassada porque está esperando "o momento certo" para começar a fazer alguma coisa que valha a pena. Não espere. O momento nunca será "perfeito". Comece onde está, trabalhe com as ferramentas que tem ao seu dispor e vai adquirir ferramentas melhores à medida que progride.

9. Falta de persistência: muita gente começa bem, mas não sabe terminar as coisas que começa. As pessoas tendem a desistir ao primeiro sinal de derrota. Não há substituto para a persistência. Quem faz da persistência sua palavra de ordem descobre que o "fracasso" acaba se cansando e indo embora. O fracasso não sabe lidar com a persistência.
10. Personalidade negativa: não há esperança de sucesso para quem repele as pessoas por ter uma personalidade negativa. O sucesso é consequência da aplicação de poder, e poder se conquista pelo esforço cooperativo de outras pessoas. Uma personalidade negativa não promove cooperação.
11. Falta de controle sobre os impulsos sexuais: a energia sexual é o mais poderoso de todos os estímulos que levam à ação. Por ser a mais poderosa das emoções, se controlada, pode ser convertida em outros canais criativos.
12. Desejo incontrolado por "algo a troco de nada": o instinto de apostar leva milhões de pessoas ao fracasso. Prova disso pode ser encontrada no *crash* do mercado de ações de Wall Street em 1929, quando milhões de pessoas tentaram ganhar dinheiro apostando na compra de ações na margem.

COMENTÁRIO

Para aqueles que não estão familiarizados com o mercado de ações e com comprar "na margem", segue uma explicação simples do que causou o *crash* de 1929. A primeira coisa a entender é que, antes da Grande Depressão, havia otimismo generalizado com a expansão da economia. As empresas cresciam, e as pessoas que haviam investido nessas empresas estavam fazendo fortunas quase da noite para o dia. Quando o indivíduo comum viu quanto dinheiro outras pessoas ganhavam, quis entrar no esquema. E havia um jeito para isso.

Mesmo quem não tinha dinheiro suficiente à disposição podia comprar ações, porque os corretores permitiam que clientes adquirissem ações "na margem", pagando um valor equivalente a uma entrada. No entanto, parte do contrato de compra estipulava que, quando os corretores "cobrassem" as contas de margem, o que poderiam fazer a qualquer momento, os clientes teriam que entregar imediatamente a quantia para pagar o saldo devedor do valor original de compra.

Por isso, Hill usou o termo "apostar" quando se referiu ao mercado de ações. Essas pessoas comuns não estavam investindo em empresas, estavam apostando no aumento futuro do valor. A ideia dessas pessoas era que só teriam que ter o suficiente para pagar a margem, que era uma pequena porcentagem do custo total. Depois, quando o preço da ação subisse, elas venderiam, o que renderia dinheiro mais que suficiente para pagar o saldo do preço de compra devido ao corretor, e elas ficariam com a diferença.

Isso funcionou bem enquanto os preços das ações continuaram subindo. Mas, quando o mercado de ações caiu, os corretores da bolsa cobraram as margens, e as pessoas que tinham comprado por preços que realmente não podiam pagar descobriram que teriam que levantar o dinheiro. E foi por isso que tantas pessoas comuns foram arruinadas no *crash* de 1929. Elas apostaram dinheiro que não tinham comprando na margem.

13. Falta de capacidade de decisão bem definida: indivíduos que alcançam o sucesso conseguem tomar decisões prontamente e

modificá-las de forma muito lenta. Os que fracassam tomam decisões muito lentamente e as mudam de maneira frequente e rápida. Indecisão e procrastinação são gêmeas. Onde uma está, a outra também é encontrada. Elimine essa dupla antes que ela o prenda completamente na rotina do fracasso.

14. Um ou mais dos seis medos básicos (pobreza, crítica, perda da saúde, perda do amor, velhice e morte): você encontrará uma análise aprofundada desses seis medos básicos no último capítulo. Eles devem ser dominados para que você consiga comercializar seus serviços de maneira eficiente.

15. Escolha errada do cônjuge: esta é uma causa muito comum de fracasso. O casamento põe as pessoas em contato íntimo. A menos que a relação seja harmoniosa, é provável que o fracasso a acompanhe. Além disso, será uma forma de fracasso que destrói a ambição.

16. Excesso de cautela: a pessoa que não se arrisca geralmente tem que aceitar o que sobra depois que os outros acabaram de escolher. Cautela em excesso é tão ruim quanto a falta dela. Os dois extremos devem ser evitados. A própria vida é cheia de riscos.

17. Seleção incorreta de parceiros comerciais: esta é uma das causas mais comuns de fracasso nos negócios. Ao comercializar seus serviços pessoais, você deve tomar muito cuidado ao escolher um empregador que seja uma inspiração, além de inteligente e bem-sucedido. Imitamos aqueles com quem nos associamos de forma mais próxima. Escolha um empregador que valha a pena imitar.

18. Superstição e preconceito: a superstição é uma forma de medo. Também é um sinal de ignorância. Pessoas bem-sucedidas mantêm a mente aberta e não têm medo de nada.

19. Escolha vocacional errada: você não pode ter muito sucesso no trabalho de que não gosta. O passo mais importante na comercialização de serviços pessoais é selecionar uma ocupação na qual você possa mergulhar por inteiro. Embora dinheiro ou circunstâncias possam exigir que você faça algo de que não gosta por algum tempo, ninguém pode impedi-lo de traçar planos para alcançar seu objetivo na vida.

COMENTÁRIO

A maioria dos especialistas contemporâneos concorda com a afirmação de Napoleon Hill de que encontrar o trabalho que você ama é de importância fundamental para alcançar o sucesso verdadeiramente compensador. Esse conceito coincide tão bem com as atitudes modernas que tem inspirado uma série de livros, inclusive *Feel the Fear and Do It Anyway*, de Susan Jeffers, *Wishcraft*, de Barbara Sher, e *Do What You Love, The Money Will Follow*, de Marsha Sinetar. Os três livros se tornaram *best-sellers* tratando desse conceito único.

20. Falta de concentração do esforço: o pau-para-toda-obra raramente é bom em alguma delas. Concentre todos os seus esforços em um objetivo definido.
21. Hábito de gastar indiscriminadamente: você não pode ter sucesso se estiver eternamente com medo da pobreza. Crie o hábito de economizar sistematicamente, reservando uma porcentagem definida de sua renda. Dinheiro no banco oferece uma base muito firme de coragem quando você for negociar a venda de serviços pessoais. Sem dinheiro, você tem que aceitar o que for oferecido e ficar feliz por ter conseguido alguma coisa.
22. Falta de entusiasmo: sem entusiasmo, você não pode ser convincente. Além disso, o entusiasmo é contagioso, e a pessoa que o tem (sob controle) em geral é bem-vinda em qualquer grupo.

23. Intolerância: quem tem a mente fechada para qualquer assunto raramente progride. Intolerância significa que você parou de adquirir conhecimento. As formas de intolerância mais prejudiciais são as relacionadas a diferenças de opinião religiosa, racial e política.

24. Intemperança: as formas mais prejudiciais de intemperança estão relacionadas a excessos no consumo de álcool e drogas e nas atividades sexuais. A indulgência excessiva em qualquer um desses hábitos pode ser fatal para o sucesso.

25. Incapacidade de cooperar com outros: mais pessoas perdem o emprego e grandes oportunidades na vida por causa desta falha do que por todos os outros motivos combinados. É uma falha que nenhum empresário ou líder bem informado tolera.

26. Poder que não foi conquistado por esforço próprio (filhos de pais ricos e herdeiros de dinheiro que não fizeram por merecer): poder nas mãos de quem não o conquistou gradualmente muitas vezes é fatal para o sucesso. Riqueza rápida é mais perigosa do que pobreza.

27. Desonestidade intencional: não existe substituto para a honestidade. Você pode ser temporariamente desonesto devido a circunstâncias sobre as quais não tem controle, sem danos permanentes. Mas não há esperança para quem é desonesto por opção. Mais cedo ou mais tarde, seus atos terão consequências, e elas serão a perda da reputação e talvez até da liberdade.

28. Egocentrismo e vaidade: essas qualidades são como luzes vermelhas que alertam os outros para se manterem afastados. São fatais para o sucesso.

29. Adivinhar em vez de pensar: a maioria das pessoas é indiferente ou preguiçosa demais para buscar fatos com os quais possa pensar

com precisão. Preferem agir com base em "opiniões" criadas por adivinhação ou julgamentos apressados.

30. FALTA DE CAPITAL: esta é uma causa comum de fracasso entre aqueles que começam um negócio pela primeira vez. Você deve ter uma reserva de capital suficiente para absorver o choque de seus erros e ir em frente até ter construído uma reputação.
31. Nomeie aqui qualquer causa específica de fracasso que você tenha enfrentado e que não tenha sido incluída nesta lista.

Nessas 31 grandes causas de fracasso está contida a descrição de praticamente todas as pessoas que tentam e fracassam. É bom você pedir para alguém que o conheça bem examinar essa lista com você e ajudá-lo em uma autoanálise em relação a cada uma dessas causas de fracasso. A maioria das pessoas não consegue se ver como os outros as veem. Você pode ser um dos que não conseguem.

VOCÊ SABE QUAL É O SEU VALOR?

A mais antiga das exortações é: "Conhece a ti mesmo"! Se você comercializa mercadorias com sucesso, tem que conhecer a mercadoria. O mesmo é válido para o *marketing* de serviços pessoais. Você deve conhecer todas as suas fraquezas para superá-las ou eliminá-las por completo. Deve conhecer seus pontos fortes a fim de chamar atenção para eles ao vender seus serviços. Você só consegue se conhecer por meio de uma análise precisa.

Existe uma história sobre um jovem candidato a emprego que estava causando uma boa impressão até o gestor perguntar quanto ele pretendia ganhar. Ele respondeu que não tinha pensado em um valor fixo (falta de um objetivo definido). O gestor então propôs: "Vamos pagar tudo que você vale, depois de uma semana de teste".

"Não posso aceitar", o candidato respondeu: "Já ganho mais do que isso onde estou empregado agora."

Pode parecer engraçado, mas é sério. Antes mesmo de começar a negociar um salário melhor em seu emprego atual ou começar a procurar emprego em outro lugar, verifique se você vale mais do que recebe atualmente.

Uma coisa é querer dinheiro – todo mundo quer mais –, mas valer mais é algo completamente diferente. Muitas pessoas confundem seu querer com seus justos direitos. Seus desejos financeiros não têm nada a ver com o seu valor. Seu valor é estabelecido inteiramente por sua capacidade de prestar um serviço útil ou de induzir outras pessoas a prestar tal serviço.

Faça um inventário de si mesmo

A autoanálise anual é essencial no *marketing* eficiente de serviços pessoais, assim como você faria um inventário anual se atuasse no comércio. Além disso, sua análise anual deve mostrar uma diminuição nos defeitos e um aumento nas virtudes. Você progride, continua no mesmo lugar ou regride na vida. O objetivo deve ser seguir em frente. A autoanálise anual revela se houve progresso e, em caso afirmativo, quanto. Também revela todos os passos que você pode ter dado para trás. O *marketing* efetivo de serviços pessoais exige que você progrida, mesmo que lentamente.

Essa autoanálise deve ser feita no fim de cada ano para que você possa incluir nas suas resoluções de ano-novo quaisquer melhorias que ela demonstre serem necessárias. Faça esse inventário usando as seguintes perguntas e verifique as respostas com a ajuda de alguém que não permita que você minta para si mesmo.

Questionário de autoanálise

1. Alcancei o objetivo que estabeleci para este ano? (Você deve trabalhar com um objetivo anual definido a ser alcançado como parte de seu principal objetivo de vida.)

2. Entreguei o melhor serviço de que era capaz ou poderia ter melhorado alguma parte dele?
3. Entreguei a maior quantidade de serviço de que era capaz?
4. Meu espírito de conduta foi harmonioso e cooperativo em todos os momentos?
5. Permiti que o hábito da procrastinação diminuísse minha eficiência e, em caso afirmativo, em que medida?
6. Melhorei minha personalidade e, em caso afirmativo, de que maneira?
7. Persisti em meus planos até sua conclusão?
8. Tomei decisões pronta e definitivamente em todas as ocasiões?
9. Permiti que algum dos seis medos básicos diminuísse minha eficiência?
10. Fui mais ou menos cauteloso do que devia ter sido?
11. Meu relacionamento com parceiros no trabalho foi agradável ou desagradável? Se foi desagradável, a culpa foi parcial ou totalmente minha?
12. Dissipei minha energia por falta de concentração do esforço?
13. Mantive a mente aberta e fui tolerante em relação a todos os assuntos?
14. De que maneiras aperfeiçoei minha capacidade de prestar serviço?
15. Fui intemperado em algum dos meus hábitos pessoais?
16. Expressei, aberta ou secretamente, alguma forma de egocentrismo?
17. Minha conduta com meus associados conquistou o respeito deles?
18. Minhas opiniões e decisões foram baseadas em adivinhação ou análise e pensamento preciso?
19. Segui o hábito de orçar meu tempo, minhas despesas e minha renda e fui conservador nesses orçamentos?

20. Quanto tempo dediquei a esforço não lucrativo, que poderia ter aproveitado melhor?
21. Como posso orçar meu tempo e mudar meus hábitos, de forma a ser mais eficiente no próximo ano?
22. Mantive alguma conduta que não foi aprovada por minha consciência?
23. De que maneiras entreguei mais e melhor serviço do que aquele pelo qual fui pago?
24. Fui injusto com alguém e, em caso afirmativo, como?
25. Se eu tivesse comprado meus serviços, estaria satisfeito com a compra?
26. Estou na vocação certa e, caso não esteja, por quê?
27. O comprador dos meus serviços ficou satisfeito com o serviço que prestei, e, se não, por quê?
28. Qual é minha classificação atual em relação aos princípios fundamentais do sucesso? (Faça essa classificação de forma justa e honesta e peça a verificação de alguém que tenha coragem suficiente para fazer uma avaliação precisa.)

Depois de ler este livro até o fim pelo menos uma vez e ter certeza de que assimilou as informações neste capítulo, você estará pronto para criar um plano prático para comercializar seus serviços pessoais. Neste capítulo você deve ter encontrado descrições adequadas de todos os princípios essenciais ao planejamento da venda de serviços pessoais. Entre eles estão os principais atributos da liderança, as causas mais comuns de fracasso na liderança, uma descrição dos campos de oportunidade para liderança, as principais causas do fracasso em todos os setores da vida e as perguntas importantes que devem ser usadas na autoanálise.

Esta extensa e detalhada apresentação foi incluída porque será necessária caso você pretenda conquistar riqueza pela comercialização de serviços pessoais. Aqueles que perderam suas fortunas e aqueles que estão apenas começando a ganhar dinheiro não têm mais que serviços pessoais para oferecer em troca de riqueza; portanto, é essencial que você tenha informações reais e práticas que serão necessárias para a comercialização de seus serviços da forma mais vantajosa.

Assimilação e compreensão completa das informações o ajudarão a comercializar seus serviços e também o tornarão mais analítico e apto a julgar as pessoas. A informação será inestimável se você trabalha em um cargo executivo no qual seleciona funcionários.

ONDE E COMO ENCONTRAR OPORTUNIDADES PARA O ACÚMULO DE RIQUEZA

Agora que analisamos os princípios pelos quais se pode acumular riqueza, você naturalmente pergunta: "Onde posso encontrar as oportunidades para aplicar esses princípios?". Muito bem, vamos fazer um inventário e ver o que os Estados Unidos da América oferecem à pessoa que busca a riqueza.

Para começar, lembre-se de que vivemos em um país onde todo cidadão respeitador da lei goza de liberdade de pensamento e liberdade de ação sem igual em qualquer outro lugar do mundo. A maioria nunca parou para analisar as vantagens dessa liberdade. Nunca comparamos nossa liberdade ilimitada com a liberdade reduzida em outros países.

Aqui temos liberdade de pensamento, liberdade para escolher e desfrutar de educação, liberdade religiosa, liberdade política, liberdade para escolher uma empresa, profissão ou ocupação, liberdade para acumular e possuir toda a propriedade que pudermos reunir, liberdade para escolher o local de residência, liberdade no casamento, liberdade por meio de oportunidades iguais para todas as raças, liberdade de viajar de um estado para outro, liberdade na escolha de alimentos e liberdade para buscar qualquer posição de vida para a qual tenhamos nos preparado, até mesmo para a Presidência dos Estados Unidos.

Temos outras formas de liberdade, mas essa lista oferece uma visão geral das liberdades mais importantes que oferecem oportunidade de pensar e enriquecer. Os Estados Unidos são o único país que garante a todos os cidadãos, nativos ou naturalizados, uma lista tão ampla e variada de liberdades.

A seguir, vamos rever algumas bênçãos que nossa ampla liberdade colocou em nossas mãos. Tome como exemplo a família norte-americana mediana com renda média e some os benefícios disponíveis para todos os membros da família nessa terra de oportunidade e abundância!

- Alimento: próximos à liberdade de pensamento e ação estão alimento, vestuário e moradia, as três necessidades básicas da vida. Devido à nossa liberdade universal, a família norte-americana média tem disponível em sua porta a mais ampla seleção de alimentos a serem encontrados em qualquer lugar do mundo dentro de seu alcance financeiro.

- Moradia: a família média vive em um apartamento ou casa confortável, com luz, aquecimento, água e muitas comodidades. A torrada do café da manhã é feita em uma torradeira elétrica que custou apenas alguns dólares, o apartamento é limpo com um aspirador elétrico. Água quente e fria estão disponíveis o tempo todo na cozinha e no banheiro. O alimento é mantido refrigerado em uma geladeira, as roupas são lavadas e secas, os pratos são limpos, e inúmeros aparelhos domésticos só precisam ser ligados na tomada para funcionar. A família dispõe de entretenimento e informações do mundo todo, 24 horas por dia se quiser, bastando ligar o rádio **[ou a televisão ou o computador]**.

- Vestuário: em qualquer lugar nos Estados Unidos, a família com requisitos médios de vestuário pode se vestir confortavelmente gastando só uma pequena parcela de sua renda.

Foram mencionadas apenas as três necessidades básicas de alimento, vestuário e moradia. O norte-americano médio também tem outras opções e vantagens disponíveis em troca de um esforço razoável.

O norte-americano médio tem a segurança dos direitos de propriedade como não se encontra em nenhum outro país do mundo. Podemos colocar qualquer valor excedente em um banco com a garantia de que nosso governo vai protegê-lo e nos compensar caso o banco venha a falir. Qualquer pessoa que queira viajar de um estado para outro não precisa de passaporte, nem de permissão de ninguém. Você pode ir quando quiser e pode viajar de carro, trem, ônibus, avião, navio ou qualquer outro meio pelo qual possa pagar.

O "milagre" que nos deu essas bênçãos

Muitas vezes, ouvimos políticos proclamando a liberdade dos Estados Unidos quando pedem votos, mas raramente eles dedicam tempo ou trabalho para analisar a origem dessa "liberdade". Como não tenho do que me queixar, ressentimento a expressar ou segundas intenções, faço uma análise franca dessa "coisa" misteriosa, abstrata e muito mal interpretada que dá a todos os cidadãos norte-americanos mais bênçãos, mais oportunidades para acumular riqueza e mais liberdade de qualquer natureza do que pode ser encontrada em qualquer outro país.

Tenho o direito de analisar a origem e a natureza desse poder invisível porque conheço, e conheci por mais de meio século, muitos homens que organizaram esse poder e muitos que hoje são responsáveis por sua manutenção.

O nome desse misterioso benfeitor da humanidade é *capital*.

O capital consiste não só de dinheiro, mas também de grupos de indivíduos altamente organizados e inteligentes que planejam meios de usar o dinheiro de forma eficiente para o bem do povo, bem como para obter lucros.

Esses grupos consistem em cientistas, educadores, químicos, inventores, analistas de negócios, publicitários, especialistas em transportes, contadores, advogados, médicos e outros homens e mulheres que têm conhecimentos altamente especializados em todos os campos da indústria e dos negócios. Eles desbravam, experimentam e abrem caminhos em novos campos de empreendimento. Apoiam faculdades, hospitais, escolas, constroem boas estradas, publicam jornais, pagam a maior parte do custo do governo e cuidam dos muitos detalhes essenciais para o progresso humano. Em resumo: os capitalistas são o cérebro da civilização, pois fornecem todo o tecido de que se constituem a educação, o esclarecimento e o progresso humano.

Dinheiro sem cérebro é sempre perigoso. Adequadamente utilizado, é o componente essencial mais importante da civilização.

Para ter uma ideia do quanto o capital organizado é importante, imagine que seu trabalho é preparar e servir um café da manhã familiar simples, mas sem a ajuda do capital.

Para servir o chá, você teria que fazer uma viagem à China ou à Índia. A menos que fosse um excelente nadador, você ficaria bem cansado antes de concluir a viagem de ida e volta. E teria outro problema: o que você usaria como dinheiro, mesmo que tivesse resistência física para atravessar o oceano nadando?

Para servir açúcar, você teria que dar outro mergulho, dessa vez rumo às ilhas do Caribe, ou fazer uma longa caminhada até a área de açúcar de beterraba de Utah. Mas, mesmo assim, você poderia voltar sem o açúcar, porque esforço organizado e dinheiro são necessários para produzir açúcar, sem falar no que é preciso para refinar, transportar e entregar esse açúcar à mesa do café da manhã em qualquer lugar nos Estados Unidos.

Os ovos você poderia obter facilmente nas fazendas próximas, mas teria que dar uma caminhada bem longa até a Flórida ou Califórnia e voltar antes de poder servir suco de toranja.

Você teria que andar também até o Kansas ou a um dos outros estados que cultivam trigo para depois fazer o pão.

Cereais secos teriam que ser excluídos do cardápio porque não estariam disponíveis, exceto pelo trabalho de um grupo treinado de trabalhadores e de máquinas adequadas que exigem capital.

Depois de descansar, você poderia nadar um pouquinho novamente, dessa vez até a América do Sul, onde pegaria algumas bananas. Na volta, poderia andar até a fazenda produtora de leite mais próxima para pegar um pouco de manteiga e creme. Então sua família poderia se sentar e saborear o café da manhã.

Parece absurdo, não? Bem, esse procedimento seria a única maneira possível de conseguir esses alimentos simples se não tivéssemos um sistema capitalista.

O capital fundamental de nossa vida

O dinheiro necessário para a construção e manutenção de aviões, caminhões, trens e navios de carga utilizados na entrega desse café da manhã simples é tão grande que desafia a imaginação. Chega a bilhões de dólares, sem falar no exército de funcionários treinados necessário para pilotar todos esses aviões, caminhões, navios e trens. Mas o transporte é apenas uma parte dos requisitos da civilização moderna nos Estados Unidos capitalistas. Antes que haja o que transportar, algo deve ser cultivado ou fabricado e preparado para o mercado. Isso exige mais bilhões de dólares em equipamentos, máquinas, embalagens, *marketing* e salários de milhões de homens e mulheres.

Os sistemas de transporte não brotam do chão e começam a funcionar automaticamente. Surgem das demandas da civilização. São criados pelo trabalho, engenhosidade e capacidade de organização das pessoas que têm imaginação, fé, entusiasmo, capacidade de decisão e persistência. Esses homens e mulheres são conhecidos como capitalistas. Eles são motivados pelo desejo de criar, construir, realizar, prestar serviços úteis, obter lucros e acumular riqueza. Por prestarem serviços sem os quais não haveria civilização, adquirem grande riqueza pessoal.

Só para fazer um registro simples e compreensível, vou acrescentar que esses capitalistas são os mesmos homens e mulheres frequentemente denunciados como o "sistema ganancioso" ou "Wall Street".

Não estou tentando defender ou atacar nenhum grupo ou sistema econômico. O propósito deste livro – um objetivo ao qual dediquei fielmente mais de meio século – é apresentar a qualquer pessoa que queira esse conhecimento a filosofia mais confiável por meio da qual indivíduos podem acumular riqueza em quaisquer quantidades que desejem.

As razões pelas quais analisei as vantagens econômicas do sistema capitalista são:

1. Destacar que todos que buscam riqueza devem reconhecer o sistema que controla todo acesso a fortunas, grandes ou pequenas, e se adaptar a ele.
2. Apresentar o outro lado da imagem mostrada por políticos e demagogos [e meios de comunicação] que muitas vezes se referem ao capital organizado como se fosse algo nocivo.

Este é um país capitalista. Foi desenvolvido por meio do uso do capital. Nós que reivindicamos o direito de compartilhar das bênçãos da liberdade e da oportunidade, que buscamos acumular riqueza aqui, devemos saber que nem riqueza nem oportunidades estariam disponíveis se o capital organizado não tivesse proporcionado esses benefícios.

Existe apenas um método confiável de acúmulo e retenção legal de riqueza, e é a prestação de um serviço útil. Nunca foi criado um sistema no qual qualquer pessoa possa adquirir riqueza legalmente pela mera força dos números ou sem dar em troca um valor equivalente de uma forma ou de outra.

Suas oportunidades em meio às riquezas

Os Estados Unidos oferecem toda a liberdade e toda a oportunidade de acumular riqueza que possam ser requeridas por qualquer pessoa honesta. Quando você vai caçar, escolhe áreas de caça onde haja animais em abundância. Quando está buscando riqueza, naturalmente vale a mesma regra.

Se é riqueza que você busca, não negligencie as possibilidades de um país cujos cidadãos são tão ricos que só as mulheres gastam bilhões de dólares por ano em cosméticos e outros produtos de beleza.

Não tenha tanta pressa para se afastar de um país cujos homens voluntariamente, até ansiosamente, pagam bilhões de dólares por ano por futebol, basquete, beisebol e todos os produtos relacionados a esses e outros eventos esportivos.

Apenas alguns luxos e produtos não essenciais foram mencionados, mas lembre-se de que a produção e a comercialização desses poucos produtos dão emprego regular a muitos milhões de homens e mulheres, que recebem por seus serviços muitos milhões de dólares por mês e gastam esse dinheiro livremente tanto em luxos quanto em necessidades.

Lembre-se especialmente de que, por trás de toda essa troca de mercadorias e serviços pessoais, há uma abundância de oportunidades para acumular riquezas. Aqui a liberdade norte-americana vem em sua ajuda. Nada impede que você ou alguém se envolva em qualquer parte do esforço necessário para continuar com todos esses negócios. Se você tem um talento superior, treinamento, experiência, pode acumular riqueza em grandes quantidades. Aqueles que não são tão afortunados podem acumular quantidades menores. Qualquer pessoa pode ganhar a vida em troca de uma quantidade equivalente de trabalho.

Então é isso! A oportunidade oferece suas opções. Tome a iniciativa, escolha o que deseja, crie seu plano, coloque o plano em ação e prossiga com perseverança. Os Estados Unidos capitalistas farão o resto. Pode contar com isto: o país garante a cada pessoa a oportunidade de prestar um serviço útil e amealhar riqueza proporcional ao valor do serviço.

O "sistema" não nega a ninguém esse direito, mas não promete nada de graça. O próprio sistema é irrevogavelmente controlado pela lei da economia, que não reconhece nem tolera por muito tempo o pegar sem pagar.

PRESUNÇÃO É UMA NÉVOA
QUE ENVOLVE O VERDADEIRO
CARÁTER DE UM HOMEM ALÉM
DO QUE ELE POSSA ENXERGAR.
ENFRAQUECE SUA CAPACIDADE
INATA E FORTALECE TODAS AS
SUAS INCONSISTÊNCIAS

CAPÍTULO 9

DECISÃO

O DOMÍNIO DA PROCRASTINAÇÃO

O sétimo passo rumo à riqueza

 análise de mais de 25 mil homens e mulheres que viveram um fracasso revela que a falta de capacidade de decisão estava perto do topo da lista das 31 principais causas do fracasso.

A procrastinação, o oposto da decisão, é um inimigo comum que praticamente todas as pessoas precisam dominar.

Você vai ter uma oportunidade de testar sua capacidade de tomar decisões rápidas e definitivas quando terminar de ler este livro e começar a colocar os princípios em prática.

Minha análise de várias centenas de pessoas que acumularam fortunas muito além da marca de US$ 1 milhão revelou que todas elas tinham o hábito de tomar decisões prontamente e de mudar essas decisões de forma lenta. As pessoas que não conseguem acumular dinheiro, sem exceção, têm o hábito de tomar decisões muito lentamente, quando tomam, e de mudar essas decisões de forma rápida e frequente.

Uma das qualidades mais notáveis de Henry Ford era o hábito de tomar decisões rápidas e definitivas e mudá-las lentamente. Essa qualidade era tão pronunciada em Ford que deu a ele a fama de obstinado. Foi essa qualidade que incitou Ford a continuar produzindo o famoso modelo T (o carro mais feio do mundo) quando todos seus conselheiros e muitos compradores do carro pressionavam por modificações.

Talvez Ford tenha demorado demais para fazer a mudança, mas o outro lado da história é que sua firmeza de decisão produziu uma enorme fortuna antes que a mudança de modelo se tornasse necessária. Alguns dizem que a firmeza de decisão de Ford foi só teimosia, mas até essa qualidade é preferível à lentidão para tomar decisões e à rapidez para mudá-las.

COMENTÁRIO

A coerência de Henry Ford, ou sua firmeza de decisão, estendeu-se também à cor do modelo T: em dezenove anos de produção, de 1908 a 1927, quinze milhões de unidades foram fabricadas apenas em preto.

Pouco depois do lançamento do modelo, Napoleon Hill se encontrou com Ford para falar sobre os princípios do sucesso. De acordo com Hill, citado no livro *A Lifetime of Riches: The Biography of Napoleon Hill*, de Michael Ritt, Henry Ford era "frio, indiferente, nada entusiasmado e só falava quando não tinha opção", a menos que estivesse falando sobre "seu carro". No começo, poucas pessoas, além de Carnegie, poderiam prever o sucesso que Ford teria e que Hill atribuiu posteriormente ao autocontrole e ao esforço concentrado. No primeiro encontro entre ele e Hill, em 1911, Ford estava interessado apenas em falar sobre o modelo T. Depois que Ford o levou para uma "volta pela fábrica", Hill comprou um carro por US$ 680.

TOMANDO AS PRÓPRIAS DECISÕES

Em sua maioria, as pessoas que fracassam em acumular o dinheiro de que precisam são, em geral, facilmente influenciadas pelas opiniões dos outros. Permitem que fofocas, rumores, opiniões alheias e notícias de jornais formem seu pensamento. Opiniões são os bens mais baratos da Terra. Todo mundo tem uma coleção delas pronta para dar a quem quiser ouvi-las. Se você é muito influenciado pelas opiniões dos outros quando toma decisões, não terá sucesso em nenhuma empreitada, muito menos na transmutação de seu desejo em dinheiro.

Se você é influenciado pela opinião dos outros, não terá nenhum desejo próprio.

Não exponha seus planos. Confie em si para tomar decisões quando começar a colocar esses princípios em prática e siga essas decisões. Não faça confidências a ninguém, exceto aos membros do seu grupo de MasterMind, e tenha certeza de escolher para o seu grupo apenas quem estiver em completa simpatia e harmonia com seu objetivo.

Amigos e parentes próximos, mesmo sem ter a intenção, muitas vezes nos prejudicam com "opiniões" e, às vezes, com a ridicularização, pensando que são engraçados. Milhares de homens e mulheres carregam complexos de inferioridade durante toda a vida porque uma pessoa bem-intencionada, mas ignorante, destruiu sua confiança com opiniões ou a ridicularização.

Você tem um cérebro e mente própria. Use-os e tome as próprias decisões. Se precisar de fatos ou informações de outros para ajudá-lo a tomar decisões, adquira o que necessita sem divulgar a finalidade.

É característico das pessoas que têm conhecimentos limitados tentar dar a impressão de que sabem mais do que realmente sabem. Essas pessoas geralmente falam de mais e escutam de menos. Mantenha os olhos e ouvidos abertos – e a boca fechada – se quiser adquirir o hábito de tomar decisões prontamente. Quem fala demais faz pouco mais que isso. Se você fala mais do que ouve, pode deixar passar algum conhecimento importante que poderia ter sido muito útil. Ao falar demais, você também pode divulgar planos e objetivos para pessoas que teriam prazer em derrotá-lo por ter inveja de você.

Lembre-se, toda vez que abre a boca na presença de uma pessoa que realmente tem conhecimento, você revela seu jogo e mostra a essa pessoa a exata medida do seu conhecimento ou da falta dele! As marcas da verdadeira sabedoria são modéstia e silêncio.

Tenha em mente que cada pessoa, como você, está buscando a oportunidade de acumular dinheiro. Se falar de seus planos com excessiva liberdade, você pode se surpreender ao descobrir que outra pessoa o superou usando os planos de que você se vangloriou.

Uma de suas primeiras decisões deve ser manter a boca fechada e abrir os olhos e os ouvidos.

Para servir de lembrete, copie o seguinte ditado em letras grandes e coloque-o onde possa ver diariamente: "Diga ao mundo o que você pretende fazer, mas primeiro mostre".

Isso equivale a dizer que "ações, não palavras, são o mais importante".

O valor das decisões depende da coragem necessária para tomá-las. As grandes decisões que serviram de base à civilização implicaram grandes riscos, muitas vezes o risco de morte.

A decisão de Lincoln de promulgar sua famosa Proclamação de Emancipação, que deu liberdade aos afro-americanos, foi tomada com plena compreensão de que a atitude faria milhares de amigos e apoiadores políticos se voltarem contra ele.

Quando os governantes de Atenas deram a Sócrates a opção de desmentir seus ensinamentos ou ser condenado à morte, a decisão de Sócrates de beber o copo de veneno em vez de comprometer sua crença pessoal foi uma escolha de coragem. Isso acelerou o tempo em mil anos e deu às pessoas que ainda nem haviam nascido na época o direito à liberdade de pensamento e discurso.

56 QUE SE ARRISCARAM À FORCA

A maior decisão de todos os tempos, no que diz respeito a qualquer cidadão norte-americano, foi tomada na Filadélfia em 4 de julho de 1776, quando 56 homens assinaram um documento que, eles sabiam, traria liberdade a todos os norte-americanos ou levaria cada um dos 56 à forca!

Você já ouviu falar desse famoso documento, a Declaração de Independência, mas tirou dele a grande lição de realização pessoal tão claramente ensinada?

Todos lembram a data dessa decisão importante, mas poucos percebem a coragem que ela exigiu. Recordamos a história conforme foi ensinada; lembramos datas e nomes dos homens que lutaram, lembramos de Valley Forge e Yorktown, lembramos de George Washington e lorde Cornwallis. Mas pouco sabemos das forças reais por trás desses nomes, datas e lugares. Sabemos ainda menos sobre o poder intangível que garantiu a liberdade muito antes dos exércitos de Washington chegarem a Yorktown.

É quase trágico que os escritores da história tenham perdido inteiramente até a menor referência ao poder irresistível que deu vida e liberdade à nação destinada a estabelecer novos padrões de independência para todos os povos da Terra. Digo que é uma tragédia porque é o mesmo poder que deve ser usado por cada indivíduo que supera as dificuldades da vida e a obriga a pagar o preço solicitado.

Vamos analisar rapidamente os eventos que deram origem a esse poder. A história começa com um incidente em Boston em 5 de março de 1770. Soldados britânicos patrulhavam as ruas, ameaçando abertamente os cidadãos com sua presença. Os colonos se ressentiam dos homens armados marchando em seu meio. Começaram a expressar esse ressentimento abertamente, jogando pedras e gritando adjetivos para os soldados, até que o comandante deu a ordem: “Preparar baionetas... Atacar!”.

A batalha começou. E resultou em muitos mortos e feridos. O incidente despertou tanto ressentimento que a Assembleia da Província (composta por colonos proeminentes) convocou uma reunião com a finalidade de tomar medidas definitivas. Dois membros dessa Assembleia eram John Hancock e Samuel Adams. Eles falaram com coragem e declararam que alguma coisa tinha que ser feita para expulsar todos os soldados britânicos de Boston.

Lembre-se disto: uma decisão tomada por dois homens pode ser considerada o início da liberdade de que nós, nos Estados Unidos, agora desfrutamos. Lembre-se também de que a decisão desses dois homens exigiu fé e coragem, porque era perigosa.

Antes da suspensão da Assembleia, Samuel Adams foi escolhido para intimar Hutchinson, o governador da província, e exigir a retirada das tropas britânicas.

O pedido foi atendido, e as tropas foram removidas de Boston, mas o incidente não acabou aí. Aquilo havia provocado uma situação que mudaria todo o curso da civilização.

Richard Henry Lee tornou-se um fator importante nessa história, porque ele e Samuel Adams trocavam cartas com frequência, compartilhando livremente seus medos e esperanças em relação ao bem-estar do povo de suas províncias. A partir dessa prática, Adams pensou que uma troca mútua de cartas entre as treze colônias poderia ajudar a coordenar o esforço tão necessário para a solução de seus problemas. Em março de 1772, dois anos após o confronto com os soldados em Boston, Adams apresentou essa ideia à Assembleia. Ele propôs a formação de um comitê de correspondência entre as colônias, com correspondentes definidos indicados em cada colônia, "com a finalidade de cooperação amigável para a melhoria das colônias da América Britânica".

Foi o início da organização da força remota destinada a dar liberdade a você e a mim. Um grupo de MasterMind já havia sido organizado. Era formado por Adams, Lee e Hancock.

O Comitê de Correspondência foi organizado. Os cidadãos das colônias travavam uma guerra desorganizada contra os soldados britânicos por meio de incidentes semelhantes aos tumultos de Boston, mas nada de benéfico havia resultado disso. Suas queixas individuais não haviam sido consolidadas sob um MasterMind. Nenhum grupo havia dedicado corações, mentes, almas e corpos a uma decisão definida de resolver suas dificuldades com os britânicos de uma vez por todas até Adams, Hancock e Lee se reunirem.

Enquanto isso, os britânicos não estavam parados. Eles também planejavam e se dedicavam a algum MasterMind. E tinham a vantagem de contar com dinheiro e exército organizado.

Uma decisão que mudou a história

A coroa nomeou Gage para substituir Hutchinson como governador de Massachusetts. Um dos primeiros atos do primeiro governador foi enviar um mensageiro para intimar Samuel Adams com o objetivo de tentar deter sua oposição – pelo medo.

Você vai entender melhor o que aconteceu com essa citação da conversa entre o coronel Fenton (o mensageiro enviado por Gage) e Adams.

Coronel Fenton: "Fui autorizado pelo governador Gage a garantir, senhor Adams, que o governador foi capacitado a conceder-lhe tantos benefícios quantos forem satisfatórios [esforço para conquistar Adams com promessa de suborno], desde que você se comprometa a cessar sua oposição às medidas do governo. O conselho do governador, senhor, é que pare de provocar o descontentamento de Sua Majestade. Sua conduta o submete às penalidades de um ato de Henrique VIII que determina que indivíduos podem ser enviados à Inglaterra para julgamento por traição ou cumplicidade em atos de traição, a critério de um governador de província. Mas, ao mudar sua atitude política, você não só terá grandes vantagens pessoais, como também ficará em paz com o rei".

Samuel Adams tinha duas opções: podia cessar a oposição e receber propina, ou podia continuar e correr o risco de ser enforcado!

Claramente, havia chegado a hora em que Adams era forçado a tomar uma decisão imediata que poderia custar sua vida. Adams fez questão de que o coronel Fenton desse sua palavra de honra de que transmitiria a resposta ao governador exatamente como ele a formularia.

Resposta de Adams: "Então você pode dizer ao governador Gage que acredito ter feito as pazes há muito tempo com o Rei dos Reis. Nenhuma consideração pessoal me induzirá a abandonar a causa digna de meu país. E diga ao governador Gage que o conselho de Samuel Adams para ele é parar de ofender os sentimentos de um povo exasperado".

Quando o governador Gage recebeu a resposta cáustica de Adams, ficou furioso e emitiu a seguinte proclamação: "Pelo presente, e em nome de Sua Majestade, ofereço e prometo seu perdão mais gracioso a todas as pessoas que imediatamente abandonem as armas e retornem aos seus deveres de súditos pacíficos, excluindo do benefício deste perdão apenas Samuel Adams e John Hancock, cujas ofensas são de natureza muito flagrante para admitir qualquer outra consideração senão a punição".

Adams e Hancock estavam no centro das atenções. A ameaça do governador irado forçou os dois homens a tomar outra decisão, igualmente perigosa. Eles convocaram às pressas uma reunião secreta de seus seguidores mais determinados. Assim que todos se apresentaram, Adams trancou a porta, colocou a chave no bolso e informou aos presentes que era imperativa a organização de um congresso dos colonos e que nenhum homem deveria sair daquela sala até que a decisão desse congresso fosse tomada.

Houve grande alvoroço. Alguns pesaram as possíveis consequências desse radicalismo. Alguns expressaram sérias dúvidas sobre a sensatez de uma decisão tão definitiva contra a Coroa. Fechados naquela sala havia dois homens imunes ao medo, cegos à possibilidade de fracasso: Hancock e Adams. Por influência dessas duas mentes, os outros foram induzidos a concordar com arranjos a serem feitos por meio do Comitê de Correspondência para uma reunião do Primeiro Congresso Continental, a ser realizada na Filadélfia, em 5 de setembro de 1774.

Lembre-se dessa data. É mais importante que 4 de julho de 1776. Se não houvesse a decisão de realizar um Congresso Continental, não haveria assinatura da Declaração de Independência.

Antes do primeiro encontro do novo Congresso, outro líder em uma região diferente do país estava profundamente envolvido na publicação de uma "Visão resumida dos direitos da América Britânica". Era Thomas Jefferson, da província da Virgínia, cujo relacionamento com lorde Dunmore (representante da coroa na Virgínia) era tão tenso quanto o de Hancock e Adams com seu governador.

Pouco depois da publicação de seu famoso "Resumo dos direitos", Jefferson foi informado de que estava sujeito a processo por alta traição contra o governo de Sua Majestade. Inspirado pela ameaça, um dos colegas de Jefferson, Patrick Henry, emitiu corajosamente sua opinião, concluindo as observações com uma frase que deve ser um clássico eterno: "Se isso for traição, tire proveito máximo dela".

Foram homens como esses que, sem poder, sem autoridade, sem força militar, sem dinheiro, dedicaram-se à solene consideração do destino das colônias, começando com a abertura do Primeiro Congresso Continental e prosseguindo em intervalos durante dois anos até que, em 7 de junho de 1776, Richard Henry Lee levantou-se, dirigiu-se ao presidente e à assustada Assembleia e declarou:

"Senhores, proponho que essas colônias unidas são, e devem ser por direito, estados livres e independentes, desobrigados de toda lealdade à coroa britânica, e que toda conexão política entre eles e o estado da Grã-Bretanha seja, e deva ser, totalmente dissolvida".

A DECISÃO MAIS GRANDIOSA JÁ ESCRITA

O movimento surpreendente de Lee foi discutido fervorosamente, e por tanto tempo, que ele começou a perder a paciência. Finalmente, após dias de discussão, ele tomou de novo a palavra e declarou em voz clara e firme: "Senhor presidente, discutimos esta questão há dias. É o único caminho a seguirmos. Por que então, senhor, continuarmos adiando? Por que ainda deliberar? Deixe este feliz dia dar à luz uma República americana. Deixe-a surgir, não para devastar e conquistar, mas para restabelecer o reinado da paz e da lei".

Antes de sua moção ser finalmente votada, Lee foi chamado de volta à Virgínia por causa de uma grave doença na família. Mas, antes de partir, ele colocou a causa nas mãos do amigo Thomas Jefferson, que prometeu lutar até que medidas favoráveis fossem tomadas. Pouco tempo depois, o presidente do Congresso (Hancock) nomeou Jefferson presidente de um comitê para a elaboração de uma Declaração de Independência.

O comitê trabalhou duro e por muito tempo em um documento que significaria, quando fosse aceito pelo Congresso, que todo homem que o assinasse estaria assinando a própria sentença de morte se as colônias perdessem a briga com a Grã-Bretanha, que certamente aconteceria a seguir.

O documento foi elaborado, e em 28 de junho o rascunho original foi lido diante do Congresso. Durante vários dias foi discutido, alterado e preparado. Em 4 de julho de 1776, Thomas Jefferson apresentou-se diante da Assembleia e, sem medo, leu a decisão mais importante jamais colocada em um papel.

"Quando, no curso dos acontecimentos humanos, se torna necessário um povo dissolver laços políticos que o ligavam a outro e assumir entre os poderes da terra posição igual e separada a que lhe dão direito as leis da natureza e as do Deus da natureza, o respeito digno às opiniões dos homens exige que se declarem as causas que os levam a essa separação..."

Quando Jefferson terminou, o documento foi votado, aceito e assinado pelos 56 homens, cada um apostando a própria vida na decisão de escrever seu nome. A partir dessa decisão, surgiu uma nação destinada a trazer para sempre à humanidade o privilégio de tomar decisões.

Analise os eventos que levaram à Declaração de Independência e se convença de que essa nação, que hoje ocupa uma posição de respeito e poder entre todas as nações do mundo, nasceu de uma decisão criada por um MasterMind formado por 56 homens. Note que foi a decisão deles que garantiu o sucesso dos exércitos de Washington, porque o espírito dessa decisão estava no coração de cada soldado que lutou e serviu como uma força espiritual que não reconhece o fracasso.

Note também (com grande benefício pessoal) que o poder que deu a essa nação sua liberdade é o mesmo poder que deve ser usado por cada indivíduo que se torna autodeterminante. Esse poder é constituído pelos princípios descritos neste livro. Não será difícil detectar, na história da Declaração de Independência, pelo menos seis desses princípios: desejo, decisão, fé, perseverança, MasterMind e planejamento organizado.

SAIBA O QUE QUER E VOCÊ GERALMENTE VAI CONSEGUIR

Nesta filosofia, você vai ver a sugestão de que o pensamento, apoiado por forte desejo, se transmutará em seu equivalente físico. A história da fundação dos Estados Unidos e a história da organização da United States Steel Corporation são exemplos perfeitos do método pelo qual o pensamento faz essa transformação surpreendente.

Em sua busca pelo segredo do método, não procure um milagre, porque você não o encontrará. Você encontrará apenas as eternas leis da natureza. Essas leis estão disponíveis para toda pessoa que tem fé e coragem para usá-las. Podem ser usadas para levar a liberdade a uma nação ou para acumular riquezas.

Quem toma decisões pronta e definitivamente sabe o que quer e em geral consegue. Os líderes em cada área da vida decidem com rapidez e firmeza. Essa é a principal razão pela qual são líderes. O mundo costuma abrir espaço para pessoas cujas palavras e ações demonstram que elas sabem para onde estão indo.

A indecisão é um hábito que geralmente começa quando a pessoa é jovem. Torna-se cada vez mais um hábito à medida que o jovem passa pela escola primária, pelo ensino médio e até pela faculdade sem definição de objetivo.

O hábito da indecisão acompanha a pessoa na ocupação que ela escolhe. Geralmente um jovem que acaba de sair da escola procura qualquer trabalho disponível. Os jovens aceitam o primeiro emprego que conseguem encontrar porque caíram no hábito da indecisão. A grande maioria das pessoas que hoje estão empregadas ocupa a posição em que está por não ter a firme decisão para planejar uma posição definitiva, nem o conhecimento de como escolher um empregador.

Decisões definitivas sempre exigem coragem. Às vezes, muita coragem. Os 56 homens que assinaram a Declaração de Independência apostaram a vida na decisão de apor o nome no documento. A pessoa que toma a decisão definitiva de buscar um emprego específico e fazer a vida pagar o preço que ela pede não aposta a vida nessa decisão; ela aposta sua liberdade econômica. Independência financeira, riqueza e posições profissionais desejáveis não estão ao alcance de quem negligencia ou se recusa a esperar, planejar e exigir essas coisas. A pessoa que deseja riqueza com o mesmo espírito com que Samuel Adams desejava liberdade para as colônias certamente vai acumular riqueza.

NENHUM HOMEM
CONQUISTA GRANDE SUCESSO
SEM SE DISPOR A
SACRIFÍCIOS PESSOAIS

CAPÍTULO 10

PERSISTÊNCIA

O ESFORÇO CONTÍNUO NECESSÁRIO PARA INDUZIR A FÉ

O oitavo passo rumo à riqueza

persistência é um fator essencial no processo de transmutar o desejo em seu equivalente monetário. A base da persistência é a força de vontade.

Força de vontade e desejo, quando adequadamente combinados, formam uma dupla irresistível. Aqueles que acumulam grandes fortunas às vezes são chamados de calculistas ou implacáveis. Frequentemente, é só porque seus críticos não entendem que o que eles têm é um desejo forte apoiado pela força de vontade, que eles misturam com a persistência. É a combinação que garante a conquista dos seus objetivos.

A maioria das pessoas está pronta para jogar fora objetivos e propósitos e desistir ao primeiro sinal de oposição ou infortúnio. Algumas continuam, apesar de toda oposição, até atingir o objetivo.

Pode não haver uma conotação heroica na palavra *persistência*, mas a persistência faz por seu caráter o que o carbono faz pelo ferro – o endurece e transforma em aço.

A construção de uma fortuna envolve a aplicação dos treze fatores desta filosofia. Esses princípios devem ser entendidos e devem ser aplicados com persistência por todos os que acumulam dinheiro.

SEU TESTE DE PERSISTÊNCIA

Se você está lendo este livro com a intenção de aplicar o conhecimento com seriedade, o primeiro teste de persistência virá quando começar a seguir as seis etapas descritas no terceiro capítulo, Desejo. A menos que você seja uma das poucas pessoas que já têm um objetivo e um plano definidos para sua realização, pode ler as instruções, mas nunca as aplicará em sua vida diária.

A falta de persistência é uma das principais causas de fracasso. Além disso, minha experiência com milhares de pessoas provou que a falta de persistência é uma fraqueza comum à maioria. No entanto, é uma fraqueza que pode ser superada pelo esforço. A facilidade com que a falta de persistência pode ser dominada depende inteiramente da intensidade de seu desejo.

O ponto de partida de todas as conquistas é o desejo. Tenha sempre isso em mente. Desejos fracos trazem resultados fracos, assim como um fogo brando gera pouco calor. Se você carece de persistência, essa fraqueza pode ser corrigida alimentando um fogo mais forte sob seus desejos.

Continue lendo este livro até o final, então volte ao Capítulo 3 e comece imediatamente a executar as instruções para usar os seis passos. A ânsia com que você seguir as instruções indicará claramente o quanto você de fato deseja acumular dinheiro. Se você achar que é indiferente, pode ter certeza de que ainda não adquiriu a "consciência do dinheiro" que precisa ter antes de poder ter certeza de que vai acumular uma fortuna.

As fortunas são atraídas por aqueles cujas mentes foram preparadas para atraí-las, tão certo quanto a água corre para o oceano.

Se você é pouco persistente, concentre-se nas instruções no Capítulo 11, O poder do MasterMind. Cerque-se de um grupo de MasterMind e, por meio da cooperação dos membros desse grupo, você pode desenvolver a persistência. Você encontrará instruções adicionais para o desenvolvimento da persistência no Capítulo 5, Autossugestão, e no Capítulo 13, A mente subconsciente. Siga as instruções nesses capítulos até construir hábitos que transmitam a seu subconsciente uma imagem clara do objeto de seu desejo. A partir daí, você não será prejudicado pela falta de persistência.

Seu subconsciente trabalha o tempo todo, enquanto você está acordado e enquanto dorme.

Você tem "consciência do dinheiro" ou "consciência da pobreza"?

Esforço ocasional para aplicar as regras não terá valor. Para ter resultados, você deve aplicar todas as regras até que isso se torne um hábito instalado. De nenhuma outra forma você pode desenvolver a necessária "consciência do dinheiro".

Assim como o dinheiro é atraído por aqueles que voltaram a mente para isso deliberadamente, a pobreza é atraída por aqueles cuja mente está aberta a ela. E, embora a consciência do dinheiro deva ser desenvolvida de forma intencional, a consciência da pobreza se desenvolve sem a instalação consciente de hábitos que a favoreçam. A consciência da pobreza tira proveito da mente que não está ocupada com a consciência do dinheiro.

Se você entender a ideia do parágrafo anterior, entenderá a importância da persistência na acumulação de uma fortuna. Sem persistência, você será derrotado antes mesmo de começar. Com persistência, você ganhará.

Se você já teve um pesadelo, vai perceber o valor da persistência. Você está deitado na cama, meio acordado, com a sensação de que está prestes a sufocar. Não consegue se virar ou mover um músculo. Percebe que precisa começar a recuperar o controle sobre os músculos. Pelo esforço persistente de força de vontade, finalmente consegue mover os dedos de uma das mãos. Continua movendo os dedos e amplia o controle para os músculos de um braço, até que consegue levantá-lo. Depois recupera o controle do outro braço. Você finalmente controla os músculos de uma das pernas e em seguida da outra. Então, com uma força de vontade suprema, recupera o controle total sobre o sistema muscular e "pula fora" do pesadelo. Você fez isso passo a passo.

Você pode descobrir que é necessário "pular fora" de sua inércia mental de forma semelhante, primeiro se movendo devagar, depois aumentando a velocidade até obter o controle total sobre sua vontade. Seja persistente, por mais que tenha que se mover devagar no começo. O sucesso vem com a persistência.

"Pule fora" da inércia mental

Se você selecionar seu grupo de MasterMind com cuidado, terá nele ao menos uma pessoa que ajudará no desenvolvimento da persistência. Algumas pessoas acumularam grandes fortunas por necessidade. Desenvolveram o hábito da persistência porque as circunstâncias as forçaram a se tornar persistentes.

Aqueles que cultivaram o hábito da persistência parecem estar protegidos contra o fracasso. Não importa quantas vezes sejam derrotados, finalmente chegam ao topo da escada. Às vezes parece haver um guia oculto cujo dever é nos testar com todo tipo de experiência desencorajadora. Quem se levanta depois de uma derrota e continua tentando finalmente chega ao objetivo, e o mundo diz: "Eu sabia que você era capaz disso!". O guia oculto não permite que ninguém desfrute de uma grande conquista sem passar pelo teste da persistência. Quem não consegue aguentar simplesmente não é aprovado.

Aqueles que conseguem "aguentar" são recompensados por sua persistência e em troca alcançam o objetivo que estão perseguindo. Mas isso não é tudo! Eles recebem algo infinitamente mais importante que a compensação material – o conhecimento de que "todo fracasso traz nele a semente de uma vantagem equivalente".

PERSISTA ALÉM DOS SEUS FRACASSOS

As pessoas que aprendem pela experiência a importância da persistência não aceitam a derrota como algo mais que temporário. São aquelas cujos desejos são perseguidos com tanta persistência que a derrota é finalmente transformada em vitória.

Vemos que a maioria esmagadora das pessoas sofre derrotas e nunca mais se levanta. Vemos também os poucos que transformam o castigo da derrota em impulso para se esforçar mais. Mas o que não vemos, o que a maioria nem suspeita que exista, é o poder silencioso mas irresistível que socorre aqueles que lutam contra o desânimo. Se chegamos a falar desse poder, nós o chamamos de persistência e paramos por aí. Uma coisa é certa: se você não tiver persistência, não alcançará sucesso notável em nenhuma vocação.

Enquanto estou aqui escrevendo, posso olhar pela janela e ver, a menos de um quarteirão de distância, a grande e misteriosa Broadway, o "Cemitério de Esperanças Mortas" e a "Varanda das Oportunidades". As pessoas chegam à Broadway vindas do mundo todo em busca de fama, fortuna, poder, amor ou o que quer que os seres humanos chamem de sucesso. Muito de vez em quando alguém sai da longa fila de aspirantes, e o mundo fica sabendo que outra pessoa conquistou a Broadway. Mas a Broadway não é fácil nem rápida de conquistar. A Broadway só reconhece o talento e a genialidade e compensa financeiramente depois que uma pessoa se recusa a desistir. O segredo está sempre inseparavelmente ligado a uma palavra: *persistência.*

COMENTÁRIO

Hoje pensamos em realização na Broadway em termos de teatro, mas aqui Napoleon Hill usa a Broadway como metáfora para o mercado artístico, editorial e de entretenimento de Nova York. Na edição original, Hill usou essa introdução para falar de Fannie Hurst, uma das autoras de *best-sellers* da época, que bateu as ruas de Nova York por quatro anos e foi rejeitada 36 vezes só por uma editora antes de ser recompensada por sua persistência e, finalmente, publicada.

Embora Napoleon Hill tenha escolhido Fannie Hurst para ilustrar seu ponto de vista sobre superação da pobreza e da adversidade, ele sabia tudo sobre o assunto por experiência própria. A história de Hill é de um começo muito humilde e de fracassos devastadores que teriam derrotado a maioria das pessoas. Somente por sua extraordinária perseverança a edição original do livro que você tem em mãos foi publicada e por isso os editores desta edição incluíram essa breve biografia de Napoleon Hill.

O trecho a seguir é adaptado de *A Lifetime of Riches: The Biography of Napoleon Hill*, escrito por Michael J. Ritt Jr. e Kirk Landers, e também se baseia no primeiro *best-seller* de Napoleon Hill, sua obra-prima em quatro volumes, *Law of Success* (lançada no Brasil pela Citadel em um só volume, como *O manuscrito original – As leis do triunfo e do sucesso de Napoleon Hill*). Nela Hill contou os sete momentos decisivos da própria vida.

Nascido na pobreza nos bosques da Virgínia, o jovem Nap, como era chamado, era o encrenqueiro do lugar e andava armado. Provavelmente teria se tornado um criminoso se o pai viúvo não tivesse conhecido e se casado com Martha Ramey Banner. A madrasta de Nap decidiu mudar o estilo montanhês da família e começou trocando a pistola de seis tiros de Napoleon por uma máquina de escrever. Ela disse: "Se você se tornar tão bom com uma máquina de escrever quanto é com essa arma, pode ficar rico, famoso e conhecido no mundo todo". Sua fé e incentivo transformaram o jovem Nap, e, aos 15 anos, ele enviava histórias para os jornais locais e fazia tudo que podia para sair da situação de penúria.

Depois de completar o ensino médio e cursar um ano em uma faculdade de administração, ele escreveu uma carta audaciosa para Rufus Ayers, um dos homens mais poderosos da indústria do carvão. Hill escreveu para candidatar-se a um emprego, mas disse que não queria um salário. Na verdade, disse que pagaria a Ayers! Hill propôs que Ayers cobrasse mensalmente o valor que quisesse, mas se, ao final de três meses, Hill tivesse provado seu valor, Ayers pagaria a ele um salário no mesmo valor mensal. Ayers admirou o estilo de Hill e o contratou – pagando um salário.

Primeiro momento decisivo

Depois de terminar um curso em uma faculdade de administração, consegui um emprego como estenógrafo e contador. Como resultado do hábito de fazer mais e melhor do que o trabalho pelo qual era pago, progredi rapidamente até assumir responsabilidades e receber um salário muito desproporcional para a minha idade.

Hill também se mostrou tão confiável e honesto que Ayers o promoveu para substituir o gerente, fazendo do jovem de 19 anos o mais novo gerente de uma mina e responsável por 350 homens.

Então, o destino me deu um empurrãozinho. Meu empregador perdeu sua fortuna, e eu perdi o emprego. Essa foi minha primeira derrota real e, mesmo que tenha acontecido por causas além do meu controle, não aprendi uma lição com ela senão muitos anos depois.

Segundo momento decisivo

Meu emprego seguinte foi de gerente de vendas de um grande produtor de madeira no Sul. Meu progresso foi rápido, e me saí tão bem que meu empregador me convidou para ser seu sócio. Começamos a ganhar dinheiro, e voltei a me ver no topo do mundo.

Como um relâmpago surgido de um céu claro, o pânico de 1907 se abateu sobre tudo, e da noite para o dia me prestou um serviço duradouro destruindo nossa empresa e tirando de mim até o último dólar.

O pânico a que Hill se refere começou no verão de 1907, quando vários bancos e corretoras de ações declararam falência. A notícia se espalhou para o público em geral e criou uma "corrida aos bancos", com os clientes fazendo fila para exigir o dinheiro que tinham nas contas. Para atender à demanda por dinheiro, os bancos cobraram os empréstimos que haviam feito, mas os tomadores dos empréstimos não conseguiam encontrar compradores para seus produtos ou propriedades, de modo que não conseguiam pagar seus empréstimos. Quando os bancos não conseguiram recuperar o dinheiro que haviam emprestado, tomaram as casas ou empresas dadas como garantia. Empresas fecharam, agricultores foram despejados de suas terras, pessoas perderam o emprego; com isso, mais bancos foram forçados a fechar, e a situação só continuou piorando.

Os Estados Unidos foram pegos em uma espiral descendente que só foi revertida quando os principais banqueiros e executivos financeiros de Wall Street, que corriam o risco de perder seus negócios, interferiram para amparar os bancos com problemas.

Em grande parte por causa do pânico dos bancos de 1907, foi promulgada a lei de 1913 que criou o Sistema de Reserva Federal.

Terceiro momento decisivo

Essa foi minha primeira derrota séria. Na época, eu a confundi com fracasso. Mas não foi, e, antes de completar esta lição, vou explicar por quê.

Foi necessário o pânico de 1907 e a derrota que ele me trouxe para redirecionar meus esforços do ramo da produção de madeira para o estudo das leis. Entrei na faculdade de direito com a firme convicção de que iria sair de lá duplamente preparado para chegar ao fim do arco-íris e reivindicar meu pote de ouro.

Napoleon Hill planejara pagar o curso de direito para ele e o irmão escrevendo artigos para a *Bob Taylor's Magazine*, e foi por intermédio da revista que ele arranjou o encontro decisivo com Andrew Carnegie descrito no início deste livro. Como foi observado, quando propôs a ideia de escrever a filosofia do sucesso, Carnegie disse a Hill que ele teria que fazer por merecer o próprio caminho.

Eu frequentava a faculdade de direito à noite e trabalhava como vendedor de automóveis durante o dia. Por causa do trabalho, percebi a necessidade de mecânicos de automóveis treinados. Abri um departamento educacional na fábrica e comecei a treinar operadores de máquina comuns para a montagem de automóveis e serviços de reparos. A escola prosperou e me pagava mais de US$ 1 mil por mês em lucros líquidos.

Meu banqueiro sabia que eu estava prosperando; portanto, me emprestou dinheiro para uma expansão. Uma característica peculiar dos banqueiros é que nos emprestam dinheiro sem nenhuma hesitação quando somos prósperos.

O banqueiro me emprestou dinheiro até eu ficar irremediavelmente endividado e então assumiu meu negócio com toda a tranquilidade, como se fosse dele. E era.

De uma renda de mais de US$ 1 mil por mês, de repente fui reduzido à pobreza.

Pela terceira vez, Hill conheceu a derrota, mas não se deu por vencido. Arrumou outro emprego e continuou trabalhando no projeto de Carnegie.

Quarto momento decisivo (1912)

Como a família de minha esposa era influente, consegui ser nomeado assistente do principal conselheiro de uma das maiores companhias de carvão do mundo. Eu estava entre amigos e parentes, tinha um emprego que poderia manter pelo tempo que desejasse, sem me esforçar. De que mais eu precisava? De nada, comecei a dizer a mim mesmo.

Então, sem consultar meus amigos e sem aviso prévio, me demiti. Esse foi o primeiro momento decisivo de minha escolha. Não me foi imposto. Abandonei esse emprego porque o trabalho era muito fácil e eu o executava com muito pouco esforço.

Essa decisão se revelou o próximo momento de transformação mais importante da minha vida, embora seguida de dez anos de esforço que trouxeram quase todos os sofrimentos concebíveis que o coração humano possa experimentar.

Escolhi Chicago como minha nova área de ação. Tinha decidido que, se conseguisse ser reconhecido em Chicago em qualquer tipo de trabalho honroso, seria a prova de que eu tinha alguma coisa que poderia ser desenvolvida em aptidão real.

Quinto momento decisivo

Meu primeiro emprego em Chicago foi de gerente de publicidade em uma grande escola por correspondência. Eu me saí tão bem que o presidente da escola me induziu a pedir demissão e abrir uma empresa de produção de doces com ele. Organizamos a

Betsy Ross Candy Company, e me tornei o primeiro presidente da empresa, que cresceu rapidamente, e logo tínhamos uma cadeia de lojas em dezesseis cidades diferentes.

Eles foram tão bem que os sócios de Hill decidiram que queriam assumir o controle do negócio. Provocaram a prisão de Hill com uma acusação falsa e a seguir se ofereceram para retirar a queixa, caso ele abrisse mão de sua parte na empresa. Indignado com a sugestão, Hill recusou a oferta.

Quando o processo foi a julgamento, seus sócios não compareceram para a audiência. Hill os processou por danos morais. A decisão do juiz inocentou completamente Hill e deu a ele a opção de mandar os sócios para a cadeia.

Ser preso na época pareceu uma desgraça terrível, ainda que a acusação fosse falsa. Não foi uma experiência agradável, e eu não gostaria de passar por experiência semelhante novamente, mas devo admitir que valeu a pena todo o sofrimento que me causou, pois me deu a oportunidade de descobrir que a vingança não faz parte de meu caráter.

Sexto momento decisivo

Esse momento decisivo aconteceu pouco depois de o sonho de sucesso no ramo de produção de doces ter se desfeito, quando direcionei meus esforços para lecionar publicidade e *marketing*, implantando um departamento em uma faculdade do Meio-Oeste.

Minha escola prosperou desde o início. Eu tinha uma turma presencial e também uma escola por correspondência por meio da qual lecionava para alunos em quase todos os países de língua inglesa.

Era 1917, e em abril desse ano o presidente Woodrow Wilson declarou que os Estados Unidos entrariam na guerra contra a Alemanha. Hill entrou em contato com o presidente, com quem havia se encontrado anteriormente por intermédio de Andrew Carnegie, e ofereceu seus serviços para colaborar com o esforço de guerra. Hill recebeu a missão de criar material de relações públicas e ajudar a vender títulos de guerra. Quando não estava trabalhando em sua escola, ele mergulhava no trabalho de guerra, pelo qual insistiu em receber apenas US$ 1 por ano.

> Então veio a segunda convocação militar e praticamente destruiu minha escola, já que recrutou a maioria dos alunos matriculados. De uma só vez, perdi mais de US$ 75 mil em mensalidades.
>
> Mais uma vez eu estava sem dinheiro!

Apesar de quase não ter o suficiente para sobreviver, Napoleon Hill continuou trabalhando para o presidente Wilson e continuou se recusando a aceitar qualquer pagamento.

Embora Hill tivesse uma família para sustentar, e o deboche dos parentes exercesse uma enorme pressão sobre as relações, ele também continuou trabalhando no projeto de Carnegie. Mais tarde Hill disse:

> Acredite, houve momentos em que, entre as alfinetadas dos parentes e as dificuldades que enfrentava, não era fácil manter uma atitude mental positiva e perseverar. Algumas vezes, em quartos de hotel miseráveis, quase acreditava que minha família estava certa. O que me fez seguir em frente foi a convicção de que um dia não só concluiria com sucesso meu trabalho, mas também ficaria orgulhoso de mim mesmo quando o terminasse.

Sétimo momento decisivo

Para descrever o sétimo momento decisivo em minha vida, devo voltar a 11 de novembro de 1918 – o Dia do Armistício, o fim da Guerra Mundial. A guerra me deixou sem um centavo, como já disse, mas fiquei feliz por saber que a matança havia cessado e a razão estava prestes a voltar à civilização.

Era chegada a hora de outro momento decisivo!

Sentei-me diante da máquina de escrever e, para meu espanto, minhas mãos começaram a tocar uma melodia no teclado. Eu nunca tinha escrito tão rápido ou com tanta facilidade antes. Não planejei nem pensei no que estava escrevendo – apenas escrevi o que me veio à mente.

O que Hill escreveu foi um longo ensaio em que descreveu um novo idealismo, baseado na Regra de Ouro, que ele acreditava que poderia emergir da guerra. Ele declarou que ajudaria a divulgar a informação e prometeu que de alguma forma levantaria o dinheiro para lançar uma nova revista que se chamaria *Hill's Golden Rule*.

Ele levou seu ensaio para George Williams, um gráfico de Chicago que havia conhecido quando trabalhava na Casa Branca, e no início de janeiro de 1919 a revista *Hill's Golden Rule* estava nas bancas.

A primeira edição tinha 48 páginas. No começo, sem dinheiro para pagar outras pessoas, Hill escrevia e editava todas as palavras, mudando o estilo de redação para cada artigo, além de usar uma variedade de pseudônimos. Outras pessoas foram contratadas mais tarde, o que logo causou problemas internos e externos, e Williams tentou comprar a parte de Hill no negócio. No entanto, quando Hill percebeu que uma cláusula da transação o impedia de ter qualquer envolvimento em publicações concorrentes, em outubro de 1920 ele simplesmente se retirou da revista.

Em abril de 1921, ele havia levantado o dinheiro para uma nova publicação, *Napoleon Hill's Magazine*, cuja base era novamente a Regra de Ouro, mas que também se expandia ao apresentar muitos dos princípios do sucesso que se tornariam a base dos livros posteriores de Hill. A aceitação e o sucesso da revista também provocaram o sucesso de Hill como palestrante e motivador, o que aumentou o sucesso da revista.

Ao mesmo tempo, Napoleon Hill trabalhava com um detento de uma penitenciária para desenvolver um curso por correspondência que ele levou às prisões para incentivar a reabilitação de prisioneiros. A maioria das coisas feitas por Hill durante esse período foi bem-sucedida, e o sucesso do programa da prisão foi significativo. Mas a ganância de dois membros do conselho de diretores, um dos quais era o capelão da penitenciária, acabou provocando a extinção em 1923 não só dos programas de reabilitação educacional, mas também da revista e de inúmeros outros empreendimentos bem-sucedidos.

"A ironia sombria", como observa Michael Ritt em *A Lifetime of Riches*, era que "poucas empresas na década de 1920 poderiam ter sido mais idealistas ou humanitárias em seu conceito... no entanto, ao tentar incutir a bondade na alma dos homens, essas empresas acabaram despertando em homens maldosos uma sede de sangue que destruiu tudo."

Sem a revista, Hill voltou a lecionar e a dar palestras, o que o levou a conhecer um editor de jornal idealista, Don Mellett, que se ofereceu para ajudar Hill a publicar os resultados de seu trabalho no projeto de Carnegie.

Nessa mesma época, Mellett descobriu que gângsteres da Lei da Seca vendiam narcóticos e bebidas ilegais para estudantes em Canton, e membros da força policial local aceitavam suborno para não fazer nada. Mellett ficou indignado e escreveu um artigo em seu *Canton Daily News*, enquanto Hill procurou o governador para pedir uma investigação estadual sobre o corrupto departamento de polícia.

Uma semana antes da data em que Hill e Mellett teriam concluído o financiamento para a publicação do livro de Hill, Don Mellett sofreu uma emboscada quando saía de casa e foi assassinado por um gângster e um policial corrupto.

Tentaram matar Hill também, mas por pura sorte ele escapou e fugiu para as Smoky Mountains, onde ficou escondido em um barraco de madeira durante a maior parte do ano. Destituído e temendo pela própria vida, caiu em uma profunda depressão.

Então, em uma noite extraordinária de autoanálise, Hill superou a depressão e resolveu terminar o desafio que Carnegie havia proposto quase vinte anos antes. Hill foi para a Filadélfia, convenceu uma editora a investir o dinheiro, depois trabalhou noite e dia durante quase quatro meses para terminar o manuscrito. Em março de 1928, Hill publicou os resultados de seus esforços – uma obra-prima em vários volumes intitulada *Law of Success* (lançada no Brasil pela Citadel em um só volume, como *O manuscrito original – As leis do triunfo e do sucesso de Napoleon Hill*). Ninguém jamais tinha visto nada parecido. Foi um fenômeno. Um tremendo *best-seller*.

Pouco mais de um ano depois, quando Hill finalmente colhia os frutos do longo trabalho, sobreveio o *crash* de 1929 no mercado de ações. Tudo desmoronou. Inclusive o mercado editorial.

Embora nunca tenha desistido de sua visão, como o resto dos Estados Unidos, Hill enfrentou dificuldades durante a Depressão. Deu palestras, escreveu e lecionou de todas as formas possíveis, mas era muito difícil falar sobre conquistas pessoais a um país que havia perdido a fé em si. Napoleon Hill fez com que sua missão pessoal virasse a maré criando uma variedade de programas de autoajuda, mas ficou evidente que seria preciso mais de um homem para isso.

Quando Franklin Delano Roosevelt foi eleito presidente, ele procurou Hill. Embora fosse um capitalista declarado, Napoleon Hill acreditava o suficiente no objetivo final das políticas da FDR para se comprometer a ajudar a nova administração. Ao longo dos anos da Depressão, ele se tornou confidente próximo do presidente, ajudando a orientar Roosevelt em seus esforços para revitalizar os Estados Unidos. Dizem que foi Hill quem deu a FDR a famosa frase "Não há motivo para medo, além do próprio medo". E, apesar de Hill estar falido, assim como havia feito pelo presidente Wilson, ele se recusou a aceitar mais de US$ 1 por ano por seus esforços.

Em 1937, quando os Estados Unidos finalmente começavam a ver lampejos de esperança de que a Grande Depressão poderia chegar ao fim, Hill convenceu sua editora de que o país precisava de um livro para ajudar a superar o estigma mental e emocional daqueles momentos terríveis. Ele estava certo. *Quem pensa enriquece* foi lançado com sucesso tão estrondoso que foram vendidos bem mais de um milhão de cópias antes mesmo do fim da Depressão. Até o momento em que esta edição era escrita, haviam sido vendidos mais de sessenta milhões de cópias em todo o mundo, e até hoje ainda são vendidos mais de um milhão de cópias por ano em diversas edições.

FAÇA SEU "INVENTÁRIO DE PERSISTÊNCIA"

A persistência é um estado mental, portanto, pode ser cultivada. Como todos os estados mentais, a persistência é baseada em causas definidas, entre elas:

- Definição de objetivo: saber o que você quer é o primeiro e mais importante passo em direção ao desenvolvimento da persistência. Um motivo forte o forçará a superar dificuldades.
- Desejo: é relativamente fácil cultivar e manter a persistência na busca do objeto de um desejo intenso.
- Autoconfiança: acreditar na sua capacidade de realizar um plano o estimula a seguir o plano com persistência. (A autoconfiança pode ser desenvolvida pelo princípio descrito no Capítulo 5, Autossugestão.)
- Definição de planos: planos organizados, mesmo aqueles que podem ser fracos ou impraticáveis, incentivam a persistência.

- Conhecimento preciso: saber que seus planos são sólidos, com base em experiência ou observação, incentiva a persistência; "adivinhar" em vez de "saber" destrói a persistência.
- Cooperação: simpatia, compreensão e cooperação com outras pessoas tendem a desenvolver a persistência.
- Força de vontade: o hábito de concentrar seus pensamentos em fazer planos para atingir o objetivo definido leva à persistência.
- Hábito: a persistência é resultado direto do hábito. A mente absorve e se torna parte das experiências diárias das quais se alimenta. O medo, o pior de todos os inimigos, pode ser superado quando você se força a executar e repetir atos de coragem. Todos que serviram ativamente na guerra sabem disso.

Faça um autoinventário e determine o que lhe falta nessa qualidade essencial de persistência. Avalie-se ponto a ponto e veja quantos dos oito fatores anteriores de persistência você não tem. A análise pode levar a descobertas que lhe darão uma nova compreensão sobre si mesmo e o que falta para você progredir.

A seguir há uma lista dos inimigos reais que existem entre você e a realização. Não são apenas os "sintomas" que indicam fraqueza de persistência, mas também as causas subconscientes profundamente enraizadas dessa fraqueza. Estude a lista com cuidado e faça uma análise honesta de si mesmo, se quiser realmente saber quem você é e o que é capaz de fazer. Estas são as fraquezas que devem ser superadas por qualquer pessoa que realmente queira acumular riqueza:

1. Falha em reconhecer e definir clara e exatamente o que você quer.
2. Procrastinação, com ou sem causa. (Geralmente respaldada por uma longa lista de álibis e desculpas.)
3. Falta de interesse em adquirir conhecimento especializado.

4. Indecisão e o hábito de se eximir de responsabilidade em vez de enfrentar os problemas diretamente. (Também respaldados por álibis e desculpas.)
5. O hábito de se apoiar em desculpas em vez de fazer planos definidos para resolver seus problemas.
6. Autocomplacência. Há pouco remédio para isso, e nenhuma esperança para aqueles que desenvolvem esse mal.
7. Indiferença, geralmente refletida na prontidão para ceder, em vez de enfrentar a oposição e combatê-la.
8. O hábito de culpar os outros por seus erros e aceitar circunstâncias como inevitáveis.
9. Fraqueza do desejo porque você deixou de escolher motivos que o levarão a agir.
10. Disposição para desistir ao primeiro sinal de derrota. (Com base em um ou mais dos seis medos básicos.)
11. Falta de planos organizados por escrito para serem analisados.
12. O hábito de não colocar ideias em prática, ou de não agarrar a oportunidade quando ela se apresenta.
13. Ficar desejando em vez de ir à luta.
14. O hábito de se contentar com a pobreza em vez de buscar a riqueza. Uma falta geral de ambição de ser, fazer ou possuir.
15. Procurar todos os atalhos para a riqueza, tentar obter sem dar um equivalente justo em troca. Geralmente refletido no hábito de apostar ou de tentar conduzir transações desonestas.
16. Medo de crítica, que resulta na incapacidade de criar planos e colocá-los em prática por causa do que outras pessoas possam pensar, fazer ou dizer. Esse é um dos seus inimigos mais perigosos, porque muitas

vezes existe em sua mente subconsciente e você nem sequer sabe que ele está lá. (Veja os seis medos básicos no último capítulo.)

SE VOCÊ TEME CRÍTICA

A seguir um exame dos sintomas do medo de crítica. A maioria das pessoas se deixa influenciar por parentes, amigos e público em geral, de forma que não consegue viver a própria vida por temer críticas.

Muitas pessoas cometem erros no casamento, mas continuam casadas, depois vivem miseráveis e infelizes por terem medo de crítica. Qualquer um que tenha se submetido a essa forma de medo sabe o dano irreparável que ele causa ao destruir a ambição e a vontade de alcançar objetivos.

Milhões de pessoas deixam de retomar os estudos depois de terem abandonado a escola por medo de crítica.

Incontáveis homens e mulheres permitem que os parentes destruam sua vida em nome do dever com a família porque temem a crítica. O dever não requer que você se submeta à destruição de suas ambições pessoais e abra mão do direito de viver sua própria vida do seu jeito.

As pessoas se recusam a correr riscos nos negócios porque temem as críticas que podem receber se falharem. O medo da crítica nesses casos é mais forte que o desejo de sucesso.

Muitas pessoas se recusam a estabelecer objetivos elevados para si mesmas porque temem a crítica de parentes e amigos que podem dizer: “Não queira tanto, as pessoas podem achar que você é maluco”.

Quando Andrew Carnegie sugeriu que eu dedicasse vinte anos à organização de uma filosofia de realização individual, meu primeiro impulso foi sentir medo do que as pessoas poderiam dizer. Essa sugestão era muito maior do que qualquer coisa que eu já havia imaginado para mim. Meu primeiro instinto foi inventar desculpas, todas relacionadas ao medo de crítica. Algo dentro de mim dizia: “Você não pode fazer esse trabalho, é muito grande e exige muito tempo, o que seus parentes vão pensar de você? Como vai ganhar a vida? Ninguém jamais organizou uma filosofia de sucesso, que direito você tem de acreditar que é capaz disso? Quem é você, aliás, para pretender tanto? Lembre-se de sua origem humilde, o que você sabe sobre filosofia? As pessoas vão pensar que você é louco (e pensaram), por que ninguém fez isso antes?".

Essas e muitas outras perguntas passaram por minha cabeça. Era como se o mundo inteiro de repente prestasse atenção em mim com o objetivo de me ridicularizar para me fazer abrir mão de todo o desejo de aceitar a sugestão de Carnegie.

Mais tarde, depois de ter analisado milhares de pessoas, descobri que a maioria das ideias nasce morta. Para crescer, as ideias precisam do sopro da vida injetado por meio de planos definitivos de ação imediata. A hora de cuidar de uma ideia é no momento em que ela nasce. Cada minuto de vida dá a ela uma chance maior de sobrevivência. O medo da crítica é o que mata a maioria das ideias que nunca chegam ao estágio de planejamento e ação.

"GOLPES DE SORTE" PODEM SER CRIADOS POR ENCOMENDA

Muita gente acredita que o sucesso é o resultado de "golpes de sorte". Pode haver alguma verdade nisso, mas, se você contar com a sorte, quase certamente ficará desapontado. O único "golpe" em que qualquer um pode se dar ao luxo de confiar é em um "golpe" criado por si mesmo. Isso acontece pela aplicação da persistência. O ponto de partida é a definição de objetivo.

COMENTÁRIO

Em 1999, Marc Myers, editor de um dos informativos de autoajuda mais influentes do país, o *Bottom Line/Personal*, escreveu um livro intitulado *How to Make Luck: 7 Secrets Lucky People Use to Succeed.* Nele

Myers relata um estudo realizado pelo departamento de psicologia da Universidade de Hertfordshire, perto de Londres. Foi reunido um grupo de pessoas, metade das quais pensava ter sorte ou era considerada sortuda por outros. A outra metade acreditava não ter sorte. Todos foram levados ao *campus* para assistir a um cara ou coroa aleatório computadorizado. Cada pessoa via um duende de desenho animado aparecer na tela e jogar uma moeda. Cada uma era convidada a escolher cara ou coroa.

Os resultados do experimento provaram que o grupo "azarado" acertou aproximadamente o mesmo número de vezes que o grupo "sortudo". Nas entrevistas de acompanhamento, os pesquisadores concluíram que a única diferença entre as pessoas supostamente sortudas e as azaradas era que as "sortudas" costumavam lembrar das coisas boas que haviam acontecido em sua vida, e as que achavam que não tinham sorte tendiam a guardar as coisas ruins. O fato científico é que a sorte, em termos de jogar uma moeda, girar uma roleta ou virar uma carta, é completamente aleatória e não há nada que possamos fazer sobre isso. Tudo que podemos controlar é o que dizemos e fazemos. Todo o resto depende de ações de outras pessoas e do mundo aleatório em que vivemos.

Então, por que algumas pessoas parecem ser tão sortudas e ter tantos golpes de sorte?

Myers diz que é porque, ao contrário da sorte, os golpes de sorte são algo que você pode controlar. E as pessoas sortudas, sabendo ou não, tomam medidas específicas para ter muita sorte. Você pode influenciar os golpes de sorte de duas maneiras: você tem que se colocar intencionalmente no caminho da sorte e tem que fazer as pessoas quererem ajudar por acreditarem que você merece ajuda.

Assim que você informa ao mundo que está pronto para um golpe de sorte, a sorte é em grande parte uma questão de ser apresentado às oportunidades por pessoas que "abram portas". Myers chama essas pessoas de "porteiros". Os porteiros oferecem ajuda não só pela boa vontade, mas também porque esperam que você os ajude em troca quando puder. Pessoas sortudas tratam de impressionar seus porteiros para serem as primeiras a serem lembradas quando as oportunidades surgirem.

Seus porteiros precisam acreditar que você merece um golpe de sorte e que vale a pena ajudar. Uma das melhores maneiras de conseguir tudo isso é simplesmente se comportar e agir como alguém de sorte. Se você age como um perdedor, as pessoas acreditam que você é um perdedor. Se você se percebe como alguém que tem sorte, é mais fácil que os outros o vejam da mesma maneira. E, se você é considerado uma pessoa sortuda, suas chances de receber oportunidades de sorte aumentarão, em parte porque outros esperam que um pouco de sua sorte respingue neles.

Esse é o maior segredo que as pessoas sortudas conhecem. Elas sabem que, quando parecem sortudas, mais pessoas querem ajudá-las. Há pessoas esperando para fazer a diferença em sua vida se você mostra a elas que está disposto a fazer um esforço e que está entusiasmado. O livro de Marc Myers explica maneiras de fazer tudo isso.

Como diz Hill: "O único golpe de sorte em que alguém pode se dar ao luxo de acreditar é aquele criado por si mesmo. Isso acontece pela aplicação da persistência. O ponto de partida é a definição de objetivo".

Se você parasse as primeiras cem pessoas que encontrasse na rua e perguntasse o que elas mais querem na vida, 98 diriam que não sabem. Se você insistisse na pergunta, algumas diriam segurança, muitas diriam dinheiro, algumas diriam felicidade e outras diriam fama e poder. Algumas poderiam dizer que querem reconhecimento social, tranquilidade na vida, saber cantar, dançar ou escrever; mas nenhuma delas seria capaz de dar a menor indicação de um plano com o qual esperam alcançar esses desejos vagos. A riqueza não responde aos desejos. Só responde a planos definidos, apoiados por desejos definidos, por meio de persistência constante.

COMO DESENVOLVER A PERSISTÊNCIA

Existem quatro passos simples que levam ao hábito da persistência. Não exigem muita inteligência, nenhuma quantidade de educação e requerem pouco tempo ou esforço. Esses passos necessários são:

1. Um objetivo definido, apoiado por um desejo ardente de realização.
2. Um plano definido expresso em ação contínua.
3. Uma mente bem fechada contra todas as influências negativas e desencorajadoras, incluindo sugestões negativas de parentes, amigos e conhecidos.
4. Uma aliança amigável com uma ou mais pessoas que o incentivarão a sustentar o plano e o objetivo.

Esses quatro passos são essenciais para o sucesso em todos os setores da vida. Um importante objetivo dos treze princípios dessa filosofia é permitir que você faça desses quatro passos um hábito.

São passos pelos quais você pode controlar seu destino econômico.

São passos que levam à liberdade e à independência de pensamento.

São passos que levam à riqueza em pequenas ou grandes quantidades.

São passos que indicam o caminho para o poder, a fama e o reconhecimento mundial.

São quatro passos que garantem "golpes" favoráveis.

São passos que transformam os sonhos em realidades físicas.

São passos que também levam ao domínio do medo, do desânimo, da indiferença.

Há uma recompensa magnífica para qualquer um que aprenda a dar esses quatro passos. É o privilégio de determinar o próprio salário e fazer a vida pagar o preço que você quiser.

COMO SUPERAR DIFICULDADES

Que poder místico dá às pessoas persistentes a capacidade de superar dificuldades? A qualidade da persistência desencadeia em sua mente alguma forma de atividade espiritual, mental ou química que dá acesso a forças sobrenaturais? A Inteligência Infinita se coloca ao lado da pessoa que ainda luta quando o mundo inteiro parece estar contra ela?

Essas e muitas outras questões semelhantes estavam em minha cabeça enquanto eu via Henry Ford começar do zero e construir um império industrial com pouco mais que persistência. Ou Thomas Edison, que com menos de três meses de escolaridade se tornou o principal inventor do mundo. Ele transformou sua persistência em máquinas de gravação e reprodução de som, câmeras e projetores e em luz incandescente, para não falar de meia centena de outras invenções úteis.

Tive a oportunidade de analisar de perto e em nível pessoal tanto Edison quanto Ford ano após ano, durante um longo período de tempo. Assim, falo com conhecimento de causa quando digo que não encontrei em nenhum deles qualidade, exceto a persistência, que sequer sugira remotamente a fonte principal de suas realizações estupendas.

Se você fizer um estudo imparcial sobre profetas, filósofos e líderes religiosos do passado, chegará à inevitável conclusão de que a persistência, a concentração do esforço e a definição de objetivo foram as principais fontes de suas realizações.

Considere, por exemplo, a fascinante história de Maomé. Analise sua vida, compare-o com homens de grandes feitos nesta era moderna da indústria e das finanças e observe como todos têm uma característica excepcional em comum: a persistência. Se você quer entender mais sobre o poder da persistência e como funciona, sugiro enfaticamente que leia uma biografia de Maomé.

COMENTÁRIO

No início do século 21, houve um interesse crescente no Islã devido aos ataques ao World Trade Center e à posterior Guerra contra o Terror. Consequentemente, o leitor moderno não terá dificuldade para encontrar vários livros muito bons sobre Maomé.

No momento em que Hill escrevia a primeira edição de *Quem pensa enriquece*, uma das melhores biografias de Maomé havia sido escrita por Essad Bey, nascido em Baku, no Azerbaijão, filho de um empresário judeu chamado Nussimbaum. Mais tarde, ele mudou de nome quando se converteu ao islamismo. Durante a Revolução Russa, fugiu de casa para Berlim, onde morou até o surgimento de Hitler, quando novamente foi forçado a se mudar, primeiro para a Áustria e, por fim, para a Itália. Alguns acreditam que o homem conhecido como Essad Bey também escrevia sob outro pseudônimo, Kurban Said, e foi de fato o autor do aclamado romance azerbaijano *Ali e Nino*.

Que Napoleon Hill ficou muito impressionado com essa biografia particular de Maomé fica evidente na recomendação que vem a seguir.

Sugiro veementemente que você leia uma biografia de Maomé, especialmente a de Essad Bey. Essa breve crítica do livro, publicada no *Herald-Tribune*, proporcionará uma prévia do presente raro guardado para aqueles que dedicam um tempo a ler a história de um dos exemplos mais espantosos do poder da persistência conhecidos pela civilização.

O ÚLTIMO GRANDE PROFETA

Crítica de Thomas Sugrue

Maomé foi um profeta, mas nunca fez um milagre. Não era um místico, não tinha escolaridade formal, só começou sua missão aos 40 anos. Quando anunciou que era o mensageiro de Deus trazendo a palavra da verdadeira religião, foi ridicularizado e chamado de louco. Crianças davam rasteiras e mulheres jogavam lixo nele. Foi banido de sua cidade natal, Meca, e seus seguidores foram despojados dos bens mundanos e enviados para o deserto atrás dele. Maomé pregou por dez anos sem obter nada além de banimento, pobreza e escárnio. No entanto, antes que mais dez anos se passassem, ele se tornou o ditador de toda a Arábia, governante de Meca e chefe de uma nova religião mundial que se expandiria até o Danúbio e os Pireneus antes de esgotar o ímpeto dado por ele. O ímpeto foi triplo: o poder das palavras, a eficácia da oração e o parentesco do homem com Deus.

Sua carreira nunca fez sentido. Maomé nasceu de membros empobrecidos de uma família líder de Meca. Como Meca, a encruzilhada do mundo, lar da pedra mágica chamada Caaba, grande cidade de comércio e centro das rotas comerciais, era insalubre, suas crianças eram enviadas para o deserto, para serem criadas pelos beduínos. Maomé foi assim nutrido, tirando força e saúde do leite de mães nômades e vicárias. Ele cuidava de ovelhas e logo foi empregado por uma viúva rica como líder de suas caravanas. Viajou para todas as partes do Oriente, conversou com muitos homens de diversas crenças e observou o declínio do cristianismo em seitas antagônicas. Quando tinha 28 anos, caiu nas graças de Khadija, a viúva, que se casou com ele. Seu pai teria se oposto ao casamento, então ela o embebedou e o reteve enquanto ele dava a bênção paterna. Nos doze anos seguintes, Maomé viveu como um comerciante rico e respeitado e muito perspicaz. Depois passou a vagar pelo deserto, e um dia voltou com o primeiro verso do Alcorão e disse a Khadija que o arcanjo Gabriel havia aparecido e dito que ele seria o mensageiro de Deus.

O Alcorão, a palavra revelada de Deus, foi o que mais se aproximou de um milagre na vida de Maomé. Ele não era poeta, não tinha dom com as palavras. No entanto, os versos do Alcorão, que ele recebia e recitava aos fiéis, eram melhores do que quaisquer versos que os poetas profissionais das tribos poderiam produzir. Isso, para os árabes, era um milagre. Para eles, o dom da palavra era o maior de todos os dons, o poeta era todo-poderoso. Além disso, o Alcorão dizia que todos os homens eram iguais perante Deus, que o mundo deveria ser um estado democrático – o Islã. Foi essa heresia política, além do desejo de Maomé de destruir os 360 ídolos no pátio da Caaba, que provocou seu banimento. Os ídolos traziam as tribos do deserto a Meca, o que significava comércio. Assim, os comerciantes de Meca, os capitalistas, dos quais ele tinha sido um, se voltaram contra Maomé. Ele se retirou para o deserto e reclamou soberania sobre o mundo.

Começava a ascensão do Islã. Do deserto surgiu uma chama que não seria extinta – um exército democrático lutando como uma unidade e preparado para morrer sem medo. Maomé convidou judeus e cristãos a se juntarem a ele, pois ele não estava construindo uma nova religião. Estava chamando todos os que acreditavam em um Deus para se juntarem em uma única fé. Se judeus e cristãos tivessem aceitado o convite, o Islã teria dominado o mundo. Mas não aceitaram. Não aceitaram nem a inovação de Maomé para a guerra humana. Quando os exércitos do profeta entraram em Jerusalém, nenhuma pessoa foi morta por causa de sua fé. Quando os cruzados entraram na cidade, séculos depois, nenhum muçulmano, homem, mulher ou criança, foi poupado. Mas os cristãos aceitaram uma ideia muçulmana – a do local de aprendizagem, a universidade.

A ESCADA DO SUCESSO NUNCA FICA LOTADA NO TOPO

CAPÍTULO II

O PODER DO MASTERMIND

A FORÇA MOTRIZ

O nono passo rumo à riqueza

oder é essencial para o sucesso no acúmulo de dinheiro. Planos são inúteis sem poder suficiente para transformá-los em ação. Este capítulo descreverá o método pelo qual um indivíduo pode obter e aplicar poder.

Poder pode ser definido como "conhecimento organizado e inteligentemente dirigido". Poder, como o termo é usado aqui, refere-se ao esforço organizado suficiente para permitir que um indivíduo transmute o desejo em seu equivalente monetário. O esforço organizado é produzido pela coordenação do esforço de duas ou mais pessoas que trabalham por um fim definido em espírito de harmonia.

É necessário poder para acumular dinheiro. É necessário poder para manter o dinheiro que foi acumulado.

Como é possível obter poder? Se poder é "conhecimento organizado", vamos examinar as fontes do conhecimento:

- INTELIGÊNCIA INFINITA: essa fonte de conhecimento pode ser acessada com a ajuda da imaginação criativa, pela mente subconsciente, conforme descrito nos capítulos anteriores sobre fé, autossugestão e imaginação e como será elaborado no Capítulo 13, Mente subconsciente, e no Capítulo 14, O cérebro.
- EXPERIÊNCIA ACUMULADA: a experiência acumulada pela humanidade pode ser encontrada em qualquer biblioteca pública bem equipada. Uma parte importante dessa experiência acumulada é ensinada em escolas e faculdades, onde foi classificada e organizada.

  [A revolução do computador e a internet tiveram um efeito profundo na quantidade de informações disponíveis e na facilidade de acesso e capacidade de organização dessa informação.]
- EXPERIÊNCIA E PESQUISA: no campo da ciência, e em praticamente todas as outras áreas da vida, as pessoas reúnem, classificam e organizam novos fatos diariamente. Essa é a fonte a que você deve recorrer quando o conhecimento não estiver disponível pela "experiência acumulada". Aqui também a imaginação criativa deve ser usada frequentemente.

  [Hoje, por causa da revolução do computador e da internet, a publicação e a disseminação de informações ocorrem tão rapidamente que quase não existe lacuna de tempo entre o experimento ou pesquisa e a integração desses resultados em conhecimento disponível.]

O conhecimento pode ser adquirido em qualquer uma das fontes anteriores. Pode ser convertido em poder ao ser organizado em planos definidos e colocando-se esses planos em ação.

Se você examinar as três fontes de conhecimento, verá quanto seria difícil se tivesse que depender apenas de seus próprios esforços para reunir todo o conhecimento de que precisa e transformá-lo em planos de ação definidos. Se seus planos são amplos e abrangentes, geralmente você precisa da cooperação de outras pessoas, se for organizar o conhecimento de forma a poder transformar seus planos em poder.

OBTER PODER PELO MASTERMIND

O MasterMind pode ser definido como "coordenação de conhecimento e esforço, em um espírito de harmonia, entre duas ou mais pessoas para a realização de um objetivo definido".

Nenhum indivíduo pode ter grande poder sem utilizar o MasterMind. No Capítulo 8, Planejamento organizado, comentei sobre como criar planos para traduzir o desejo em seu equivalente monetário. Se você seguir essas instruções com perseverança e inteligência e usar discriminação na escolha do grupo de MasterMind, terá realizado metade do seu objetivo antes mesmo de começar a reconhecer isso.

COMENTÁRIO

No trecho a seguir, Hill descreve os dois tipos de poder que um indivíduo pode alcançar ao montar uma aliança de MasterMind e trabalhar com esse grupo. O primeiro tipo de poder que ele menciona é o econômico, que não precisa de comentários dos editores. No entanto, para descrever o segundo tipo de poder, na falta de um termo melhor, Hill usa a palavra *psíquico*. Como essa palavra assumiu conotações que Hill nunca teve em mente, esse conceito merece ser esclarecido antes de você prosseguir com a leitura.

Como é óbvio ao longo deste livro, Napoleon Hill era um homem muito prático. O uso da palavra *psíquico* neste capítulo não tem nada a ver com sessões espíritas, adivinhação, magia ou qualquer outro aspecto paranormal. A palavra *psíquico* é definida como "da ou pertencente à mente humana", e Hill usa o termo para descrever algo que pertence à mente que todo mundo que está lendo este livro conhece. É o sentimento que você experimenta quando trabalha com outras pessoas, e todos estão muito focados no mesmo objetivo, e a coisa vai tão bem que vocês parecem estar em sintonia uns com os outros. Quando isso acontece, você não só trabalha melhor com os outros, mas também parece que seu próprio trabalho e ideias são melhores e operam em um plano mais elevado que de costume.

Para que você possa entender melhor o poder potencial disponível em um grupo de MasterMind devidamente escolhido, vou explicar as duas características do princípio do MasterMind. Um tipo de poder é o econômico, o outro é o psíquico.

- PODER ECONÔMICO: a característica econômica é óbvia. As vantagens econômicas podem ser criadas por qualquer pessoa que se cerca dos conselhos, da orientação e da cooperação pessoal de um grupo de pessoas que se dispõe a oferecer ajuda de todo o coração e em espírito de perfeita harmonia. Essa forma de aliança cooperativa tem sido a base de quase todas as grandes fortunas. Compreender essa grande verdade pode determinar seu *status* financeiro.
- PODER PSÍQUICO: o que chamo de fase psíquica do princípio do MasterMind é um pouco mais difícil de compreender. Você vai ter uma noção melhor a partir desta afirmação: "Nunca houve a união de duas mentes sem a criação de uma terceira força invisível, intangível, que pode ser comparada a uma terceira mente". A mente humana é uma forma de energia. Quando as mentes de duas pessoas se coordenam em espírito de harmonia, a energia de cada mente parece "captar" a energia da outra, o que constitui a fase "psíquica" do MasterMind.

O princípio do MasterMind, ou melhor, sua característica econômica, foi trazido à minha atenção pela primeira vez por Andrew Carnegie.

Descobrir esse princípio foi o que provocou a escolha do trabalho da minha vida.

O grupo de MasterMind de Carnegie era uma equipe de aproximadamente cinquenta pessoas de quem ele se cercou para fabricar e comercializar aço. Ele sabia pouco do aspecto técnico da siderurgia; sua força estava na habilidade de fazer outras pessoas trabalharem juntas em perfeita harmonia para atingir um objetivo comum. Carnegie atribuiu toda a sua fortuna ao poder que acumulou por intermédio da aliança de MasterMind.

Se você analisar o histórico de qualquer um que acumulou uma grande fortuna e de muitos que acumularam fortunas modestas, vai descobrir que empregaram consciente ou inconscientemente o princípio do MasterMind.

Não é possível acumular grande poder por nenhum outro princípio!

Como multiplicar o seu poder mental

O cérebro humano pode ser comparado a uma bateria elétrica. É fato que um grupo de baterias fornece mais energia do que uma só bateria. Também é fato que a quantidade de energia fornecida por cada bateria depende do número e da capacidade das células que ela contém.

O cérebro funciona de forma semelhante. Alguns cérebros são mais eficientes que outros.

Um grupo de cérebros coordenados (ou conectados) em espírito de harmonia proporciona mais energia-pensamento do que um único cérebro, assim como um grupo de baterias elétricas fornecerá mais energia do que uma única bateria.

Por essa metáfora, você pode ver que o princípio do MasterMind guarda o segredo do poder exercido por aqueles que se cercam de outras pessoas de grande poder mental.

A chamada fase psíquica do princípio do MasterMind pode ser mais bem definida da seguinte maneira: quando um grupo de mentes individuais é coordenado e funciona em harmonia, o aumento da energia criada por meio dessa aliança fica disponível para cada mente no grupo.

Henry Ford começou seus negócios com a desvantagem da pobreza, da pouca instrução e da ignorância. Dentro do período inconcebivelmente curto de dez anos, Ford superou essas três desvantagens e em 25 anos tornou-se um dos homens mais ricos dos Estados Unidos.

Como ele fez isso? Aqui está uma pista importante: os passos mais rápidos de Ford podem ser notados a partir do momento em que se tornou amigo pessoal do famoso inventor Thomas Edison. Na história do sucesso de Ford, essa é só a primeira indicação do que a influência de uma mente sobre outra pode realizar. Continue acompanhando sua história e você terá ainda mais evidências de que o poder pode ser produzido por meio de uma aliança amigável de mentes. É fato que as realizações de maior destaque de Ford tornaram-se ainda mais pronunciadas mais tarde, depois que ele conheceu Harvey Firestone, John Burroughs e Luther Burbank (homens de grande capacidade mental).

As pessoas assumem a natureza, os hábitos e o poder de pensamento daqueles com quem se associam em uma disposição de solidariedade e harmonia. Pela associação com Edison, Burbank, Burroughs e Firestone, Ford adicionou à própria força intelectual a inteligência, a experiência, o conhecimento e a força espiritual desses quatro homens. Henry Ford usou o princípio do MasterMind exatamente da maneira descrita neste livro.

Esse princípio está disponível para você.

Já mencionei Mahatma Gandhi. Vamos revisar o método pelo qual ele alcançou seu estupendo poder. É possível explicar em poucas palavras. Ele adquiriu poder ao induzir mais de duzentos milhões de pessoas a se coordenarem, de corpo e mente, em um espírito de harmonia para um propósito definido.

Em suma, Gandhi realizou um milagre, pois é um milagre quando duzentos milhões de pessoas são induzidas – não forçadas – a cooperar em um espírito de harmonia. Se você duvida de que isso seja um milagre, tente fazer duas pessoas cooperarem em espírito de harmonia por qualquer período de tempo.

Toda pessoa que gerencia uma empresa sabe o quanto é difícil fazer os funcionários trabalharem juntos em um espírito que se assemelhe remotamente à harmonia.

COMENTÁRIO

O primeiro passo para formar sua aliança de MasterMind é conhecer claramente seu desejo. Seu desejo vai dizer de que você precisa. Pode ser um grupo pequeno, apenas duas ou três pessoas, como foi o caso de Steven Jobs e Steve Wozniak quando criaram a Apple, de Bill Gates e Paul Allen lançando a Microsoft ou de Steven Spielberg, Jeffrey Katzenberg e David Geffen criando a DreamWorks SKG. Ou pode ser um grande grupo, como a aliança de MasterMind de trinta diretores regionais da Century 21 Real Estate, que o fundador Arthur Barlette acredita firmemente ser essencial para o sucesso da empresa. Napoleon Hill sugere que, na maioria dos casos, o grupo deve ter uma dúzia de pessoas ou menos e, em geral, quanto menor, melhor.

Escolher as pessoas significa encontrar aquelas que compartilham não só de sua visão, mas também de suas ideias, informações e contatos. Elas vão permitir que você use toda a força de sua experiência, treinamento e conhecimento como se fosse sua. E farão tudo isso em um espírito de perfeita harmonia.

A questão que vem imediatamente à mente de todos os leitores é: "Onde encontro pessoas que me ajudem nesse grau?". Napoleon Hill não pode responder a essa pergunta, mas diz o que procurar. Onde procurar é com você. E, se você tem realmente o desejo de alcançar o sucesso, vai começar a procurar e não vai desistir até encontrar as pessoas certas.

A descrição do MasterMind que Napoleon Hill faz a seguir é ampliada com material adicional de artigos e palestras que ele escreveu após a publicação de *Quem pensa enriquece*. Esses escritos foram compilados para publicação pelo amigo, mentor e associado comercial de Hill, W. Clement Stone, e aparecem em dois livros, *Keys to Success* e *Believe and Achieve*, de Napoleon Hill.

Encontrando os membros do seu MasterMind

Alie-se a um grupo de tantas pessoas quantas puderem ser necessárias para montar um MasterMind que o ajude na criação e execução de seu plano ou planos para a acumulação de dinheiro. Cumprir essa instrução é absolutamente essencial.

Escolha associar-se a pessoas que compartilhem de valores, objetivos e interesses comuns, mas que tenham individualmente um forte desejo de contribuir com o esforço geral. Tentativa e erro fazem parte do processo, mas, acima de tudo, há duas qualidades para manter em mente.

A primeira é a capacidade de fazer o trabalho. Não selecione pessoas para sua aliança só porque as conhece e gosta delas. Tais pessoas são valiosas para você porque melhoram sua qualidade de vida, mas não são necessariamente adequadas para uma aliança de MasterMind. Seu melhor amigo pode não ser o profissional de *marketing* mais experiente, mas talvez possa apresentá-lo a alguém que seja.

A segunda qualidade é a capacidade de trabalhar em espírito de harmonia com outras pessoas. Deve haver uma reunião completa de mentes, sem quaisquer reservas. A ambição pessoal deve ser subordinada à realização do propósito da aliança. Isso inclui você mesmo.

Você também deve insistir na confidencialidade. Algumas pessoas podem revelar uma ideia simplesmente porque adoram conversar. Você não precisa delas em seu grupo.

Entre em sintonia com todos os membros do grupo. Tente imaginar como você reagiria em determinada situação se estivesse no lugar deles.

Preste atenção à linguagem corporal. Às vezes, expressões faciais e movimentos dizem muito mais sobre o que uma pessoa sente do que as palavras que ela profere.

Seja sensível ao que não é dito. Às vezes, o que é deixado de fora é muito mais importante do que o que é incluído.

Não tente enquadrar o grupo muito rápido. Dê espaço àqueles que querem testar ideias bancando o advogado do diabo.

Compensando o seu MasterMind

Antes de formar sua aliança de MasterMind, decida que vantagens e benefícios você pode oferecer aos membros do grupo em troca de cooperação. Ninguém trabalha indefinidamente sem alguma compensação. Nenhuma pessoa inteligente deve solicitar ou esperar que outra trabalhe sem uma compensação adequada.

Riqueza certamente será o maior atrativo para seus membros. Seja justo e generoso em sua oferta.

O reconhecimento e a autoexpressão podem ser tão importantes quanto o dinheiro para alguns de seus membros.

Lembre-se de que nessas parcerias o princípio do esforço extra (fazer mais e melhor do que aquilo pelo que é pago) é especialmente importante. Como líder, você deve dar o exemplo que os outros vão seguir.

Cada membro deve concordar desde o início com a contribuição que cada um vai dar e com a divisão de benefícios e lucros. Caso contrário, tenha certeza de que a discórdia surgirá, você vai desperdiçar o tempo de todos, arruinar amizades, e seu empreendimento será destruído.

Reunindo-se com seu MasterMind

Organize reuniões com os membros do seu grupo de MasterMind pelo menos duas vezes por semana, e mais frequentemente se possível, até que tenha aperfeiçoado o plano ou planos necessários para o acúmulo de dinheiro.

A primeira reunião envolverá a classificação dos pontos fortes e fracos e o ajuste de seus planos.

Sua aliança deve ser ativa para ser de utilidade. Estabeleça responsabilidades específicas e atitudes a serem tomadas.

À medida que seu MasterMind amadurece e a harmonia aumenta entre os membros, você vai perceber que as reuniões criam um fluxo de ideias na mente de cada membro.

Não permita que as reuniões se tornem regulares e formais a ponto de inibir telefonemas e outros contatos menos formais.

Manutenção do MasterMind

Mantenha perfeita harmonia entre você e todos os membros do seu grupo de MasterMind. Se não cumprir essa instrução com a letra, pode contar com o fracasso. O princípio do MasterMind não funciona onde não prevalece a harmonia perfeita.

Crie um ambiente que não seja ameaçador. Explore todas as ideias com igual interesse e preocupação com os sentimentos de quem a sugeriu.

Todos devem lidar uns com os outros sobre uma base completamente ética. Nenhum membro deve buscar vantagem injusta em detrimento dos outros.

Como líder, você deve inspirar confiança em seus membros por meio da dedicação ao seu desejo – que é o objeto do grupo. Os membros devem ter certeza de que você é responsável, confiável e leal.

Quando finalmente estiver pronto para apresentar os resultados dos seus esforços aos investidores, compradores ou ao público, você pode enfrentar o maior desafio da liderança na manutenção da harmonia do seu MasterMind. Os esforços do grupo agora serão julgados por pessoas de fora, e enfrentar o julgamento exige coragem e persistência. A coragem individual não é nada comparada à de uma equipe unida. Quanto mais você for capaz de manter a harmonia, maior será o poder. E, quanto maior o poder, mais resistência você pode superar.

O casamento e o MasterMind

Uma aliança de MasterMind com a pessoa que você mais ama é de grande importância. Se você é casado e não construiu seu relacionamento com os mesmos princípios de harmonia cruciais para qualquer aliança, pode ter que vender sua ideia para o parceiro. Dedique um tempo todos os dias para falar sobre o que deseja alcançar e como está se saindo nisso. Confie na sua definição de objetivo para construir habilidades persuasivas e convencer seu parceiro dos benefícios do trabalho que você está fazendo. É muito improvável que o seu trabalho não afete seu parceiro de forma significativa, e você não deve de forma alguma arrastar essa pessoa involuntariamente para nenhum empreendimento.

Construa sua aliança de MasterMind no casamento desde o início, e ela será sólida e o apoiará nos momentos mais difíceis. De fato, toda a família deve ser incorporada em sua aliança. A falta de harmonia em casa pode se espalhar facilmente por outros lugares. Uma família unida é uma ótima equipe.

O MasterMind e a Inteligência Infinita

A lista de fontes de onde você pode extrair poder é encabeçada pela Inteligência Infinita. Quando duas ou mais pessoas se coordenam em um espírito de harmonia e trabalham por um objetivo definido, colocam-se em posição de absorver o poder diretamente do grande estoque universal que eu chamo de Inteligência Infinita. Essa é a maior de todas as fontes de poder. É a fonte à qual os gênios e grandes líderes recorrem (estejam conscientes do fato ou não).

No Capítulo 13, A mente subconsciente, e no Capítulo 14, O cérebro, os métodos para ter acesso à Inteligência Infinita serão descritos com mais detalhes.

Isto não é um curso de religião. Nem o princípio da Inteligência Infinita, nem qualquer outro princípio neste livro deve ser interpretado como interferência na, apoio ou rejeição às crenças religiosas de qualquer pessoa. Este livro se restringe exclusivamente a instruir o leitor sobre como transmutar o objetivo definido do desejo por dinheiro em seu equivalente monetário.

Leia e realmente pense sobre o que está lendo. Em breve todo o assunto se desdobrará e você o verá em perspectiva. Neste ponto, você está vendo apenas os detalhes dos capítulos individualmente.

COMENTÁRIO

Este capítulo não seria completo sem comentarmos sobre um MasterMind que surgiu quase quinze anos depois da primeira publicação de *Quem pensa enriquece* – a aliança de MasterMind de Napoleon Hill com o empresário e filantropo multimilionário W. Clement Stone.

Em 2 de maio de 1951, Napoleon Hill, com 67 anos de idade, e sua esposa, Annie Lou, concordaram que era hora de Napoleon pensar em se aposentar. Decidiram começar pelas palestras, que seriam encerradas depois que ele cumprisse os compromissos já agendados, inclusive o que estava programado para algumas semanas mais tarde em Chicago. Sem que eles soubessem, W. Clement Stone havia garantido lugar para esse evento na mesa principal, ao lado de Napoleon Hill.

Como Hill, Stone nasceu pobre. Aos 6 anos de idade, começou a vender jornais para ajudar a pagar o aluguel, e aos 13 era dono da própria banca. Aos 16 anos, vendia apólices de seguro, e aos 20 tinha conseguido juntar US$ 100, que usou para abrir a própria seguradora. Stone era um vendedor e motivador consumado, e sua empresa foi muito bem. Então, em 1938, ele leu esta obra e se sentiu tão inspirado que comprou uma cópia para cada um de seus funcionários, o que continuou fazendo a cada nova pessoa que entrava na empresa. Ao longo dos anos, isso somou milhares de cópias.

Quando Stone foi apresentado a Hill, ele falou sobre todas as cópias que havia comprado e disse acreditar firmemente que o livro de Hill havia transformado sua força de vendas e sua empresa de modestas em um sucesso extraordinário.

Napoleon Hill e W. Clement Stone descobriram que estavam tão completamente de acordo que, no final do primeiro encontro, Hill decidiu adiar a aposentadoria e se juntar a Stone em um empreendimento dedicado a "criar um mundo melhor para esta geração e as próximas". Em um ano, eles lançaram a Napoleon Hill Associates, publicaram novos livros de Hill, inclusive *Como aumentar o seu próprio salário* e *The Master Key to Riches*, reeditaram os *best-sellers* anteriores de Hill e escreveram juntos um novo *best-seller*, *Atitude mental positiva*. Também lançaram a revista *Success Unlimited*, criaram o curso "AMP – A Ciência do Sucesso" para estudar em casa, programas de televisão, programas de rádio, um documentário, *A New Sound in Paris*, que mostrou as incríveis mudanças ocorridas quando toda a cidade de Paris, no Missouri, adotou a filosofia de Napoleon Hill, e ambos atravessaram o país palestrando, ensinando, dando entrevistas e divulgando a filosofia para o maior número possível de pessoas.

Além de trabalhar na Napoleon Hill Associates, Hill também era consultor da empresa de W. Clement Stone, Combined Insurance Company of America. Hill projetou e implementou um novo programa de treinamento para equipes de vendas cujo enorme sucesso surpreendeu o mundo dos negócios, ajudando Stone a ampliar sua empresa de US$ 30 milhões em ativos para US$ 100 milhões em menos de dez anos. Quando W. Clement Stone faleceu, em 2002, sua empresa, hoje conhecida como AON Corporation, tinha uma receita de US$ 2 bilhões por ano. W. Clement Stone havia doado pessoalmente mais de US$ 275 milhões a várias organizações de caridade e filantrópicas.

Talvez nunca tenha havido um exemplo maior de "coordenação de conhecimento e esforço em espírito de harmonia entre duas ou mais pessoas para a realização de um objetivo definido". O grande volume de trabalho e o alcance da influência somados em um período de dez anos por Napoleon Hill e W. Clement Stone não deixam dúvidas sobre o poder e a importância de uma aliança de MasterMind.

O PODER DAS EMOÇÕES POSITIVAS

O dinheiro é tímido e evasivo. Deve ser cortejado e conquistado por métodos não diferentes daqueles usados por um amante determinado. E o poder que você usa para seduzir o dinheiro não é muito diferente do que você usa para atrair quem ama. É o poder da emoção positiva. Esse poder, quando utilizado com sucesso na busca do dinheiro, deve ser misturado com a fé. Deve ser misturado com o desejo. Deve ser misturado com a persistência. Deve ser aplicado por meio de um plano, e esse plano deve ser posto em prática.

Quando o dinheiro vem em grandes quantidades, ele flui para aquele que o acumula com a mesma facilidade com que a água flui para baixo. Existe uma grande corrente de poder invisível, que pode ser comparada a um rio que flui em duas direções. Um lado flui em uma direção, levando todos que entram nesse lado da correnteza para a frente e para cima, rumo à riqueza. O outro lado flui na direção oposta, levando todos os que são infelizes o suficiente para entrar nele (e que não conseguem sair) para baixo, para a miséria e a pobreza.

Todos aqueles que acumularam uma grande fortuna reconheceram a existência desse fluxo de vida. Ele é o nosso processo de pensamento. As emoções positivas formam o lado do fluxo que leva à fortuna. As emoções negativas formam o lado que leva à pobreza.

Este é um ponto de grande importância para quem está lendo este livro com o objetivo de acumular fortuna.

Se você está preso no lado da corrente de poder que leva à pobreza, este livro vai servir como um remo com o qual você pode se mover para o outro lado do fluxo. Mas ele só vai ajudar por meio da aplicação e do uso. Apenas ler e julgar de uma forma ou de outra não terá benefício algum.

Pobreza e riqueza podem mudar de lugar. Mas, quando a riqueza toma o lugar da pobreza, a mudança só acontece por meio de planos bem concebidos e cuidadosamente executados. Isso não é válido para a pobreza. A pobreza não precisa de plano. Não precisa da ajuda de ninguém porque é ousada e implacável. A riqueza é acanhada e tímida. Precisa ser "atraída".

MAIS OURO

TEM SIDO MINERADO DOS

PENSAMENTOS DOS HOMENS

DO QUE JAMAIS

FOI EXTRAÍDO DA TERRA

CAPÍTULO 12

SEXUALIDADE

CARISMA E CRIATIVIDADE

O décimo passo rumo à riqueza

COMENTÁRIO

O que motiva os seres humanos é tema de pesquisa científica e debate filosófico contínuos. Existe um consenso geral de que os principais motivadores são as necessidades humanas básicas de alimento e água, abrigo, vestuário e segurança. Além dessas necessidades básicas de manutenção da vida, no entanto, existem outros fatores que motivam as pessoas a agir. É a definição dos outros fatores e sua ordem de importância que continua aberta à interpretação.

A teoria mais conhecida provavelmente é a da hierarquia de necessidades, do psicólogo Abraham Maslow, que enumera oito níveis de forças motivacionais, começando pelas necessidades básicas fisiológicas e de segurança e avançando para pertencimento e amor, estima, compreensão, estética, realização pessoal e transcendência. Outros psicólogos e sociólogos definiram e organizaram as categorias de forma diferente, mas em quase todos os casos há a concordância de que, depois da satisfação das principais necessidades de manutenção da vida, sexo e amor são as forças motivadoras mais importantes.

Napoleon Hill também compilou uma hierarquia a que se referiu como estímulos mentais. Como Maslow e outros pesquisadores, Hill identificou o sexo e o amor como os mais poderosos fatores, dentre os que não são de manutenção da vida, para a motivação humana. Mas seu foco não era o sexo e o amor em relação à procriação. Hill ficou intrigado com a teoria de que, se o sexo e o amor são forças tão poderosas para induzir o ser humano à ação, poderia haver uma correlação com a realização excepcional ou o sucesso material. Se existe tal relação, a força motivadora pode ser intencionalmente canalizada para esses propósitos?

Na edição original do capítulo a seguir, Hill usou termos como "emoção do sexo" e "energia do sexo" na análise dessas forças motivadoras em relação à atitude e à personalidade. Nesse contexto, o uso da palavra *sexo* não tem a conotação física que muitas vezes tem hoje. Atualmente, esses conceitos seriam transmitidos por palavras como "sexualidade", "paixão" ou "carisma". Nesta edição, quando apropriado, os editores optaram pelo uso moderno desses e de outros termos similares.

CARISMA

O mundo é governado pelas emoções humanas, e são elas que estabelecem o destino da civilização. As pessoas são mais influenciadas por sentimentos do que pela razão. Sua criatividade é acionada inteiramente pelas emoções, e não pela razão fria.

A mente humana responde a estímulos pelos quais pode ser "agitada" de tal forma que assume características como entusiasmo, imaginação criativa e desejo intenso. Os estímulos aos quais a mente responde mais livremente são:

1. Desejo de expressão sexual
2. Amor
3. Desejo ardente de fama, poder ou ganho financeiro; dinheiro
4. Música
5. Amizade próxima e/ou admiração
6. Uma aliança de MasterMind baseada na harmonia de duas ou mais pessoas que se aliam para o avanço
7. Sofrimento em comum, como o que acomete pessoas que são perseguidas
8. Autossugestão
9. Medo
10. Álcool e drogas

O desejo de expressão sexual vem no topo da lista de estímulos que "aceleram" a mente e põem em movimento as "rodas" da ação física. As emoções associadas ao impulso sexual humano criam um estado mental. Quando motivadas por esse desejo, as pessoas muitas vezes mostram coragem, força de vontade, persistência, imaginação e capacidade criativa que normalmente não têm. Tão forte e motivador é o desejo de expressão sexual que as pessoas põem em risco vida e reputação por causa dele.

Um rio pode ser represado, e sua água, controlada por um tempo, mas acaba forçando uma saída. A mesma coisa acontece com as emoções relacionadas à expressão sexual. Podem ser submersas e controladas por um tempo, mas sua própria natureza faz com que estejam sempre buscando meios de expressão.

O desejo de expressão sexual é inato e natural. O desejo não pode e não deve ser submerso ou eliminado, mas pode ter outras saídas que enriqueçam o corpo, a mente e o espírito. Quando dominada e redirecionada, essa motivação tem sido usada como uma poderosa força criativa na literatura, arte e em outras atividades, inclusive no acúmulo de riqueza.

Um professor que treinou mais de trinta mil vendedores chegou à conclusão de que indivíduos sexualmente mais confiantes são os vendedores mais eficientes. A explicação é que o traço de personalidade conhecido como "magnetismo pessoal" é uma manifestação de energia sexual.

COMENTÁRIO

Foram realizados numerosos estudos psicológicos e sociológicos sobre a relação entre sexualidade e sucesso que tendem a apoiar a observação de Hill. Como as características físicas são os aspectos mais quantificáveis da sexualidade, a maioria dos estudos de pesquisa se concentra em gênero, atratividade, tamanho corporal e idade e mede indicadores como primeiras impressões, expectativa de desempenho, percepção de desempenho e interação social. Esses estudos geralmente concluem que, quando se comparam indivíduos de igual competência, para os homens, a percepção é a de que aqueles mais altos se dão melhor que os mais baixos, alguém com muito cabelo vai superar alguém que é calvo, o bonito ou viril vai superar o sem graça ou o mais velho. Para as mulheres, os resultados são comparáveis. A percepção é que a atraente se sai melhor que a sem graça, magra ou curvilínea, marca mais pontos que as que têm sobrepeso, e espera-se que as jovens sejam melhores que as mais velhas.

Essas observações sobre sexualidade física podem parecer óbvias, mas levam a uma conclusão muito significativa. Obviamente, nem todas as pessoas bem-sucedidas são altas e viris ou atraentes e bem torneadas de corpo. É também um fato que o sucesso dos que são baixos, carecas, gordos ou sem graça nem sempre é decorrente de habilidade superior ou sorte. Claramente, há outro tipo de atrativo que muitas vezes supera o apelo físico.

Esse outro tipo de atratividade está ligado à sexualidade humana, mas não é o que normalmente seria chamado de "sexy". Costuma-se dizer que as pessoas com essa qualidade têm "química", "personalidade", "charme" ou "apelo". Hill chamou esse tipo de atração de "magnetismo pessoal". Hoje o termo mais comum é *carisma.*

Ao empregar vendedores, um bom gerente de vendas procura magnetismo pessoal ou carisma como primeiro requisito. Pessoas sem esse tipo de energia sexual jamais se tornarão entusiastas nem inspirarão os outros com entusiasmo. E o entusiasmo é um dos requisitos mais importantes em vendas, não importa o que seja vendido.

O orador público, pregador, advogado ou vendedor que carece de carisma é um fracasso em relação à capacidade de influenciar os outros. Isso, bem como o fato de que a maioria das pessoas é influenciada pelo apelo a suas emoções, deve convencê-lo com facilidade da importância do carisma como parte das habilidades do vendedor. Os melhores vendedores dominam a arte das vendas porque transmutam de forma consciente ou subconsciente o carisma (energia sexual) em entusiasmo nas vendas.

Essa afirmação explica o significado real e prático da transmutação sexual.

O significado da palavra *transmutar* é, em linguagem simples, "a alteração ou transferência de um elemento ou forma de energia em outro". Transmutação de energia sexual significa desviar a mente de pensamentos de expressão física para pensamentos de outra natureza.

Vendedores que sabem ativar o carisma desenvolveram a arte da transmutação sexual, mesmo que não saibam disso. A maioria dos vendedores que transmutam sua energia sexual o faz sem ter consciência do que estão fazendo ou como.

Você pode cultivar e desenvolver essa qualidade em suas relações com outras pessoas. Por meio de cultivo e compreensão, essa força motivadora vital pode ser aproveitada e utilizada com grande vantagem nas relações entre pessoas. Essa energia pode ser comunicada a outros das seguintes maneiras:

1. Aperto de mão: o toque da mão indica instantaneamente a presença de carisma ou a falta dele.
2. Tom de voz: carisma, ou energia sexual, é o fator com o qual a voz pode ser colorida ou projetada de forma musical e encantadora.
3. Postura e movimentos do corpo: pessoas com carisma se movem rapidamente e com graça e facilidade.
4. Vibrações do pensamento: pessoas com carisma projetam a sexualidade por meio da personalidade de um jeito que influencia aqueles à sua volta.
5. Vestuário e estilo: pessoas carismáticas geralmente são muito cuidadosas com a aparência pessoal. Costumam selecionar roupas de um estilo que combina com sua personalidade, físico, tom de pele etc.

COMENTÁRIO

Tendo estabelecido um vínculo entre sexualidade e sucesso na forma de carisma, na seção a seguir, Napoleon Hill explora como a sexualidade também pode ser um fator motivador de sucesso, aumentando a criatividade. Para ilustrar a conexão, Hill aproveita as biografias de figuras históricas que exibiram carisma e criatividade excepcional.

Desde o tempo em que Hill conduziu sua pesquisa, muitas mulheres ascenderam a cargos de poder e influência. Suas realizações foram bem documentadas e estão prontamente disponíveis em livrarias e bibliotecas. No entanto, quando Hill estava reunindo seus dados, a maioria das biografias históricas disponíveis era sobre homens bem-sucedidos. Além disso, industriais e líderes políticos bem-sucedidos que ele havia estudado pessoalmente durante os trinta anos anteriores também eram homens. Por causa dessa limitação, Hill não teoriza sobre o papel que os homens podem desempenhar na motivação do sucesso das mulheres. Essa questão é abordada em um comentário editorial posterior.

CRIATIVIDADE

Achei muito significativo quando fiz a descoberta de que praticamente todo grande líder que tive o privilégio de analisar era um homem cujas conquistas eram amplamente inspiradas por uma mulher. Na maioria dos casos, a mulher era a esposa de quem o público tinha escutado pouco ou nada. Em alguns casos que estudei, a fonte de inspiração foi "a outra mulher".

As páginas da história estão cheias de registros de grandes homens cujas conquistas podem ser atribuídas diretamente à influência das mulheres que despertaram as faculdades criativas em sua mente. Napoleão Bonaparte foi um deles. Quando inspirado pela primeira esposa, Josephine, ele era irresistível e invencível. Quando seu "melhor julgamento" ou faculdade de raciocínio o levou a deixar Josephine de lado, ele entrou em declínio. A derrota e o exílio em Santa Helena não estavam distantes.

Abraham Lincoln foi um exemplo notável de um grande líder que alcançou grandeza mediante a descoberta e uso da faculdade de imaginação criativa. Vemos em praticamente todos os livros escritos sobre Lincoln que ele descobriu e começou a usar essa faculdade como resultado do amor que sentiu quando conheceu Anne Rutledge. Esse é mais que um fato histórico interessante; é importante em relação ao papel que a sexualidade desempenha no estudo da fonte da genialidade.

A seguir você tem uma lista de homens famosos de sucesso excepcional:

George Washington

Napoleão Bonaparte

William Shakespeare

Abraham Lincoln

Ralph Waldo Emerson

Robert Burns

Thomas Jefferson

Elbert Hubbard

Elbert H. Gary

Woodrow Wilson

John H. Patterson

Andrew Jackson

Enrico Caruso

Sempre que havia evidências disponíveis sobre a vida desses homens bem-sucedidos, elas indicavam de forma convincente que cada um tinha uma natureza sexual altamente desenvolvida. Uma análise das informações tiradas de biografias e textos históricos leva às seguintes conclusões:

1. Os que alcançam maior sucesso têm uma natureza sexual altamente desenvolvida, mas aprenderam a arte da transmutação de energia sexual.
2. Os que acumularam grandes fortunas e alcançaram reconhecimento excepcional na literatura, arte, indústria, arquitetura e profissões liberais foram motivados pela influência de uma companheira ou amante.

Quando conduzidas por essas emoções, as pessoas se tornam dotadas de um superpoder de ação. Se você entender isso, também entenderá que a transmutação sexual contém o segredo da capacidade criativa.

COMENTÁRIO

Conforme observado anteriormente, embora a análise de Hill se concentre nos homens, hoje existe uma ampla gama de biografias de mulheres que realizaram conquistas em todos os campos da vida, incluindo negócios, política, religião, esportes, entretenimento e artes. Tendo em mente que a informação biográfica é sempre subjetiva, o leitor pode agora encontrar um amplo material para tirar uma conclusão a respeito da teoria de Hill sobre a sexualidade como força motivadora ser igualmente evidente nas mulheres.

Napoleon Hill teve que fazer uma análise aprofundada das biografias na busca de indícios de que a sexualidade do sujeito tinha uma correlação com seu sucesso. Hoje mal ligamos a televisão e somos soterrados por detalhes íntimos de homens e mulheres, sugerindo que os melhores e mais brilhante aparentemente também são os mais *sexy*. Embora escândalos não sejam geralmente citados como prova científica, a exposição de algumas das maiores estrelas do entretenimento e dos esportes, CEOs de alto escalão de grandes empresas, numerosos políticos e até alguns presidentes confirma ao menos a questão do senso comum na teoria de Hill sobre a correlação entre sexualidade e sucesso.

Obviamente, isso não significa que todos que são altamente sexuais são gênios. As pessoas alcançam o *status* de gênio apenas quando e se estimulam a mente para poder aproveitar as forças disponíveis por meio da faculdade criativa da imaginação. Embora seja o mais importante dos estímulos ou motivadores, simplesmente ter energia sexual não é suficiente para ser um gênio. A energia deve ser transmutada do desejo de contato físico em alguma outra forma de desejo e ação antes de elevar alguém ao *status* de gênio.

GÊNIO E IMAGINAÇÃO CRIATIVA

Uma definição de gênio pode ser: "Alguém que descobriu como aumentar a intensidade do pensamento até o ponto de poder se comunicar livremente com fontes de conhecimento não disponíveis no ritmo de pensamento comum".

Esta definição deve levantar algumas questões na mente de quem lê este livro. A primeira deve ser: "Como alguém pode se comunicar com fontes de conhecimento que não estão disponíveis pelo pensamento comum?". A próxima deve ser: "Existem fontes conhecidas de conhecimento que estão disponíveis apenas para gênios e, em caso afirmativo, quais são essas fontes e como exatamente podem ser alcançadas?".

A seguir, ofereço métodos para você experimentar e provar para si mesmo que isso é verdade. Assim terá a resposta para as duas perguntas.

COMENTÁRIO

Os seres humanos percebem as coisas por meio dos cinco sentidos – visão, olfato, paladar, audição e tato. Outro tipo de percepção, como quando você "tem uma sensação" sobre alguma coisa, foi discutido nos capítulos sobre desejo, fé e autossugestão. Esse tipo de percepção é muitas vezes chamado de sexto sentido, e a seguir Hill explora a relação entre sexualidade, motivação, imaginação criativa e sexto sentido.

A realidade de um "sexto sentido" foi muito bem estabelecida. Esse sexto sentido é *imaginação criativa*. A faculdade da imaginação criativa é algo que a maioria das pessoas nunca usa durante toda a vida. Se usa, geralmente é por simples acidente. Apenas um pequeno número de pessoas usa deliberadamente a imaginação criativa para um propósito específico. Aqueles que usam essa faculdade voluntariamente e com a compreensão de suas funções são gênios.

A imaginação criativa é a ligação direta entre a mente finita e o que chamei de Inteligência Infinita. Todas as revelações e todas as descobertas de princípios básicos ou novos no campo das invenções ocorrem pela faculdade da imaginação criativa.

Quando ideias, conceitos ou palpites se transformam em sua mente, só podem ter vindo de uma ou mais das seguintes fontes:

1. Da mente de outra pessoa que acabou de formular o pensamento, ideia ou conceito, por meio do pensamento consciente.
2. De sua mente subconsciente, que armazena todos os pensamentos e impressões que chegam ao cérebro por qualquer um dos cinco sentidos.
3. Do depósito subconsciente de outra pessoa.
4. Da Inteligência Infinita.

Não há outras fontes possíveis de onde se possa receber ideias "inspiradas" ou "palpites".

Quando a ação cerebral é estimulada por um ou mais dos dez estimulantes mentais relacionados no início deste capítulo, isso tem o efeito de lhe elevar muito acima do horizonte do pensamento comum. Permite que você visualize a distância, escopo e qualidade de pensamentos não disponíveis no plano inferior, como quando você está resolvendo problemas de rotina nos negócios.

Quando você é elevado a um nível mais alto do pensamento pela estimulação mental, é como se tivesse decolado em um avião. Você agora pode ver além do horizonte que limita sua visão quando está no chão. Não só isso, mas, enquanto está nesse nível mais alto de pensamento, você nem percebe coisas como os problemas de assegurar as três necessidades básicas de alimento, vestuário e abrigo. Você está em um mundo de pensamento no qual os pensamentos comuns e rotineiros foram removidos, assim como as colinas e os vales que obstruem sua visão em solo não interferem quando você está em um avião.

Enquanto está neste plano de pensamento exaltado, a faculdade criativa da mente tem liberdade de ação. O caminho está limpo para o sexto sentido agir. A mente fica receptiva a ideias que não poderiam alcançar o indivíduo em nenhuma outra circunstância. O sexto sentido é a faculdade que marca a diferença entre um gênio e um indivíduo comum.

Desenvolvendo sua imaginação criativa

Um estimulante da mente é qualquer influência que aumenta temporária ou permanentemente a intensidade do pensamento. Os dez maiores estimulantes mencionados anteriormente são aqueles a que recorremos de forma mais comum. Por intermédio dessas fontes, você pode se comunicar com a Inteligência Infinita, entrar no armazém do seu subconsciente ou talvez até no de outra pessoa. Isso é tudo de que a genialidade precisa.

Quanto mais você usa a faculdade criativa, mais alerta e receptivo se torna a fatores que se originam fora de sua mente consciente. E, quanto mais essa faculdade criativa é usada, mais você confia nela para desenvolver seus pensamentos e ideias. Essa faculdade só pode ser cultivada e desenvolvida pelo uso.

O que geralmente chamamos de nossa "consciência" opera inteiramente por meio da faculdade do sexto sentido.

Os grandes artistas, escritores, músicos e poetas tornam-se ótimos porque adquirem o hábito de confiar na "vozinha" interior que fala por meio da imaginação criativa. Qualquer um com uma imaginação aguçada sabe que algumas de suas melhores ideias passam pelas chamadas "intuições".

Um dos oradores públicos mais conhecidos admite que seus discursos são de fato excelentes quando ele fecha os olhos e passa a confiar inteiramente na faculdade da imaginação criativa. Quando perguntaram por que ele havia fechado os olhos antes do clímax de seu discurso, ele respondeu: "Porque assim falo por meio de ideias que me chegam de dentro".

Um dos financistas mais bem-sucedidos e conhecidos dos Estados Unidos tem o hábito de fechar os olhos por dois ou três minutos antes de tomar uma decisão. Quando perguntaram o porquê disso, ele respondeu: "Com os olhos fechados, posso aproveitar uma fonte de inteligência superior".

Elmer R. Gates criou mais de duzentas patentes úteis por meio do processo de cultivar e usar sua faculdade criativa. Seu método é significativo e interessante para qualquer pessoa interessada em alcançar o *status* de gênio. Gates foi um dos grandes cientistas do mundo, embora menos divulgado.

Em seu laboratório ele tinha o que chamava de "sala de comunicação pessoal". Era praticamente à prova de som, e toda a luz podia ser blindada. Havia uma pequena mesa na qual ele mantinha um bloco de papel. Na frente da mesa, na parede, havia um interruptor de luz. Quando Gates desejava recorrer às forças disponíveis à sua imaginação criativa, ia para essa sala, sentava-se à mesa, apagava as luzes e se concentrava nos fatores conhecidos da invenção em que estava trabalhando. Ficava naquela posição até começarem a "lampejar" em sua mente ideias ligadas aos fatores desconhecidos da invenção.

Em uma ocasião, as ideias surgiram tão rápido que ele foi obrigado a escrever por quase três horas. Quando os pensamentos pararam de fluir, ele examinou as anotações e descobriu que continham uma descrição minuciosa de princípios que não tinham paralelo nos dados conhecidos do mundo científico. Além disso, a resposta a seu problema estava ali nas anotações.

Gates ganhava a vida "sentando-se para ter ideias". Fazia isso para indivíduos e corporações, e algumas das pessoas mais sensatas e as maiores corporações tradicionais dos Estados Unidos pagavam por essa prestação de serviço.

A parte da mente que você geralmente usa para o raciocínio pode ser falha porque é guiada em grande parte por sua experiência acumulada. Nem todo o conhecimento que você obteve pela experiência é exato. Muitas vezes, suas ideias "criativas" são muito mais confiáveis porque provêm de fontes mais confiáveis que as disponíveis para a faculdade mental do raciocínio.

Os métodos utilizados por gênios estão disponíveis para você

A principal diferença entre o gênio e o inventor comum é que o gênio usa as faculdades de imaginação sintetizada e criativa. Por exemplo, o inventor científico começa uma invenção organizando e combinando as ideias conhecidas, ou princípios acumulados pela experiência, por meio da faculdade sintetizada (a faculdade de raciocínio). Se esse conhecimento acumulado for insuficiente, o inventor aproveita as fontes de conhecimento disponíveis por meio da faculdade criativa. O método usado varia de indivíduo para indivíduo, mas a essência do procedimento é a seguinte:

1. O inventor estimula sua mente para que ela funcione em um plano superior ao mediano, por meio de um ou mais dos estimulantes mentais.
2. O inventor concentra-se então nos fatores conhecidos (a parte acabada) da invenção e cria em sua mente uma imagem perfeita dos fatores desconhecidos (a parte incompleta da invenção). O inventor mantém essa imagem em mente até que ela tenha sido absorvida pela mente subconsciente, depois relaxa, limpa a mente de todos os pensamentos e espera que a resposta "lampeje" em sua cabeça.

Às vezes os resultados são definidos e imediatos. Em outras, os resultados são negativos, dependendo do estado de desenvolvimento do sexto sentido ou faculdade criativa.

Thomas Edison tentou mais de dez mil combinações diferentes de ideias por meio da faculdade sintética da imaginação antes de se "sintonizar" na faculdade criativa e obter a resposta que aperfeiçoou a lâmpada incandescente. A experiência foi parecida quando ele criou o fonógrafo.

COMENTÁRIO

Sincronicidade, precognição, intuição, *insights*, palpites, presságios e sonhos simbólicos são aspectos do fenômeno que Napoleon Hill descreveu em seus dois termos correlacionados, imaginação criativa e Inteligência Infinita. E o fato de Hill ter feito um estudo sério dessa função da mente o coloca em companhia excepcional.

Os pais da psicologia moderna, Sigmund Freud e Carl Jung, reconheceram e tentaram explicar esse sexto sentido. O conceito de Jung do subconsciente coletivo, base da psicologia junguiana, é em muitos aspectos idêntico ao conceito de Inteligência Infinita de Hill. Cientistas de Arquimedes a Newton, de Einstein à equipe de Watson e Crick que determinou a estrutura do DNA, reconheceram que a intuição foi fundamental em suas descobertas. A Duke University criou um departamento com o único propósito de estudar esses fenômenos em condições científicas.

Muitos cientistas admitem usar técnicas personalizadas semelhantes ao método de Hill para acessar a intuição e a criatividade. Entre eles Friedrich Kekule, que descobriu a estrutura molecular do benzeno durante um sonho simbólico, o fisiologista Otto Loewi, que teve um presságio seguido de um sonho que lhe rendeu o Prêmio Nobel de Medicina e, como mencionado acima, James Watson e sua revelação da estrutura do DNA.

Mozart, Shelley, Coleridge, Huxley, Descartes e Robert Louis Stevenson afirmaram que a intuição desempenhou um papel em suas criações. William Blake descobriu o segredo de um processo de gravação em cobre em um sonho. O primeiro-ministro britânico Winston Churchill acreditava firmemente que uma premonição o salvara de ser morto por uma bomba durante o bombardeio de Londres.

Como observado anteriormente, psiquiatria, hipnose clínica e afirmações tiveram que superar um considerável ceticismo antes de serem aceitas. Isso também é verdade para o fenômeno que Hill chama de Inteligência Infinita. No entanto, nos anos de 1970 e 1980, o interesse do público foi despertado por livros bem pesquisados, como *The Intuitive Edge*, de Philip Goldberg, *Creative Dreaming*, de Patricia Garfield, e *The Right-Brain Experience*, de Marilee Zdenek. Embora essas anomalias da mente ainda desafiem testes de laboratório, pesquisadores contemporâneos continuam publicando resultados fascinantes.

A natureza equipou o cérebro e a mente humana com estimulantes internos que ativam a sintonia da mente com pensamentos finos e raros de forma segura. Nunca foi encontrado um substituto satisfatório para os estimulantes da natureza.

No entanto, na história não faltam exemplos de pessoas elevadas ao *status* de gênio como resultado do uso de estimulantes mentais artificiais. Edgar Allan Poe escreveu *O corvo* sob a influência do álcool, "sonhando sonhos que nenhum mortal ousou sonhar antes". Samuel Taylor Coleridge escreveu *Kubla Khan* durante um sonho induzido pelo ópio, e Robert Burns escrevia melhor quando sob efeito de drogas. *"For auld lang syne, my dear, we'll take a cup of kindness yet, for auld long syne"* (Pelos bons velhos tempos, meu caro, ainda beberemos um copo de bondade, pelos bons velhos tempos).

É verdade que esses e outros que são conhecidos como gênios se basearam na estimulação mental artificial, mas uma lição mais importante a lembrar é quantas dessas pessoas se destruíram pelo uso desses estimulantes.

COMENTÁRIO

Em termos mais contemporâneos, o argumento de Hill sobre os perigos dos estimulantes mentais artificiais nunca foi mais bem defendido do que na série de televisão *Behind the Music*, que começou a ser exibida pelo VH1 no fim da década de 1990. A série pretendia mostrar a vida das estrelas do *rock* e celebrar seus sucessos, mas, depois de dois ou três programas, todos começaram a parecer iguais: o jovem vocalista e a banda lançam um disco de sucesso, ganham milhões de dólares, mergulham no estilo de vida sexo, drogas e *rock'n'roll*, ficam viciados e acabam com todo o dinheiro. Até o fim do programa, pelo menos um membro da banda tem uma *overdose*, a banda se separa, o cantor entra em rápido declínio, encontra alguém que o inspira a ir para a reabilitação, o ex-astro aparece na TV falando contra as drogas, professando uma fé encontrada recentemente e os valores da família, enquanto anuncia uma turnê de retorno.

Embora os programas parecessem uma paródia ruim deles mesmos, o fato de as histórias serem tão parecidas, de tantos cantores e compositores talentosos dependentes de drogas terem se acabado por causa dos abusos, deve significar alguma coisa. Especialmente se você não quer só ter sucesso, mas também manter e desfrutar do seu sucesso.

Toda pessoa inteligente sabe que a estimulação em excesso pelo uso de álcool ou drogas é uma forma destrutiva de intemperança. Para alguns, o excesso de indulgência na expressão sexual pode tornar-se igualmente destrutivo. Uma pessoa obcecada por sexo não é essencialmente diferente de uma pessoa viciada em drogas ou álcool. Ambas perderam o controle sobre suas faculdades da razão e da força de vontade.

A sexualidade humana é um impulso poderoso para a ação, mas sua força é como um ciclone – quase impossível de controlar por completo. Quando um indivíduo é conduzido unicamente por emoções relacionadas à sexualidade, pode ser capaz de grandes conquistas, mas suas ações são muitas vezes desorganizadas e destrutivas.

É verdade que uma pessoa pode perseguir sucesso financeiro ou comercial aproveitando a força motriz da energia sexual sem autocontrole. Mas a história está cheia de evidências de que essas pessoas provavelmente têm certos traços de caráter que roubam delas a capacidade de manter ou desfrutar suas fortunas. Ignorar essa possível armadilha custou a milhares de pessoas sua felicidade, embora tivessem riqueza.

A partir da análise de mais de 25 mil pessoas, descobri que os que conquistam sucesso excepcional muitas vezes não chegam ao topo até que tenham mais de 40 ou 50 anos. Esse fato era tão espantoso que me levou a estudar sua causa com mais atenção.

Minha investigação revelou que a principal razão para muitas pessoas não terem sucesso no início da vida é a tendência para dissipar energias com uma indulgência excessiva. A maioria das pessoas nunca descobre que a energia sexual tem outras possibilidades além da expressão física. E muitas das que fazem essa descoberta só chegam a ela depois de terem desperdiçado muitos anos enquanto sua energia sexual estava no auge.

A maioria das pessoas chega a essa descoberta por acidente, e muitas nem sabem que agora têm acesso a esse poder. Podem reconhecer que seu poder de realização aumentou, mas não têm ideia do que causou a mudança. Percebem vagamente que a natureza começa a harmonizar as emoções de amor e sexo, de modo que podem recorrer a essas grandes forças e aplicá-las como estímulos para a ação.

A IMPORTÂNCIA DO AMOR

Amor, romance e sexo são emoções capazes de elevar as pessoas à altura da super-realização. Quando combinadas, as três emoções podem levar o indivíduo à altitude de um gênio.

Toda pessoa que foi mobilizada pelo amor genuíno sabe que ele deixa traços duradouros no coração humano. O efeito do amor perdura porque o amor é de natureza espiritual. Aqueles que não são estimulados a grandes níveis de realização pelo amor são tão sem esperança que estão mortos, embora possam parecer vivos.

Se você acredita que é infeliz por ter amado e perdido, está errado. Aquele que amou de verdade nunca perde completamente. O amor é caprichoso e temperamental. Vem quando quer e vai embora sem aviso prévio. Aceite e aproveite enquanto ele permanece, mas não perca tempo se preocupando com a partida. A preocupação nunca o trará de volta.

Ignore o pensamento de que o amor só vem uma vez. O amor pode vir e ir incontáveis vezes, mas não existem duas experiências de amor que o afetem da mesma maneira. Pode haver uma experiência de amor que deixe no coração uma impressão mais profunda do que todas as outras, mas todas as experiências de amor são benéficas, exceto para a pessoa que se torna ressentida e cínica quando o amor vai embora.

Até as memórias de amor podem elevar o indivíduo e estimular a mente. Volte a outros tempos de vez em quando e banhe a mente nas belas lembranças do amor passado. Isso vai amenizar suas preocupações e oferecer uma via de escape para as desagradáveis realidades da vida. E talvez, durante esse retiro temporário no mundo da fantasia, o subconsciente dê ideias ou planos que possam mudar todo o *status* financeiro ou espiritual de sua vida.

Não deve haver desapontamento no amor, e não haveria se as pessoas compreendessem a diferença entre as emoções do amor e do sexo. O amor é uma emoção de muitas tonalidades e cores, mas a mais intensa e ardente de todas é aquela experimentada na mistura das emoções do amor e do sexo.

Casamentos ou relacionamentos sérios que não são abençoados pelo devido equilíbrio de amor e sexo não podem ser felizes – e raramente sobrevivem. O amor sozinho não traz felicidade, nem o sexo sozinho. O amor é espiritual. O sexo é biológico. Nenhuma experiência que toque o coração humano com uma força espiritual pode ser prejudicial, exceto por ignorância ou ciúme.

A presença de emoções destrutivas na mente humana pode envenená-la de um jeito que destrói seu senso de justiça e imparcialidade. Assim como um químico pode pegar certos elementos químicos – nenhum deles prejudicial – e criar um veneno mortal misturando-os, as emoções de sexo e ciúme, quando misturadas, podem se tornar letais.

O amor é a emoção que serve como uma válvula de segurança e traz equilíbrio, razão e esforço construtivo. O amor é sem dúvida a maior experiência da vida. Pode levar à comunhão com a Inteligência Infinita. Quando o amor orienta as emoções, pode ser um bom guia rumo ao esforço criativo.

O caminho para a genialidade consiste no desenvolvimento, controle e uso do sexo, do amor e do romance. De maneira resumida, o processo pode ser colocado assim: incentive a presença de emoções positivas como os pensamentos dominantes em sua mente e desestimule todas as emoções destrutivas. A mente é uma criatura de hábito. Ela prospera com os pensamentos dominantes que a alimentam. Pela força de vontade, você pode desestimular a presença de qualquer emoção e incentivar a presença de qualquer outra. O controle da mente pelo poder da vontade não é difícil. O controle vem da persistência e do hábito. O segredo do controle reside na compreensão do processo de transmutação. Quando qualquer emoção negativa se apresenta em sua mente, ela pode ser transmutada em uma emoção positiva ou construtiva pelo simples procedimento de mudar seus pensamentos. Não há outro caminho para a genialidade, a não ser o esforço pessoal voluntário.

Quando a emoção do romance é adicionada às do amor e do sexo, as obstruções entre a mente finita e a Inteligência Infinita são removidas. Então nasce um gênio!

O SUCESSO

NÃO REQUER EXPLICAÇÕES.

O FRACASSO

NÃO PERMITE ÁLIBIS

CAPÍTULO 13

A MENTE SUBCONSCIENTE

O ELEMENTO DE CONEXÃO

O décimo primeiro passo rumo à riqueza

mente subconsciente consiste em um campo de consciência no qual todo impulso de pensamento que chega à mente consciente por qualquer um dos cinco sentidos é classificado e registrado. O subconsciente recebe e arquiva impressões sensoriais ou pensamentos independentemente de sua natureza.

Você pode plantar em sua mente subconsciente qualquer plano, pensamento ou objetivo que queira traduzir em seu equivalente físico ou monetário. Os desejos que foram misturados com emoção e fé na sua capacidade são os mais fortes. Portanto, são os primeiros a que o subconsciente responde.

A mente subconsciente funciona dia e noite e, de alguma forma que não é totalmente compreendida, parece capaz de recorrer às forças da

Inteligência Infinita para obter o poder de transmutar seus desejos no equivalente físico. E o faz da maneira mais direta e prática.

Você não pode controlar completamente sua mente subconsciente, mas pode entregar a ela qualquer plano, desejo ou objetivo que deseje transformar em algo concreto. Consulte novamente as instruções para usar a mente subconsciente no Capítulo 5, Autossugestão.

COMENTÁRIO

No capítulo sobre autossugestão, os quatro métodos principais para plantar e reforçar sugestões em seu subconsciente são: (1) formulação e redação de seus desejos, (2) repetição de afirmações positivas, (3) visualização criativa do seu objetivo e (4) ação como se o objetivo já fosse seu.

A partir de minha pesquisa, concluí que a mente subconsciente é o elo entre a mente finita do homem e a Inteligência Infinita. É a intermediária pela qual você pode recorrer às forças da Inteligência Infinita. Apenas a mente subconsciente contém o processo pelo qual os impulsos mentais (pensamentos) são modificados e transformados em equivalentes espirituais (energia). Só ela é o meio pelo qual a oração (desejo) pode ser transmitida à fonte capaz de responder à oração (Inteligência Infinita).

COMO ENERGIZAR SUA MENTE SUBCONSCIENTE PARA O ESFORÇO CRIATIVO

As possibilidades do que você pode fazer quando conecta esforço criativo com a mente subconsciente são estupendas. Elas me inspiram e fascinam.

Eu nunca abordo a discussão da mente subconsciente sem um sentimento de pequenez e inferioridade devido ao fato de todo o estoque de conhecimento do homem sobre esse assunto ser tão limitado.

Primeiro, você deve aceitar como realidade a existência da mente subconsciente e o que ela pode fazer por você. Isso lhe permitirá compreender as possibilidades do subconsciente como um meio para transmutar seus desejos no equivalente físico ou monetário, e então você entenderá o significado completo das instruções dadas no Capítulo 3, Desejo. Entenderá também a importância de deixar seus desejos claros e escrevê-los, bem como a necessidade da persistência no cumprimento das instruções.

Os treze princípios de base deste livro são os estímulos com os quais você adquire a capacidade de alcançar e influenciar sua mente subconsciente. Não desanime se não conseguir na primeira tentativa. Lembre-se de que a mente subconsciente só pode ser dirigida pelo hábito. Você ainda não teve tempo de dominar a fé. Seja paciente. Seja persistente.

COMENTÁRIO

Há dois aspectos da teoria de Hill sobre a mente subconsciente. Um é o conceito do subconsciente como depósito de todas as informações e pensamentos que você já teve. O segundo é o conceito do subconsciente como porta de entrada da Inteligência Infinita. Neste capítulo, Hill se concentra principalmente no subconsciente como depósito.

Expandindo o comentário dos editores sobre a mente subconsciente que aparece no capítulo sobre autossugestão, a prova de que o subconsciente é um depósito de informação é confirmada no uso de hipnoterapia por psiquiatras. Pela hipnose, os psiquiatras são capazes de ajudar os pacientes a abrir a porta para o subconsciente a fim de recuperar informações sobre situações traumáticas que foram filtradas ou reprimidas pela mente consciente. Mais uma prova está no uso da hipnose por agentes da lei para recuperar informações, tais como números de placas e outros detalhes filtrados pela mente consciente de uma testemunha. Embora os resultados variem de pessoa para pessoa, não há dúvida de que o subconsciente tem acesso a informações que a mente consciente não alcança.

Esse aspecto de "depósito" do subconsciente é o que explica algumas ideias que nos chegam por intermédio da imaginação criativa. Em alguns casos, pedaços de informações e ideias que a mente consciente esqueceu se conectam em um nível subconsciente para criar uma nova ideia, e essa ideia é recebida por nossa inteligência criativa, que a apresenta como um *flash* de inspiração.

Você não pode controlar completamente o processo, mas pode se condicionar para criar mais e melhores ideias. É fato que uma experiência traumática cujo resultado cria uma ideia enraizada pode influenciar a forma como uma pessoa pensa e age. Se isso é verdade, então, usando intencionalmente todos os seus esforços para plantar com firmeza uma ideia no seu subconsciente, você poderá criar o que equivale a uma "boa" experiência traumática, que influenciará de um jeito positivo a maneira como você pensa e age. É exatamente assim que se desenvolve o que Hill chama de consciência do dinheiro.

Se você fizer tudo o que estiver ao seu alcance para plantar com firmeza, força, fé e convicção completas a ideia de que será bem-sucedido e realizará seu desejo, o subconsciente aceitará e armazenará essa ideia. Se você plantar a ideia tão fortemente que a torne a ideia dominante em seu subconsciente, ela influenciará todas as outras ideias e informações lá armazenadas. Quando você der ao subconsciente uma direção específica que não existia antes, ele começará a juntar pedaços de informações, e, mediante sua inteligência criativa, você descobrirá que está inventando mais e melhores planos e ideias para atingir seu objetivo.

Mas, como diz Hill, você só consegue tudo isso com fé e hábito. Você deve escrever a afirmação de seu objetivo e repetir em voz alta todos os dias, com fé e convicção absolutas de que pode alcançá-lo. Você deve visualizar de forma nítida e criativa seu objetivo, e deve fazê-lo todos os dias. Você deve manter a atitude que diz que você pode atingir seu objetivo e que merece a ajuda daqueles que podem ajudá-lo a alcançar esse objetivo, e deve se comportar dessa forma todos os dias.

Se você se comprometer seriamente a fazer essas coisas, isso mudará a forma como você pensa e age, seu subconsciente vai fazer tudo que puder para transmutar seu desejo na realidade, e outras pessoas vão querer fazer o que puderem para ajudá-lo a ter sucesso.

Muitas declarações nos capítulos sobre fé e autossugestão são repetidas aqui para o benefício de sua mente subconsciente. Lembre-se, a mente subconsciente funciona quer você faça algum esforço para influenciá-la ou não. Isso significa que os pensamentos de medo, pobreza e todas as ideias negativas afetarão sua mente subconsciente, a menos que você domine esses impulsos e dê a ela alimento mais desejável com que possa se nutrir.

A mente subconsciente não permanece ociosa. Se você não planta desejos em sua mente subconsciente, ela se alimenta dos pensamentos que chegam a ela como resultado de sua negligência. Os pensamentos negativos e positivos chegam à mente subconsciente de forma contínua. Esses pensamentos provêm de quatro fontes: (1) conscientemente de outras pessoas, (2) do seu subconsciente, (3) subconscientemente de outras pessoas e (4) da Inteligência Infinita.

Todos os dias, todo tipo de impulso de pensamento atinge a mente subconsciente sem o seu conhecimento. Alguns desses impulsos são negativos, alguns são positivos. Você deveria estar tentando especificamente desligar o fluxo de impulsos negativos e trabalhando ativamente para influenciar a mente subconsciente com impulsos positivos de desejo.

Quando você fizer isso, terá a chave que abre a porta para a mente subconsciente. Além disso, vai controlar essa porta tão completamente que nenhum pensamento indesejável poderá influenciar sua mente subconsciente.

Tudo o que você cria começa na forma de um impulso de pensamento. Você não pode criar nada que primeiro não conceba como pensamento. Com a ajuda da imaginação, os pensamentos podem ser reunidos em planos. Quando sob seu controle, a imaginação pode ser usada para criar planos ou propósitos que levem ao sucesso na ocupação de sua escolha.

Todos os pensamentos que você quer transformar em sucesso e que plantou na mente subconsciente devem passar pela imaginação e ser misturados à fé (sua fé nas próprias habilidades). A "mistura" de fé com um plano ou propósito, destinada a ser submetida à mente subconsciente, só pode ser feita pela imaginação.

A partir dessas declarações, deve ficar claro que, se você quiser usar a mente subconsciente, isso vai exigir coordenação e aplicação de todos os treze princípios de sucesso que são a base deste livro.

FAÇA SUAS EMOÇÕES POSITIVAS TRABALHAREM PARA VOCÊ

A mente subconsciente é mais suscetível à influência do pensamento misturado com sentimento ou emoção do que à de pensamentos originados unicamente da parte racional da mente. De fato, há muitas evidências que sustentam a teoria de que apenas os pensamentos emocionalizados têm alguma influência real na mente subconsciente. É fato que emoções ou sentimentos governam a maioria das pessoas. Se é verdade que a mente subconsciente responde melhor e mais rápido a pensamentos bem misturados com emoção, é essencial se familiarizar com as emoções mais importantes.

Existem sete grandes emoções positivas e sete grandes emoções negativas. As negativas entram em seus pensamentos naturalmente e vão direto ao subconsciente sem nenhuma ajuda sua. As emoções positivas devem ser injetadas pelo princípio da autossugestão nos impulsos de pensamento que você deseja transmitir à mente subconsciente.

Essas emoções, ou impulsos de sentimento, podem ser comparadas a fermento em uma massa de pão. Elas são o elemento de ação que transforma impulsos de pensamento do estado passivo para o estado ativo. É por isso que os impulsos de pensamento que foram bem misturados com a emoção provocam ação mais rápida que impulsos de pensamento originados pela "razão fria".

COMENTÁRIO

W. Clement Stone, amigo, mentor e parceiro comercial de Napoleon Hill, organizou a publicação de muitos dos últimos textos de Hill. O que vem a seguir é adaptado do material que aparece em dois desses livros, *Keys to Success* e *Believe and Achieve*, de Napoleon Hill:

> O entusiasmo é uma atitude mental positiva, uma força motriz interna de emoção intensa, uma força que induz à criação ou expressão.
>
> Ser entusiástico é uma expressão externa que induz à ação. Quando você age com entusiasmo, acentua o poder da sugestão e da autossugestão.
>
> O gerente de vendas, orador público, ministro, advogado, professor ou executivo que age com entusiasmo ao falar de maneira entusiasmada e sincera desenvolve entusiasmo genuíno. Se você agir de maneira entusiasmada, suas emoções acompanharão a ação.
>
> Ao preencher sua mente consciente com entusiasmo, você também convence a mente subconsciente de que sua obsessão ardente e seu plano para obtê-la são coisas certas. Então, se o seu entusiasmo consciente perder força, seu subconsciente estará lá, cheio de imagens do seu sucesso, para ajudá-lo a alimentar o fogo do entusiasmo consciente mais uma vez.

Você está se preparando para influenciar e controlar a "plateia interna" de sua mente subconsciente a fim de entregar a ela seu desejo por dinheiro, que você deseja transmutar no equivalente físico e monetário. É essencial, portanto, que entenda o método de abordagem dessa "plateia interna". Você deve falar o idioma dela. Ela entende melhor o idioma da emoção ou do sentimento.

A seguir estão listadas as sete principais emoções positivas e as sete principais emoções negativas. Eu as relaciono aqui para que você possa aproveitar os aspectos positivos e evitar os negativos ao dar instruções para o seu subconsciente.

As sete principais emoções positivas

- A emoção do desejo
- A emoção da fé
- A emoção do amor
- A emoção do sexo
- A emoção do entusiasmo
- A emoção do romance
- A emoção da esperança

Existem outras emoções positivas, mas essas são as sete mais poderosas e as mais utilizadas no esforço criativo. Domine essas sete emoções (elas só podem ser dominadas pelo uso), e as outras emoções positivas estarão ao seu dispor quando precisar delas. Lembre-se de que está estudando um livro destinado a ajudá-lo a desenvolver uma "consciência do dinheiro" preenchendo sua mente com emoções positivas.

As sete principais emoções negativas a serem evitadas

- A emoção do medo
- A emoção do ciúme

- A emoção do ódio
- A emoção da vingança
- A emoção da ganância
- A emoção da superstição
- A emoção da raiva

Emoções positivas e negativas não podem ocupar a mente ao mesmo tempo. Uma ou outra deve dominar. É sua responsabilidade garantir que as emoções positivas constituam a influência dominante em sua mente. É aí que a lei do hábito vai ajudá-lo. Crie o hábito de aplicar e usar as emoções positivas. Com o tempo, elas dominarão sua mente tão completamente que as negativas não poderão entrar nela.

Você só vai conseguir controlar a mente subconsciente seguindo essas instruções literalmente e de maneira contínua. A presença de um único negativo em sua mente consciente é suficiente para destruir todas as chances de ajuda construtiva de sua mente subconsciente.

COMENTÁRIO

A preocupação de Napoleon Hill com a suscetibilidade da mente subconsciente a pensamentos, emoções e comentários negativos é bem conhecida dos profissionais que trabalham com essas técnicas. Na hipnoterapia clínica, há um axioma chamado de lei do efeito invertido, que afirma que, sempre que há um conflito entre imaginação e força de vontade, a imaginação ganha. Quando você tenta plantar uma ideia, se o subconsciente já abriga um negativo, tentar impor a nova ideia provoca o efeito contrário, porque o subconsciente fica obcecado pela defesa da ideia negativa estabelecida. Quanto mais você "tenta" fazer alguma coisa, mais o subconsciente resiste e mais difícil fica.

Até o uso da palavra *tentar* é desaconselhado, porque sugere ao subconsciente uma falha preconcebida. O conceito de "tentar" implica esforço contínuo. Você não quer tentar. Você quer ter sucesso. Se você pedir ao subconsciente que o ajude a "tentar", ele pode fazer exatamente isso. Pode ajudar a tentar, mas isso impedirá que você tenha sucesso porque, se conseguisse, ele não poderia mais ajudá-lo a "tentar", e foi isso que você pediu para ele fazer.

O aviso sobre o uso da palavra *tentar* é só um exemplo do cuidado que se deve ter ao formular afirmações e usar a autossugestão. Aqui estão algumas outras regras *úteis* com as quais os especialistas mais modernos concordam:

1. Afirmações devem ser declaradas sempre como positivas. Afirme o que você quer, não o que você não quer.
2. Afirmações funcionam melhor quando são curtas e muito claras sobre um único objetivo desejado. Dedique tempo para escrever, reescrever e lapidar sua afirmação, até que possa expressar seu desejo em uma breve declaração de palavras precisas e bem escolhidas.
3. Afirmações devem ser específicas sobre o objetivo desejado, mas não sobre como realizá-lo. Seu subconsciente sabe melhor do que você o que e como pode fazer.
4. Não faça demandas de tempo que não sejam razoáveis. Seu subconsciente não pode fazer nada acontecer "de repente" ou "agora".
5. Apenas dizer as palavras terá pouco efeito. Quando você afirma seu desejo, tem que ter tanta fé e convicção que seu subconsciente se convence do quanto isso é importante para você. Ao afirmar seu desejo, visualize-o tão grande quanto um *outdoor* em sua mente. Faça-o grande, poderoso e memorável.
6. A repetição de sua afirmação emocionalizada é crucial. Neste momento, seu hábito de pensar é de um jeito. Ao repetir sua afirmação muitas vezes todos os dias, a nova maneira de pensar vai começar

a ser sua resposta automática. Continue a reforçá-la até que se torne uma segunda natureza para você, e seu hábito terá se tornado pensar da nova maneira – a maneira como você quer pensar.

Formamos hábitos com base no grau de reforço que recebemos. Os hábitos não fazem julgamentos morais; podem ser bons ou ruins. Ambos se formam pela repetição. Se tentamos algo e temos resultados, repetimos a ação. Você pode substituir pensamentos negativos por positivos, pode substituir a inatividade pela ação e pode formar qualquer hábito que escolher. Seus pensamentos são a única coisa que você pode controlar completamente, caso se decida a fazê-lo. Você pode controlar seus pensamentos para controlar seus hábitos.

O SEGREDO DA PRECE EFICIENTE

A maioria das pessoas recorre à oração somente depois de tudo o mais ter falhado. Ou rezam em um ritual de palavras sem significado. Como a maioria das pessoas que reza só faz isso depois que tudo o mais falhou, elas rezam com a mente cheia de medo e dúvida. Como medo e dúvida são as emoções misturadas a suas orações, essas são as emoções que a mente subconsciente passa adiante e que a Inteligência Infinita recebe e a partir das quais age.

Se você reza por alguma coisa, mas reza com medo de não receber ou de que sua oração não promova a ação da Inteligência Infinita, a oração terá sido em vão.

A oração às vezes resulta na realização daquilo pelo que se reza. Se você já teve a experiência de receber algo pelo que rezou, recupere essa memória, lembre-se de seu estado mental real enquanto rezava e saberá com certeza que a teoria aqui descrita é mais do que uma teoria.

O método pelo qual você pode se comunicar com Inteligência Infinita é muito semelhante ao modo como a vibração do som é transmitida por ondas de rádio. O som não pode ser transmitido pela atmosfera até ser transformado em uma vibração muito alta. A estação de rádio modifica a voz humana intensificando a vibração milhões de vezes. Somente dessa maneira a energia do som pode ser enviada para longe. Depois que essa transformação ocorre, a energia (que originalmente tinha a forma de vibrações de som) é transmitida como um sinal de rádio. Quando um aparelho de rádio recebe a transmissão em alta velocidade, reconverte a energia à velocidade de vibração mais lenta e, quando a energia volta à taxa original, faz vibrar o diafragma do alto-falante, que reproduz o som original da voz.

A mente subconsciente é o intermediário que traduz orações ou desejos em termos que a Inteligência Infinita possa receber. A resposta volta para você na forma de um plano definido ou ideia para obter o objeto de sua oração. Quando você entende esse princípio, sabe por que meras palavras lidas de um livro de oração não podem servir como agente de comunicação entre a mente do homem e a Inteligência Infinita.

NÃO ESPERE PROBLEMAS,

POIS ELES TENDEM

A NÃO DESAPONTAR

CAPÍTULO 14

O CÉREBRO

UMA ESTAÇÃO DE TRANSMISSÃO E RECEPÇÃO DE PENSAMENTO

O décimo segundo passo rumo à riqueza

oi quando eu trabalhava com Alexander Graham Bell e Elmer R. Gates que propus pela primeira vez a ideia de que todo cérebro humano é uma estação de transmissão e recepção da vibração do pensamento.

De certa forma semelhante ao princípio por trás da operação de um receptor de rádio, todo cérebro humano é capaz de captar vibrações de pensamento liberadas por outros cérebros [palpites e lampejos da intuição].

Como explicado em capítulos anteriores, a imaginação criativa é o "aparelho receptor" do cérebro, que recebe pensamentos do subconsciente e, sob certas circunstâncias, recebe pensamentos projetados pelo cérebro de outras pessoas. Sua imaginação criativa é a interconexão entre a mente consciente e racional e as quatro fontes das quais você recebe estímulos de pensamento: (1) conscientemente de outras pessoas, (2) do seu subconsciente, (3) subconscientemente de outras pessoas e (4) da Inteligência Infinita.

Quando estimulada, ou amplificada para uma taxa de vibração elevada, a mente fica mais receptiva aos pensamentos que chegam a ela de fontes externas. Esse processo de intensificação ocorre por intermédio das emoções positivas ou das emoções negativas. Pelas emoções, as vibrações do pensamento podem ser aumentadas.

O cérebro estimulado pelas emoções funciona em um ritmo muito mais rápido do que quando as emoções estão calmas ou ausentes. O resultado é o aumento do pensamento a tal ponto que a imaginação criativa se torna altamente receptiva às ideias.

Por outro lado, quando o cérebro está funcionando em um ritmo rápido, também dá aos pensamentos o sentimento emocional que é essencial antes de que sejam captados e sirvam de base para a ação da mente subconsciente.

A mente subconsciente é a "estação transmissora" do cérebro, por onde as vibrações do pensamento são transmitidas. A autossugestão é o meio pelo qual você pode colocar em operação sua "estação transmissora". A imaginação criativa é o "aparelho receptor" que capta as energias do pensamento.

COMENTÁRIO

A seguir você tem a combinação do conceito acima com os materiais relacionados nos capítulos anteriores para fornecer uma recapitulação passo a passo da visão de Napoleon Hill sobre o processo.

1. O cérebro é simultaneamente um transmissor e um receptor.
2. A emoção afeta tanto a capacidade de enviar quanto a de receber.
    - Sob o efeito de forte emoção, você pode enviar pensamentos de forma mais poderosa.

- Sob o efeito de forte emoção, você está mais receptivo para receber pensamentos.

3. Quando você "envia" pensamentos, para onde os envia? Para o subconsciente, pela autossugestão.
4. Quando você "recebe" pensamentos, de onde eles vêm? Do subconsciente, e você os recebe pela imaginação criativa.
5. Sua mente subconsciente tem dois aspectos:
   - Depósito de informações (como explicado no capítulo anterior).
   - Conexão com a Inteligência Infinita.
6. A Inteligência Infinita é o meio pelo qual você recebe pensamentos de outros cérebros. Inteligência Infinita é o termo de Hill para descrever a lei básica da física: como tudo no universo é tempo, espaço, energia ou matéria, e como a matéria é apenas energia em uma forma diferente, então tudo realmente são partes diferentes da mesma coisa. Isso significa que sua mente subconsciente (energia) tem uma base comum com cada outra mente subconsciente (energia).
7. Os pensamentos de outros cérebros chegam a você da seguinte forma: quando você está sob o efeito de uma forte emoção e seu "receptor" está especialmente receptivo, às vezes o "puxão" é tão forte que atrai um pensamento da mente subconsciente de outro cérebro. Isso é possível porque a Inteligência Infinita interconecta seu subconsciente com o subconsciente do outro cérebro.
8. Os pensamentos de outros cérebros são o que chamamos de intuição, palpite, *déjà-vu* e presciência.

Embora a explicação de Hill dependa da ação de uma força intangível que não pode ser isolada e dissecada em laboratório, nem a ciência médica nem a psicologia podem oferecer explicação melhor para os pensamentos que dependem de conhecimento ou de informações de que não dispomos.

AS MAIORES FORÇAS SÃO INTANGÍVEIS

No passado, dependemos muito de nossos sentidos físicos e limitamos nosso conhecimento às coisas físicas que podíamos ver, tocar, pesar e medir.

Acredito que entramos na mais maravilhosa de todas as eras – uma era que nos ensinará mais sobre as forças intangíveis do mundo à nossa volta. Talvez devamos aprender que existe um "outro eu" mais poderoso do que o eu físico que vemos quando olhamos no espelho.

Muita gente não leva a sério essas coisas intangíveis que não se podem perceber por nenhum dos cinco sentidos. No entanto, depreciar a ideia de forças que são intangíveis ou não podem ser explicadas é ignorar o fato de que todos nós, todos os dias, somos controlados por forças invisíveis e intangíveis.

A humanidade não tem o poder de controlar nem de lidar com a força intangível envolta nas ondas dos oceanos. Ainda não compreendemos completamente a força intangível da gravidade, que mantém esta pequena Terra suspensa no espaço e nos impede de cair dela, muito menos temos o poder de controlar essa força. Somos inteiramente subordinados à força intangível que acompanha uma tempestade e estamos igualmente desamparados na presença da força intangível da eletricidade. Não entendemos a força intangível (e a inteligência) envolta no solo, a força que nos fornece cada alimento que comemos, todas as roupas que usamos e cada dólar que carregamos no bolso.

Por último, mas não menos importante, com toda a nossa cultura e educação, ainda compreendemos pouco ou nada do maior de todos os intangíveis: o pensamento. No entanto, começamos a aprender muito sobre o intrincado funcionamento do cérebro físico, e os resultados são impressionantes. Sabemos que o quadro de distribuição do cérebro humano – o número de linhas que conectam as células cerebrais entre si – é escrito pelo número 1 seguido de quinze milhões de zeros.

C. Judson Herrick, da Universidade de Chicago, diz: "O número é tão estupendo que os valores astronômicos, que lidam com centenas de milhões de anos-luz, tornam-se insignificantes em comparação... Existem entre dez e quatorze bilhões de células nervosas no córtex cerebral humano, e sabemos que elas estão dispostas em padrões definidos. Esses arranjos não são aleatórios. São ordenados".

É inconcebível para mim que essa rede de maquinário complexo exista com o único objetivo de exercer as funções relacionadas ao crescimento e manutenção do corpo físico. Não é provável que o mesmo sistema que dê a bilhões de células cerebrais o meio para se comunicarem umas com as outras também forneça meios de comunicação com outras forças intangíveis?

COMENTÁRIO

Desde a época em que Hill escreveu os comentários acima, aprendemos muito mais sobre o cérebro físico e como ele funciona. Entendemos muito da química do cérebro, podemos medir as energias que libera, sabemos quais áreas controlam as várias funções do corpo e quais áreas afetam a memória, as emoções, o raciocínio e muitas outras sutilezas relacionadas ao processo de pensamento. Com tecnologias de escaneamento, podemos observar as mudanças que ocorrem no cérebro enquanto ele funciona. Com cirurgia, medicação e outras técnicas, sabemos como evitar que o cérebro tenha certos tipos de pensamento e sabemos como encorajá-lo a produzir outros pensamentos quando queremos. Por exemplo, uma área específica pode ser estimulada, e você terá pensamentos prazerosos – mas ainda não podemos controlar quais serão esses pensamentos prazerosos e não temos ideia de quais sejam os pedaços de informação que entram em seus pensamentos prazerosos.

Com todo o nosso conhecimento avançado sobre o cérebro físico, ainda não sabemos como fazê-lo ter um pensamento ou ideia específica. Especialmente um pensamento original ou uma ideia criativa. E a ciência médica não oferece uma teoria melhor que a de Hill sobre como podemos ter uma intuição ou um palpite a partir de informações que não temos e às quais nunca fomos expostos.

Em suma, as propriedades físicas do cérebro confirmam que é ali que o processo de pensamento ocorre, mas não oferecem resposta para a questão de como isso acontece ou como os pensamentos de um cérebro podem viajar para outro.

Em comentários anteriores, apontamos para as leis da física e sua relação com a teoria de Hill sobre a interconexão de todas as coisas. Embora esta não pretenda ser uma aula de ciência, você pode se tranquilizar por saber que o trabalho de cientistas de renome apoia essa ideia. A teoria quântica trata de partículas subatômicas tão minúsculas que estão quase ao nível da "matéria" básica da qual tudo é feito. Albert Einstein desenvolveu o que se denomina efeito EPR (Einstein, Podolski e Rosen), e o físico irlandês John Stewart Bell propôs o Teorema de Bell, ambos referentes ao conceito de que, quando duas partículas subatômicas ligadas são separadas uma da outra, quando ocorre uma mudança na partícula A, a mesma mudança ocorrerá instantaneamente na partícula B, mesmo que as duas estejam distantes uma da outra.

Outro conceito relacionado é chamado cérebro holográfico ou universo holográfico, que tem esse nome devido a uma qualidade incomum dos hologramas. Se você corta um holograma ao meio, não tem duas metades de uma imagem, tem duas imagens separadas, mas completas. Corte qualquer uma delas ao meio e terá mais duas imagens completas. Corte outros pedaços e novamente obterá imagens inteiras. Cada parte de um holograma contém toda a informação do original.

Na década de 1970, Karl Pribram, neurofisiologista da Universidade de Stanford, anunciou os resultados de estudos que sugerem que a memória não está em uma parte específica do cérebro, mas espalhada por ele como a imagem em uma placa holográfica. Ao mesmo tempo, o renomado físico David Bohm propôs que o funcionamento do universo é como uma imagem holográfica, que existe uma interconectividade total entre todas as coisas e que todas as coisas influenciam todas as outras coisas. Com efeito, cada parte do universo contém todo o universo.

Provavelmente, isso é ciência mais do que suficiente para a maioria dos leitores. O que importa é que Hill não estava sozinho na conclusão de que, por meio de uma força intangível, o subconsciente compartilha a interconectividade com tudo no universo. Anteriormente demos o exemplo das pregas e saliências em uma toalha de mesa, todas diferentes entre si, mas todas na mesma toalha de mesa. Aqui está outra maneira de imaginar a interconexão intangível de todas as coisas: suponha que você fizesse cinco buracos em uma parede e pedisse a alguém fora da sala para colocar os dedos nos buracos e mexê-los. Se você então levasse à sala alguém que só acredita nas coisas tangíveis que pode ver, essa pessoa veria cinco objetos separados movendo-se independentemente um do outro. Você poderia dizer à pessoa que do outro lado da parede os objetos estão conectados e são parte da mesma mão, mas, por não conseguir ver a conexão e não acreditar em nada que não entenda, a pessoa não ficaria convencida.

Nem a medicina, nem a psiquiatria, nem a tecnologia modernas podem mostrar de forma conclusiva o outro lado da parede. Mas o fato é que todos nós já tivemos um pressentimento sobre alguém e acertamos, uma premonição de que algo ia acontecer e aconteceu, ou a sensação de que algo não estava bem com alguém que não estava perto e descobrimos que era verdade. Como essa informação chega a nós?

Como mencionado anteriormente, o psicólogo Carl Jung chamou a conexão intangível de inconsciente coletivo (também chamado de subconsciente universal). Outros a chamam de teoria totalmente unificada, grande primeira causa, mente universal ou espírito, e alguns a veem como outra maneira de descrever Deus. Napoleon Hill a chama de Inteligência Infinita e oferece uma explicação de senso comum que permite que você trabalhe com o fenômeno, mesmo que não o entenda completamente. E isto, afinal, era o que Hill buscava: dar a você uma maneira de acessar forças intangíveis que o ajudarão a transformar seu desejo em realidade.

Depois que este livro foi escrito, pouco antes de o manuscrito ir para a editora, o *New York Times* publicou um editorial que mostra que pelo menos uma grande universidade e um investigador inteligente no campo dos fenômenos mentais estão realizando uma pesquisa organizada e chegaram a conclusões alinhadas a muitas das descritas neste e no próximo capítulo. O editorial analisou brevemente o trabalho realizado por J. B. Rhine e seus associados na Duke University.

O QUE É TELEPATIA?

Um mês atrás, citamos nesta página alguns dos impressionantes resultados alcançados pelo professor Rhine e seus associados na Duke University a partir de mais de cem mil testes para determinar a existência da "telepatia" e da "clarividência". Esses resultados foram resumidos nos primeiros dois artigos na *Harper's Magazine*. No segundo, publicado agora, o autor E. H. Wright tenta resumir o que foi descoberto, ou parece razoável inferir, quanto à natureza exata desses modos de percepção "extrassensoriais".

A existência real da telepatia e da clarividência parece agora a alguns cientistas extremamente provável em resultado das experiências de Rhine. Vários perceptivos foram convidados a identificar tantas cartas quanto pudessem de um baralho especial sem olhar para elas e sem outro contato sensorial. Foram descobertos cerca de vinte homens e mulheres capazes de identificar com regularidade e correção um grande número de cartas, e "não havia nem uma chance em muitos milhões de terem realizado essa proeza por sorte ou acidente".

Mas como conseguiram? Esses poderes, presumindo que existam, não parecem ser sensoriais. Não há um órgão conhecido para eles. Os experimentos funcionaram tão bem a várias centenas de quilômetros de distância quanto na mesma sala. Esses fatos também descartam, na opinião de Wright, a tentativa de explicar a telepatia ou a clarividência com qualquer teoria física da radiação. Todas as formas conhecidas de energia radiante diminuem inversamente em relação ao quadrado da distância percorrida. Telepatia e clarividência, não. Mas variam por meio da causa física, como os outros poderes mentais. Ao contrário da opinião generalizada, melhoram não quando o perceptivo está dormindo ou meio adormecido, mas, pelo contrário, quando está bem acordado e alerta. Rhine descobriu que um narcótico invariavelmente diminuirá a pontuação de um perceptivo, enquanto um estimulante sempre a elevará. O perceptivo mais confiável aparentemente não consegue uma boa pontuação, a menos que tente fazer o seu melhor.

Uma conclusão a que Wright chega com alguma confiança é que telepatia e clarividência são realmente um mesmo dom. Ou seja, a faculdade de "ver" uma carta virada para baixo sobre uma mesa parece ser exatamente a mesma que "lê" um pensamento que reside apenas em outra mente. Existem várias razões para acreditar nisso. Até agora, os dois dons foram encontrados em todas as pessoas que tinham qualquer um deles. Se você tem as habilidades, ambas parecem ter a mesma força. Telas, paredes, distâncias também não têm nenhum efeito sobre elas. Wright expressa seu "palpite" de que outras experiências extrassensoriais, como sonhos proféticos, premonições de desastres etc. também possam ser parte da mesma faculdade. O leitor não é solicitado a aceitar nenhuma dessas conclusões, mas a evidência que Rhine acumulou é impressionante.

COMENTÁRIO

Em 1927, J. B. Rhine e sua esposa, Louisa E. Rhine, se juntaram a William McDougall, presidente do departamento de psicologia da Duke University, para criar um laboratório que aplicaria procedimentos científicos rigorosos ao estudo dos fenômenos psíquicos. Eles desenvolveram metodologias e procedimentos científicos para estudar, identificar e testar indivíduos que demonstravam habilidades incomuns. Foi Rhine que cunhou o termo *percepção extrassensorial* (ESP) e adotou a palavra *parapsicologia* para descrever seus estudos. É justo dizer que a pesquisa realizada no laboratório de Rhine é um dos trabalhos mais avançados sobre o assunto.

Em 1962 eles criaram a Fundação para Pesquisa sobre a Natureza do Homem, a fim de continuar seus estudos independentes da universidade e publicar obras relacionadas. Em 1995 o nome foi alterado para Instituto de Pesquisa Rhine.

COMO UNIR MENTES EM UM TRABALHO DE EQUIPE

Em vista das descobertas de Rhine sobre as condições em que a mente responde ao que ele define como modo de percepção extrassensorial, gostaria de adicionar minhas próprias observações. Meus associados e eu descobrimos o que acreditamos ser condições ideais sob as quais a mente pode ser estimulada para que esse "sexto sentido" possa ser levado a funcionar de forma prática.

Para começar, devo explicar que existe uma estreita aliança de trabalho entre mim e dois membros da minha equipe. Por experimentação e prática, descobrimos como estimular nossa mente para podermos, mediante um processo de fusão das três mentes em uma, encontrar a solução para uma grande variedade de problemas trazidos por meus clientes.

O procedimento é muito simples. Sentamos em uma mesa de reuniões, propomos claramente a natureza do problema que estamos tratando e então começamos a discuti-lo. Cada um contribui com os pensamentos que possam surgir (aplicando o princípio usado em conexão com os "conselheiros invisíveis" descritos no próximo capítulo). O estranho sobre esse método de estimulação mental é que ele coloca cada participante em comunicação com fontes desconhecidas de conhecimento definitivamente alheias à sua própria experiência.

Se você entende o princípio descrito no capítulo sobre o MasterMind, naturalmente reconhece a mesa-redonda como uma aplicação prática do MasterMind.

Esse método de estimulação mental pela discussão de assuntos definidos entre três pessoas ilustra o uso mais simples e mais prático do MasterMind. Quando você recorre ao poder do seu grupo de MasterMind, descobre que, quanto mais trabalharem em conjunto, mais cada membro aprenderá a antecipar as ideias dos outros e a se conectar imediatamente com o intenso entusiasmo e inspiração deles. Você não pode controlar completamente esse processo, mas, quanto mais usá-lo, mais ele entrará em ação.

Ao adotar e seguir um plano similar, você usará a famosa fórmula de Carnegie descrita no Capítulo 1. Se isso não significa nada para você neste momento, marque esta página e volte a ela depois de terminar o último capítulo.

GRANDES REALIZAÇÕES
NORMALMENTE NASCEM
DE GRANDES SACRIFÍCIOS
E NUNCA RESULTAM
DE EGOÍSMO

CAPÍTULO 15

O SEXTO SENTIDO

A PORTA PARA O TEMPLO DA SABEDORIA

O décimo terceiro passo rumo à riqueza

décimo terceiro princípio é conhecido como sexto sentido, com o qual a Inteligência Infinita pode e vai se comunicar voluntariamente, sem qualquer esforço ou exigência do indivíduo.

Este princípio é o ápice da filosofia do sucesso. Pode ser assimilado, compreendido e aplicado apenas com o prévio domínio dos outros doze princípios.

O sexto sentido é a porção da mente subconsciente que foi referida como imaginação criativa. Também foi referida como "aparelho receptor" pelo qual ideias, planos e pensamentos surgem como *flashes* na mente. Os *flashes* às vezes são chamados de intuições ou inspirações.

O sexto sentido desafia a descrição. Não pode ser descrito para uma pessoa que não dominou os outros princípios desta filosofia porque essa pessoa não tem conhecimento nem experiência com os quais o sexto sentido possa ser comparado.

Depois de ter dominado os princípios neste livro, você estará preparado para aceitar como verdade uma declaração que de outra forma poderia ser inacreditável. Pelo sexto sentido, você será avisado de perigos iminentes a tempo de evitá-los e notificado de oportunidades a tempo de agarrá-las.

À medida que você desenvolve o sexto sentido, é quase como se um anjo da guarda viesse até você para ajudar; um anjo da guarda que sempre abrirá para você a porta do templo da sabedoria.

MILAGRES DO SEXTO SENTIDO

Não sou crente nem defensor de "milagres" pelo simples motivo de que tenho conhecimento suficiente da natureza para entender que ela nunca se desvia das leis estabelecidas. No entanto, acredito que algumas leis da natureza são tão incompreensíveis que produzem o que *parecem* ser milagres. O sexto sentido é a coisa mais próxima de um milagre que já experimentei.

De uma coisa eu sei: existe um poder, ou uma primeira causa, ou uma inteligência que permeia cada átomo da matéria e abraça toda unidade de energia perceptível ao homem. Sei que essa Inteligência Infinita é a coisa que converte as bolotas em carvalhos, faz a água fluir em declive em resposta à lei da gravidade, segue a noite com o dia e o inverno com o verão, cada um mantendo seu devido lugar e relacionamento com o outro. Por intermédio da filosofia explicada neste livro, essa inteligência pode ajudar a transformar seus desejos na forma concreta ou material. Eu sei porque testei isso – e vivenciei.

Passo a passo pelos capítulos anteriores, você foi trazido até aqui, o último princípio. Se dominou cada um dos princípios anteriores, agora está preparado para aceitar, sem ser cético, as afirmações extraordinárias feitas aqui. Se não dominou os outros princípios, deve fazê-lo antes de determinar definitivamente se as afirmações feitas neste capítulo são ou não ficção.

DEIXE GRANDES PESSOAS DAREM FORMA À SUA VIDA

Nunca me desviei inteiramente do hábito de adorar heróis. Enquanto estava no estágio do culto ao herói, me peguei tentando imitar aqueles que eu mais admirava. A experiência me ensinou que a melhor coisa depois de ser realmente grande é imitar os grandes, tentar agir como eles, ser como eles e sentir como eles tanto quanto puder. Descobri que a fé com a qual tentei imitar meus ídolos me deu grande capacidade de fazer isso com bastante sucesso.

Muito antes de ter escrito uma linha para publicação ou ter feito um discurso em público, adquiri o hábito de reformular meu caráter tentando imitar os nove homens cujas vidas tinham sido as mais impressionantes para mim. Esses nove homens eram Emerson, Paine, Edison, Darwin, Lincoln, Burbank, Napoleão, Ford e Carnegie. Toda noite, durante muitos anos, fiz uma reunião do conselho imaginária com esse grupo a que chamei de "conselheiros invisíveis".

Eu fazia assim: antes de ir dormir à noite, fechava os olhos e via na minha imaginação esse grupo de homens sentado comigo ao redor da minha mesa do conselho. Não tinha apenas a oportunidade de me sentar entre aqueles que eu considerava grandes, mas também realmente dominava o grupo, atuando como presidente.

Eu tinha um propósito muito definido ao usar minha imaginação dessa maneira. O objetivo era reconstruir meu caráter para que se tornasse uma composição do caráter de meus conselheiros imaginários. Percebendo que tinha que superar a desvantagem de nascer e crescer em um ambiente de ignorância e superstição, me incumbi deliberadamente da tarefa de renascimento voluntário pelo método que descrevi acima.

Construindo o caráter pela autossugestão

Eu sabia, é claro, que todos nos tornamos o que somos por causa de nossos pensamentos e desejos dominantes. Sabia que todo desejo profundamente arraigado faz a pessoa encontrar uma maneira de transformar esse desejo em realidade. Sabia que a autossugestão é um fator poderoso na construção do caráter. Na verdade, é o único princípio com o qual o caráter é construído.

Com esse conhecimento de como a mente funciona, eu estava bem munido de equipamento necessário para reconstruir meu caráter. Nessas reuniões de conselho imaginárias, solicitava aos membros de meu gabinete o conhecimento que desejava que cada um oferecesse. Eu até falava em voz alta com cada um deles da seguinte forma:

Emerson, desejo adquirir de você a maravilhosa compreensão da natureza que distinguiu sua vida. Peço que impressione minha mente subconsciente com as qualidades que você tinha e com as quais conseguiu compreender e se adaptar às leis da natureza.

Burbank, solicito que me transmita o conhecimento que usou para harmonizar de tal forma as leis da natureza que fez o cacto deixar cair seus espinhos e se tornar um alimento comestível. Forneça-me acesso ao conhecimento que lhe permitiu criar duas hastes de grama onde antes só uma crescia.

Napoleão, desejo adquirir de você a habilidade maravilhosa de inspirar os homens e incitá-los a um espírito de ação maior e mais determinada. Desejo também adquirir o espírito de fé duradoura que lhe permitiu transformar a derrota em vitória e superar obstáculos assombrosos.

Paine, desejo adquirir de você a liberdade de pensamento, a coragem e a clareza para expressar convicções que tanto o distinguiram.

Darwin, desejo adquirir sua maravilhosa paciência e capacidade de estudar causa e efeito, sem viés ou preconceito, tão exemplificados por você no campo da ciência natural.

Lincoln, desejo construir em meu caráter o agudo senso de justiça, o espírito incansável de paciência, o senso de humor, o entendimento humano e a tolerância que foram suas características distintivas.

Carnegie, desejo adquirir uma compreensão completa dos princípios do esforço organizado que você usou com tanta eficácia na construção de um grande empreendimento industrial.

Ford, desejo adquirir o espírito de persistência, determinação, equilíbrio e autoconfiança que lhe permitiu dominar a pobreza e organizar, unificar e simplificar o esforço humano para que eu possa ajudar outros a seguir seus passos.

Edison, desejo adquirir de você o maravilhoso espírito de fé com o qual você descobriu tantos segredos da natureza, o espírito de trabalho incansável com o qual muitas vezes você arrancou a vitória da derrota.

O assombroso poder da imaginação

Meu método de abordar os membros do meu gabinete imaginário variava de acordo com os traços de caráter que eu estava mais interessado em adquirir. Estudei os registros de suas vidas com minucioso cuidado. Depois de alguns meses desse procedimento noturno, me espantei com o quanto meus conselheiros imaginários pareciam se tornar mais reais a cada vez.

Cada um desses nove homens desenvolveu características individuais que me surpreendiam. Por exemplo, Lincoln desenvolveu o hábito de estar sempre atrasado, depois andava por lá como em um desfile solene. Sempre exibia um semblante sério. Raramente o vi sorrir.

Isso não se aplicava aos outros. Burbank e Paine com frequência se entregavam a uma interação espirituosa, que às vezes parecia chocar os outros membros do gabinete. Em uma ocasião, Burbank estava atrasado. Quando chegou, estava entusiasmado e explicou que tinha se atrasado por causa de um experimento que estava fazendo e pelo qual esperava poder cultivar maçãs em qualquer tipo de árvore.

Paine o repreendeu lembrando que uma maçã havia começado todo o problema entre o homem e a mulher. Darwin riu e sugeriu que Paine tivesse cuidado com pequenas serpentes quando entrasse na floresta para colher maçãs, porque elas cresciam e se transformavam em grandes cobras. Emerson observou: "Sem serpentes, sem maçãs", e Napoleão comentou: "Sem maçãs, sem Estado!".

As reuniões tornaram-se tão realistas que fiquei com medo de suas consequências e as suspendi por vários meses. As experiências eram tão estranhas que tive medo de continuar e perder de vista o fato de serem apenas uma experiência da minha imaginação.

Ao escrever este livro, é a primeira vez que tenho coragem de falar nisso. Eu sabia, por minha própria atitude em relação a esses assuntos, que seria incompreendido se descrevesse minha experiência incomum.

Hoje tenho coragem de colocar tudo no papel porque agora me preocupo menos com o que "eles dizem" do que me preocupava no passado.

Os membros do meu gabinete podiam ser puramente ficcionais, e os encontros existiam apenas em minha imaginação, mas me levaram por caminhos gloriosos de aventura, reavivaram minha apreciação pela verdadeira grandiosidade, incentivaram minha criatividade e me inspiraram a ser honesto e ousado ao expressar meus pensamentos.

COMENTÁRIO

A experiência de Napoleon Hill com seus conselheiros imaginários não é tão incomum quanto parece na primeira leitura. Na verdade, acontece com os romancistas o tempo todo. À medida que um autor avança na escrita de um livro, chega um momento em que os personagens do romance ficam tão bem definidos em sua mente que eles mesmos começam a sugerir pontos de enredo e diálogos que o autor nunca planejou. Muitas vezes os pensamentos que surgem na cabeça do autor quando ele está "no personagem" são completamente originais e na "vida real" nunca teriam lhe ocorrido.

Psiquiatras, terapeutas e especialistas motivacionais também usam esse fenômeno quando trabalham com *role playing*. O procedimento usual é pedir a duas pessoas que façam uma cena como se estivessem uma no lugar da outra. Se isso for feito em uma situação em que os participantes não se sintam envergonhados ou acanhados, se deixem levar e realmente tentem se tornar a outra pessoa, os resultados podem ser impressionantes. Dependendo da fé com que você aborda a situação, pode ter não só a sensação geral do que a outra pessoa está passando, mas também *insights*, "sentir" de verdade o que ela sente e adquirir um entendimento real de suas reações ou motivações.

Por que isso funciona é tão misterioso quanto por que você tem intuições. Pode ser simplesmente porque, quando sua imaginação cria um personagem, não dá a ele inibições, e, quando você pensa "como" o personagem, sua mente fica menos restrita. Independentemente disso, o fato é que, usando a imaginação para se projetar em outros personagens, você pode se abrir para ideias a que normalmente não teria acesso. E pode usar esse fenômeno mental como uma das ferramentas que ajudarão a transformar seu desejo em sucesso.

RECORRENDO À FONTE DE INSPIRAÇÃO

Em algum lugar da estrutura celular do cérebro, existe algo que recebe as vibrações do pensamento comumente chamadas de intuição. Até agora a ciência não descobriu onde esse sexto sentido está localizado, mas isso não é importante. O fato é que os seres humanos recebem conhecimentos precisos de fontes diferentes dos sentidos físicos. Geralmente esse conhecimento é recebido quando a mente está sob a influência de estimulação extraordinária. Qualquer emergência que desperte as emoções e faça o coração bater mais rápido pode levar o sexto sentido a agir. Qualquer um que quase tenha se acidentado enquanto dirigia sabe que o sexto sentido muitas vezes vem em socorro e ajuda a evitar o acidente por uma fração de segundos.

Menciono isso como pano de fundo para a seguinte declaração: em muitas ocasiões em que enfrentei emergências, algumas delas tão graves que minha vida corria perigo, fui guiado milagrosamente para sair dessas dificuldades pela influência de meus "conselheiros invisíveis".

Meu propósito original ao conduzir reuniões do conselho com seres imaginários era apenas usar a autossugestão para impressionar minha mente subconsciente com determinadas características que eu queria adquirir. Nos últimos anos, meu experimento assumiu um curso completamente diferente. Agora levo para meus conselheiros imaginários todos os problemas difíceis que encontro e que atormentam meus clientes. Durante as reuniões com esses "conselheiros invisíveis", vejo minha mente mais receptiva às ideias, aos pensamentos e ao conhecimento que chegam a mim pelo sexto sentido. Os resultados são muitas vezes surpreendentes, embora eu não dependa inteiramente dessa forma de conselho.

O sexto sentido não é algo que se pode ligar e desligar à vontade. A capacidade de usar esse grande poder vem lentamente, pela aplicação dos outros princípios delineados neste livro.

Não importa quem você é ou qual tenha sido seu propósito ao ler este livro, você pode lucrar com isso, mesmo se não entender completamente como ou por que o princípio descrito neste capítulo funciona. Isso é especialmente verdadeiro se o seu principal objetivo é acumular dinheiro ou outras coisas materiais.

Este capítulo sobre o sexto sentido foi escrito porque o livro foi concebido para apresentar uma filosofia completa pela qual os indivíduos podem se orientar de forma ininterrupta para alcançar o que querem da vida. O ponto de partida de todas as conquistas é o desejo. O ponto final é o tipo de conhecimento que leva à compreensão – compreensão de si mesmo, compreensão dos outros, compreensão das leis da natureza e reconhecimento e compreensão da felicidade.

A compreensão completa só acontece pela familiaridade com o princípio do sexto sentido e seu uso.

Ao ler este capítulo, você pode ter sido elevado a um alto nível de estimulação mental. Esplêndido! Volte a ele daqui a um mês, leia de novo e observe que sua mente subirá a um nível ainda maior de estimulação. Repita essa experiência de tempos em tempos, sem se preocupar com o quanto aprende no momento. Com o tempo, você vai se descobrir de posse de um poder que permitirá que jogue fora o desânimo, domine o medo, vença a procrastinação e aproveite livremente sua imaginação. Então você sentirá o toque desse "algo" desconhecido que tem sido o espírito mobilizador de todos os grandes pensadores, líderes, artistas, músicos, escritores ou estadistas. Então você estará em posição de transmutar seus desejos em sua contraparte física ou financeira tão facilmente quanto é capaz de se submeter e desistir ao primeiro sinal de oposição.

O HOMEM QUE REALMENTE
SABE O QUE QUER DA VIDA
JÁ PERCORREU BOA PARTE
DO CAMINHO PARA
CONSEGUIR O QUE QUER

CAPÍTULO 16

OS SEIS FANTASMAS DO MEDO

QUANTOS ESTÃO NO SEU CAMINHO?

Antes que você possa colocar qualquer parte dessa filosofia em uso com sucesso, sua mente deve estar preparada para recebê-la. A preparação não é difícil. Começa com o estudo, a análise e a compreensão de três inimigos que você terá que afastar – a indecisão, a dúvida e o medo.

O sexto sentido nunca irá funcionar enquanto estes três negativos, ou qualquer um deles, permanecerem em sua mente. Os membros desse trio perverso estão intimamente relacionados; onde um é encontrado, os outros dois estão por perto.

A indecisão brota do medo. Lembre-se disso enquanto lê. A indecisão se cristaliza em dúvida; as duas se misturam e se tornam medo. O processo de "mistura" muitas vezes é lento. Essa é uma razão pela qual esses três inimigos são tão perigosos. Eles germinam e crescem sem que sua presença seja notada.

O restante deste capítulo descreve um estado mental que você deve atingir antes que a filosofia possa ser posta em prática. Este capítulo também analisa uma condição que reduziu um grande número de pessoas à pobreza e afirma uma verdade que deve ser entendida por todos os que acumulam riqueza, seja ela medida em termos de dinheiro ou em termos de um estado mental que pode ser de longe mais valioso que dinheiro.

O objetivo deste capítulo é dirigir o foco da atenção para a causa e a cura dos seis medos básicos. Antes de poder dominar um inimigo, você precisa conhecer seu nome, seus hábitos e onde atacá-lo. Enquanto lê, faça uma autoanálise cuidadosa e determine qual dos seis medos comuns se prenderam a você, se eles estiverem presentes. E tenha em mente que às vezes eles estão escondidos no subconsciente, onde é difícil localizá-los e ainda mais difícil eliminá-los.

OS SEIS MEDOS BÁSICOS

Existem seis medos básicos. Em algum momento, todo mundo enfrenta alguma combinação desses medos. A maioria das pessoas tem sorte se não enfrenta todos os seis. Nomeados na ordem mais comum de surgimento, são eles:

1. Medo da pobreza
2. Medo da crítica
3. Medo da doença
4. Medo da perda do amor de alguém
5. Medo da velhice
6. Medo da morte

Todos os outros medos são de menor importância e de fato apenas variações desses seis.

Os medos nada mais são que estados mentais. Seu estado mental está sujeito ao seu controle e direcionamento.

Você não pode criar nada que não conceba primeiro na forma de um impulso de pensamento. A seguinte afirmação é ainda mais importante:

os impulsos de pensamento começam a se traduzir em seu equivalente físico na mesma hora, independentemente de esses pensamentos serem voluntários ou involuntários. Mesmo os impulsos de pensamento captados por mero acaso (pensamentos projetados por outras mentes) podem determinar seu destino financeiro, comercial, profissional ou social, assim como os pensamentos que você cria intencionalmente.

Essa circunstância também explica por que algumas pessoas parecem ser sortudas, enquanto outras com igual ou maior capacidade, treinamento, experiência e capacidade intelectual parecem destinadas ao infortúnio. A explicação é que você tem a capacidade de controlar completamente sua própria mente. Com esse controle, pode abrir a mente aos impulsos de pensamento que estão sendo liberados por outros cérebros ou pode fechar a porta e admitir apenas impulsos de pensamento de sua escolha.

A natureza dotou os seres humanos de controle absoluto sobre apenas uma coisa, e essa coisa é o pensamento. Isso, aliado ao fato adicional de que tudo que criamos começa na forma de um pensamento, nos leva para muito perto do princípio pelo qual o medo pode ser dominado.

Se é verdade que todo pensamento tem uma tendência de se traduzir em seu equivalente físico (e isso é verdade, sem dúvida nenhuma), também é verdade que os impulsos de medo e pobreza não podem ser traduzidos em coragem e ganho financeiro.

PRIMEIRO MEDO BÁSICO: MEDO DA POBREZA

Não pode haver acordo entre pobreza e riqueza. As duas estradas que levam à pobreza e à riqueza seguem em direções opostas. Se você quer riqueza, deve se recusar a aceitar qualquer circunstância que leve à pobreza. (A palavra *riqueza* é usada em seu sentido mais amplo, significando riqueza financeira, espiritual, mental e material.) O ponto de partida do caminho que leva à riqueza é o desejo. No Capítulo 3, você recebeu instruções completas para o uso adequado do desejo. Neste capítulo sobre o medo, você tem instruções completas para preparar a mente para fazer uso prático do desejo.

Aqui é o lugar para propor a si mesmo um desafio que vai determinar definitivamente quanto dessa filosofia você absorveu. É o ponto em que você pode dizer o que o futuro reserva para você. Se, depois de ler este capítulo, você estiver disposto a aceitar a pobreza, é melhor tomar a decisão de receber a pobreza. Essa é uma decisão que você não pode evitar.

Mas, se você exige riqueza, determine a forma e quanto será necessário para satisfazê-lo. Você conhece a estrada que leva à riqueza. Recebeu um mapa. Se o seguir, ele o manterá no caminho. Se deixar de segui-lo desde o início ou parar antes de chegar, ninguém será culpado, a não ser você. A responsabilidade é sua. Nenhuma desculpa o salvará de assumir a responsabilidade se agora você fracassar em ou se recusar a exigir riqueza da vida. Você só precisa de uma coisa – aliás, a única que pode controlar –, que é o seu estado mental. O estado mental é algo que depende de você. Não pode ser comprado, deve ser criado.

O medo mais destrutivo

O medo da pobreza é um estado mental, nada mais. Mas é suficiente para destruir suas chances de realização em qualquer iniciativa.

Esse medo paralisa sua capacidade de usar a razão, destrói a imaginação, mata a autoconfiança, mina o entusiasmo, desencoraja a iniciativa, leva à incerteza do objetivo, encoraja a procrastinação, elimina o entusiasmo e impossibilita o autocontrole. Acaba com o charme da sua personalidade, destrói a possibilidade de um pensamento preciso, desvia a concentração do esforço. Derrota a persistência, transforma a força de vontade em nada, destrói a ambição, turva a memória e convida o fracasso em todas as formas possíveis. Mata o amor e assassina as melhores emoções do coração, desencoraja a amizade e convida ao desastre em uma centena de formas, leva à insônia, miséria e infelicidade – e tudo isso apesar da verdade óbvia de que você vive em um mundo de superabundância de tudo o que seu coração poderia desejar, sem nada entre você e seus desejos, exceto a falta de um objetivo definido.

O medo da pobreza é sem dúvida o mais destrutivo dos seis medos básicos. Foi posto no topo da lista porque é o mais difícil de dominar. O medo da pobreza surgiu de nossa tendência hereditária de predar nossos semelhantes economicamente. Quase todos os animais inferiores a nós são motivados pelo instinto, mas sua capacidade de "pensar" é limitada e, portanto, eles predam uns aos outros fisicamente. Nós, com nosso senso superior de intuição, com a capacidade de pensar e de raciocinar, não comemos uns aos outros no sentido físico. Os seres humanos obtêm mais satisfação "devorando" os outros financeiramente. Os seres humanos são tão avaros que todas as leis concebíveis foram criadas para nos proteger uns dos outros.

Nada traz tanto sofrimento e submissão quanto a pobreza! Somente aqueles que conheceram a pobreza compreendem o completo significado disso.

Não é de admirar que tenhamos medo da pobreza. Em função de uma longa sequência de experiências herdadas, aprendemos que não podemos confiar em algumas pessoas quando se trata de dinheiro e bens terrenos.

Somos tão ávidos por riqueza que a conquistaremos de qualquer maneira possível – por métodos legais se possível, por outros métodos se necessário ou conveniente.

A autoanálise pode revelar fraquezas que você não gosta de reconhecer. Mas essa forma de exame é essencial se você for exigir da vida mais do que mediocridade e pobreza. Lembre-se, enquanto se analisa ponto a ponto, que você é o tribunal e o júri, o promotor e o advogado da defesa, e que você é o demandante e o réu. Você está sob julgamento. Encare os fatos diretamente. Faça a si mesmo perguntas definidas e solicite respostas diretas. Quando o exame acabar, você saberá mais sobre você. Se não sente que possa ser um juiz imparcial, convide alguém que o conheça bem para servir de juiz enquanto você se interroga. Você está em busca da verdade. Encontre-a custe o que custar, mesmo que ela possa lhe causar um constrangimento temporário.

A maioria das pessoas, se perguntassem a elas o que mais temem, responderia: "Não temo nada". A resposta seria imprecisa, porque poucas pessoas percebem que estão presas, prejudicadas, chicoteadas espiritual e fisicamente por meio de algum tipo de medo. Tão sutil e profundamente arraigada é a emoção do medo que você pode passar pela vida e nunca reconhecer sua presença. Somente uma análise corajosa revelará a presença desse inimigo universal. Quando você iniciar essa análise, mergulhe fundo em seu caráter. Segue uma lista dos sintomas a serem procurados.

Sintomas do medo da pobreza

1. INDIFERENÇA: comumente expressada por falta de ambição, pela disposição para tolerar a pobreza e aceitação de qualquer remuneração que a vida possa oferecer sem protestar. Também preguiça mental e física, falta de iniciativa, de imaginação, de entusiasmo e de autocontrole.
2. INDECISÃO: o hábito de permitir que os outros pensem por você. Ficar em cima do muro.
3. DÚVIDA: geralmente expressa com álibis e desculpas criadas para encobrir, explicar ou desculpar suas falhas. Às vezes, expressa na forma de inveja daqueles que são bem-sucedidos ou por críticas a eles.
4. PREOCUPAÇÃO: geralmente expressa por meio da prática de encontrar defeitos nos outros e pela tendência a gastar além do que ganha, negligenciar a aparência pessoal, franzir o cenho e ficar carrancudo, nervosismo, falta de equilíbrio, constrangimento e muitas vezes uso de álcool ou drogas.

5. Excesso de cautela: o hábito de procurar o lado negativo de cada circunstância. Pensar e falar sobre o possível fracasso em vez de se concentrar em ter sucesso. Conhecer todos os caminhos para o desastre, mas nunca procurar os planos para evitar o fracasso. Esperar "o momento certo" para começar, até que a espera se torne um hábito permanente. Lembrar-se daqueles que fracassaram e esquecer os que foram bem-sucedidos. Ver o buraco na rosquinha, mas ignorar a rosquinha.
6. Procrastinação: o hábito de deixar para amanhã o que deveria ter sido feito no ano passado. Dedicar mais tempo a inventar desculpas do que seria necessário para fazer o trabalho. Esse sintoma está intimamente relacionado ao excesso de cautela, dúvida e preocupação. Recusa em aceitar a responsabilidade. Disposição para ceder em vez de enfrentar uma briga. Aceitar dificuldades em vez de aproveitá-las e usá-las como degraus para progredir. Negociar com vida em troca de centavos, em vez de exigir prosperidade, opulência, riqueza, contentamento e felicidade. Planejar o que fazer se fracassar em vez de queimar todas as pontes e impossibilitar o recuo. Fraqueza e muitas vezes total falta de autoconfiança, definição de objetivo, autocontrole, iniciativa, entusiasmo, ambição, parcimônia e capacidade de raciocínio estável. Esperar a pobreza em vez de exigir riqueza. Associar-se a quem aceita a pobreza em vez de buscar a companhia daqueles que exigem e recebem riqueza.

O dinheiro fala!

Alguns perguntarão: "Por que você escreveu um livro sobre dinheiro? Por que medir a riqueza em dólares?". Alguns irão acreditar, e com razão, que existem outras formas de riqueza mais desejáveis que dinheiro.

Sim, há riquezas que não podem ser medidas em dólares, mas também há milhões de pessoas que dizem: "Me dê todo o dinheiro de que preciso, e vou encontrar tudo que eu quiser".

A principal razão pela qual escrevi este livro sobre como obter dinheiro é que milhões de homens e mulheres são paralisados pelo medo da pobreza. O que esse tipo de medo faz com o indivíduo foi bem descrito por Westbrook Pegler:

COMENTÁRIO

James Westbrook Pegler foi um polêmico colunista dos jornais *Chicago Daily News* e *Washington Post*. Embora sua carreira tenha durado até a década de 1960, ele foi mais lido e citado durante os anos 1930 e 40. Nesse período, passou de defensor público de Franklin Roosevelt e das políticas do *New Deal* ao extremo oposto do espectro político, defendendo pontos de vista conservadores. Pegler também foi autor de três livros baseados em suas colunas e em 1940 ganhou o Prêmio Pulitzer por sua denúncia de extorsão sindical.

Dinheiro são só conchas ou discos de metal ou pedaços de papel, e há tesouros do coração e da alma que o dinheiro não pode comprar, mas a maioria das pessoas, quando falida, é incapaz de manter isso em mente e sustentar o ânimo. Quando um homem está destituído na rua e não consegue trabalho, algo acontece com seu espírito que pode ser observado nos ombros caídos, na posição do chapéu, no caminhar e no olhar. Ele não consegue fugir de um sentimento de inferioridade em relação às pessoas que têm emprego regular, mesmo sabendo que definitivamente não se igualam a ele em caráter, inteligência ou capacidade.

Essas pessoas – inclusive seus amigos – experimentam, por outro lado, uma sensação de superioridade e o consideram, talvez subconscientemente, uma vítima. Ele pode conseguir algum dinheiro emprestado por um tempo, mas não o suficiente para manter a vida a que estava habituado, e não pode continuar pedindo empréstimos por muito tempo. Mas pedir emprestado só para sobreviver é uma experiência deprimente, e esse dinheiro carece do poder para reavivar seu ânimo que o dinheiro que é fruto do trabalho tem. Claro que nada disso se aplica aos vagabundos ou habituais encostados, apenas aos homens de ambições a autorrespeito normais.

As mulheres no mesmo aperto devem ser diferentes. De alguma forma não pensamos nas mulheres ao considerar os que estão sem nada. Elas são escassas nas filas do pão, raramente são vistas mendigando nas ruas e não são reconhecíveis na multidão pelos mesmos sinais simples que identificam homens falidos. Claro que não me refiro às maltrapilhas pelas ruas da cidade, a contrapartida dos vagabundos declarados. Falo de mulheres razoavelmente jovens, decentes e inteligentes. Deve haver muitas delas, mas seu desespero não é aparente.

Quando um homem está por baixo, ele tem tempo para cismar. Pode percorrer quilômetros para se candidatar a um trabalho e descobrir que a vaga já foi preenchida ou que é um daqueles empregos sem salário fixo, só com uma comissão sobre a venda de bugigangas inúteis que ninguém compraria, exceto por pena. Recusando esse serviço, ele volta à rua sem nenhum lugar para ir. Então ele anda e anda. Nas vitrines das lojas, olha artigos de luxo que não são para ele, se sente inferior e dá lugar a pessoas que param para olhar com um interesse ativo. Vagueia pela estação ferroviária ou vai à biblioteca descansar as pernas e se aquecer um pouco, mas isso não é procurar emprego, então ele volta para a rua. Ele pode não saber disso, mas a falta de objetivo o delataria, mesmo que a linguagem corporal não o revelasse. Ele pode estar bem vestido com as roupas que sobraram dos dias em que tinha um emprego fixo, mas a roupa não pode disfarçar o desânimo.

Ele vê milhares de outras pessoas, contadores, balconistas, químicos ou empregados da ferrovia, todos ocupados com o trabalho, e os inveja do fundo de sua alma. Eles têm independência, autorrespeito e hombridade, e ele simplesmente não consegue se convencer de que também é um bom homem, embora discuta e chegue a um veredito favorável a toda hora. É só o dinheiro que faz a diferença. Com um pouco de dinheiro ele seria o mesmo de antes novamente.

SEGUNDO MEDO BÁSICO: MEDO DA CRÍTICA

Como adquirimos esse medo é algo que ninguém pode dizer com certeza, mas uma coisa é certa – nós o temos em uma forma altamente desenvolvida.

Sinto-me inclinado a atribuir o medo básico da crítica à parte da nossa natureza hereditária que nos leva não só a tirar bens e mercadorias de outras pessoas, mas também a justificar nossas ações criticando o caráter dos outros. É bem sabido que um ladrão vai criticar o homem de quem ele rouba; que os políticos disputam cargos não exibindo as próprias virtudes e qualificações, mas fazendo campanhas negativas contra seus oponentes.

Designers e fabricantes de roupas não tardaram em aproveitar esse medo básico da crítica. A moda muda a cada estação. Quem dita a moda? Certamente não o comprador. São os *designers* e os fabricantes. Por que eles mudam os estilos com tanta frequência? A resposta é óbvia. Mudam os estilos para poder vender mais roupas.

O medo da crítica rouba as pessoas de sua iniciativa, destrói seu poder de imaginação, limita sua individualidade, tira sua autossuficiência e as prejudica de muitas outras maneiras. Os pais muitas vezes causam aos filhos danos irreparáveis criticando-os. A mãe de um dos meus amigos costumava bater nele com uma vara quase diariamente, sempre completando o trabalho com a declaração: "Você vai acabar na cadeia antes dos 20 anos". Ele foi mandado para um reformatório aos 17.

COMENTÁRIO

A psicoterapia moderna tem muita consciência da circunstância que Hill descreve no parágrafo anterior. Nos capítulos sobre autossugestão e hipnose, foi feita referência a traumas infantis que resultam em fobias, comportamentos compulsivos, fixações ou complexos. No entanto, existem casos em que a implantação de uma sugestão é muito mais sutil. Os hipnoterapeutas descobriram que frases comuns, como "nunca mais diga não para mim", "tenho medo de que ela nunca supere isso" ou "você é igual ao seu pai", podem prejudicar as habilidades de uma pessoa mais tarde na vida se forem ditas com frequência suficiente ou num momento em que uma criança está particularmente vulnerável.

A crítica é a única forma de serviço que todos têm em excesso. Todo mundo tem um estoque dela, entregue gratuitamente, seja solicitada ou não. Seus parentes mais próximos são frequentemente os mais ofensivos. Deveria ser considerado crime (na realidade, é um crime da pior natureza) um dos pais construir complexos de inferioridade na mente de uma criança com críticas desnecessárias. Os empregadores que entendem a natureza humana tiram o melhor que existe nas pessoas não com críticas, mas com sugestão construtiva. Os pais podem alcançar os mesmos resultados com seus filhos. A crítica cria medo no coração humano, ou ressentimento, mas não constrói amor ou carinho.

Sintomas do medo da crítica

Esse medo é quase tão universal quanto o medo da pobreza, e seus efeitos são igualmente fatais para a realização pessoal, principalmente porque esse medo destrói a iniciativa e desencoraja o uso da imaginação. Os principais sintomas do medo são:

1. Acanhamento: geralmente expresso com nervosismo, timidez na conversa e ao conhecer estranhos, movimentos estranhos e o desviar dos olhos.
2. Falta de atitude: expressa por falta de controle de voz, nervosismo na presença de outros, má postura, memória ruim.
3. Fraquezas da personalidade: falta de firmeza de decisão, de charme pessoal e de capacidade de expressar opiniões decididamente. O hábito de se esquivar de assuntos em vez de enfrentá-los diretamente. Concordar com os outros sem um exame cuidadoso de suas opiniões.
4. Complexo de inferioridade: o hábito de expressar aprovação pessoal como forma de encobrir o sentimento de inferioridade. Usar "palavras grandiosas" para impressionar os outros (muitas vezes sem saber o significado real das palavras). Imitar outros no jeito de vestir, de falar e nas maneiras. Gabar-se de realizações imaginárias e "agir com superioridade" para encobrir o fato de se sentir inferior.
5. Extravagância: o hábito de tentar "igualar o padrão do vizinho" e gastar mais do que ganha.
6. Falta de iniciativa: incapacidade de abraçar oportunidades de progresso, medo de expressar opiniões, falta de confiança nas próprias ideias, dar respostas evasivas a perguntas feitas por superiores, hesitação na atitude e no discurso, enganar com palavras e atos.
7. Falta de ambição: preguiça mental e física, falta de autoafirmação, lentidão para tomar decisões, ser muito facilmente influenciado, hábito de aceitar a derrota sem protestar ou abandonar um empreendimento diante de oposição. Também o hábito de criticar os outros pelas costas e elogiá-los em sua presença, suspeitar de outras pessoas sem

motivo, falta de tato no comportamento e na fala e relutância em aceitar a culpa pelos erros.

TERCEIRO MEDO BÁSICO: MEDO DA DOENÇA

Esse medo pode ser atribuído à hereditariedade física e social. Está intimamente associado às causas do medo da velhice e ao medo da morte. Tememos pela saúde devido às imagens terríveis que foram plantadas em nossa mente sobre o que pode acontecer se a morte nos vencer. Também temos esse medo por causa do custo financeiro que pode acarretar.

Um médico respeitável estima que 75% de todas as pessoas que vão ao médico sofrem de hipocondria (doença imaginária). Foi demonstrado que o medo da doença, mesmo quando não há a menor causa de medo, muitas vezes produz os sintomas físicos da doença temida. Forte e poderosa é a mente humana! Ela constrói ou destrói.

Em uma série de experimentos, minha equipe comprovou o quanto as pessoas são suscetíveis ao poder da sugestão. Pedimos a três conhecidos que encontrassem separadamente a "vítima". Eles foram instruídos a fazer a pergunta: "O que você tem? Parece terrivelmente doente". O primeiro interrogador provocou um sorriso e uma indiferença: "Ah, nada, estou bem". O segundo interrogador obteve a segunda resposta: "Não sei ao certo, mas me sinto mal". O terceiro ouviu a vítima admitir que estava realmente doente.

COMENTÁRIO

A experiência de Hill é uma que não convém levar longe demais. Não é tão diferente do princípio por trás de certas seitas religiosas cujos membros se vingam de seus inimigos "amaldiçoando" ou jogando um feitiço na vítima. O feitiço só funciona porque a vítima acredita que os feitiços podem ser lançados e que é possível ela ser amaldiçoada.

Quando a vítima amaldiçoada é informada de que alguém lançou um feitiço sobre ela, acredita que isso é possível, e sua mente faz o resto.

A mesma teoria funcionou quando o sujeito do experimento de Hill foi informado três vezes de que parecia doente. Ele acreditou que fosse possível, ouvir a mesma coisa três vezes foi convincente, e sua mente trabalhou naquilo.

Há evidências esmagadoras de que a doença às vezes começa na forma de um impulso de pensamento negativo. Esses pensamentos podem ser plantados em sua mente por sugestão ou criados por você mesmo.

Os médicos mandam pacientes cuidar da saúde em novos climas porque consideram necessária uma mudança de "atitude mental".

A semente do medo da doença está em toda mente humana. A preocupação, o medo, o desânimo ou o desapontamento podem fazer com que essa semente germine e cresça.

Sintomas do medo da doença

Os sintomas desse medo quase universal são:

1. Autossugestão: o hábito do uso negativo da autossugestão ao procurar e esperar encontrar sintomas de todos os tipos de doenças. "Desfrutar" de sua doença imaginária e falar dela como se fosse real. O hábito de experimentar "modas" e "ismos" recomendados por outros por seu valor terapêutico. Conversar sobre cirurgias, acidentes e outras formas de doença. Experimentar dietas, exercícios físicos e sistemas de perda de peso sem orientação profissional. Tentar remédios caseiros, medicamentos patenteados e remédios "mágicos".
2. Hipocondria (termo médico para doença imaginária): o hábito de falar excessivamente sobre doença e, ao concentrar a mente na doença, começar a esperar que ela sobrevenha. Nada que vem em frascos pode curar essa condição. A hipocondria é causada pelo pensamento

negativo, e nada além de pensamento positivo pode curá-la. Às vezes a hipocondria causa tanto dano quanto a doença real poderia causar.

3. Exercício: o medo da doença geralmente interfere na prática de exercício físico adequado e resulta em excesso de peso.
4. Suscetibilidade: o medo da doença reduz sua resistência natural, o que o torna suscetível a uma doença real. O medo da doença é muitas vezes relacionado ao medo da pobreza, especialmente no caso do hipocondríaco que constantemente se preocupa com ter que pagar a conta dos médicos, a conta do hospital etc. Esse tipo de pessoa passa muito tempo preparando-se para a doença, falando sobre a morte, economizando dinheiro para o jazigo no cemitério, despesas de enterro etc.
5. Autoindulgência: o hábito de buscar simpatia. O hábito de fingir doenças para encobrir a preguiça ou servir de álibi para a falta de ambição. (As pessoas frequentemente recorrem a esse truque para evitar o trabalho.)
6. Intemperança: o hábito de usar álcool ou drogas para aliviar a dor em vez de eliminar a causa.
7. O hábito de ler sobre doenças e se preocupar com a possibilidade de ser atingido por elas.

QUARTO MEDO BÁSICO: MEDO DA PERDA DO AMOR

O ciúme e outras formas semelhantes de neurose crescem a partir do medo da perda do amor de alguém. Esse medo é o mais doloroso de todos os seis medos básicos. Provavelmente causa mais estragos no corpo e na mente do que qualquer outro medo básico.

COMENTÁRIO

Como introdução a cada um dos seis medos básicos, Napoleon Hill geralmente postula como o medo se originou nos seres humanos. Na edição original deste livro, ele sugere que o medo da perda de amor poderia ter começado com o hábito do homem pré-histórico de roubar a companheira de seu vizinho e tomar liberdades com ela sempre que pudesse. Embora divertida, essa teoria não leva em consideração que as mulheres temem a perda de um amor tão profundamente quanto os homens. E tanto os homens como as mulheres temem perder o amor não só de seus companheiros, mas também de membros da família e outros de quem são próximos.

Como a emoção do amor surgiu pode continuar sendo um mistério, mas não há mistério sobre como nos sentimos quando a perdemos.

Sintomas do medo da perda de amor

Os sintomas distintivos desse medo são:

1. Ciúme: o hábito de desconfiar de amigos e entes queridos. O hábito de acusar a esposa ou o marido de infidelidade sem motivos. Desconfiança geral de todos e fé absoluta em ninguém.
2. Criticismo: o hábito de achar defeitos nos amigos, parentes, parceiros de negócios e entes queridos à menor provocação ou sem qualquer causa.
3. Jogo: o hábito de jogar, roubar, enganar e se arriscar de outras maneiras para dar dinheiro a entes queridos na crença de que o amor pode ser comprado. O hábito de gastar além de seus meios ou contrair dívidas para oferecer presentes para entes queridos a fim de causar uma boa impressão. Além disso, insônia, nervosismo, falta de persistência, fraqueza de vontade, falta de autocontrole, falta de autoconfiança, mau humor.

QUINTO MEDO BÁSICO: MEDO DA VELHICE

Em geral, esse medo cresce de duas fontes. Primeiro, o pensamento de que a velhice pode trazer pobreza. Em segundo lugar, a preocupação que muitos têm em relação ao que pode esperá-los no além.

A causa mais comum do medo da velhice está associada à possibilidade de pobreza. "Asilo" não é uma palavra bonita. Provoca arrepios em cada pessoa que enfrenta a possibilidade de ter que passar os anos de declínio vivendo de alguma forma de caridade.

A possibilidade de doença, que é mais comum à medida que as pessoas envelhecem, também é uma causa que contribui para o medo comum da velhice, bem como a preocupação com a diminuição da sexualidade. Outra causa do medo da velhice é a possibilidade de perda de liberdade e independência, já que a velhice pode trazer a perda da autonomia física e econômica.

Sintomas do medo da velhice

Os sintomas mais comuns desse medo são:

1. Falta de entusiasmo: tendência para desacelerar e desenvolver um complexo de inferioridade, acreditando erroneamente que você está "declinando" por causa da idade. O hábito de matar a iniciativa, a imaginação e a autossuficiência ao acreditar erroneamente que você é muito velho para ter essas qualidades.
2. Acanhamento na fala: o hábito de falar se desculpando por "ser velho" simplesmente porque chegou aos 40 ou 50 anos em vez de reverter a regra e expressar gratidão por ter atingido a idade da sabedoria e da compreensão.

3. Roupas e atitudes impróprias: tentar parecer muito mais jovem do que é, exagerar na tentativa de acompanhar o estilo e os maneirismos da juventude.

SEXTO MEDO BÁSICO: MEDO DA MORTE

Para alguns, esse é o mais cruel de todos os medos básicos. A razão é óbvia. As terríveis dores do medo associadas ao pensamento da morte podem ser imputadas ao fanatismo religioso na maioria dos casos. Os chamados "pagãos" têm menos medo da morte do que os mais "civilizados". Por centenas de milhões de anos, repetimos as perguntas que ainda não foram respondidas: de onde venho e para onde estou indo?

Nas eras mais obscuras do passado, os mais ardilosos e astutos não demoravam a oferecer a resposta para essas perguntas por um preço.

"Entre na minha tenda, abrace minha fé, aceite meus dogmas e lhe darei um ingresso que vai garantir sua entrada no céu quando você morrer", diz o líder religioso. "Continue fora da minha tenda", diz o mesmo líder, "e o diabo o levará para queimar pela eternidade."

O pensamento do castigo eterno destrói o interesse pela vida e torna a felicidade impossível.

Embora o líder religioso talvez não seja capaz de realmente fornecer o salvo-conduto para o céu ou mandá-lo para o inferno, a possibilidade deste último parece terrível. A ideia se apodera da imaginação de maneira tão realista que paralisa a razão e instala o medo da morte.

O medo da morte não é tão comum agora como era no tempo em que não havia grandes faculdades e universidades. As pessoas da ciência direcionaram o holofote da verdade para o mundo, e essa verdade vem libertando rapidamente homens e mulheres do medo terrível da morte. Os jovens que frequentam as faculdades e as universidades não são facilmente impressionados por fogo e enxofre. Graças ao conhecimento, os medos da era das trevas que dominavam a mente foram dissipados.

O mundo inteiro é composto por apenas quatro coisas: tempo, espaço, energia e matéria. Na física elementar, aprendemos que nem a matéria nem a energia (as únicas duas realidades conhecidas pelo homem) podem ser criadas ou destruídas. Tanto a matéria quanto a energia podem ser transformadas, mas nenhuma delas pode ser destruída.

A vida é energia. Se nenhuma energia ou matéria pode ser destruída, é claro que a vida não pode ser destruída. A vida, como outras formas de energia, pode passar por vários processos de transição ou mudança, mas não pode ser destruída. A morte é mera transição.

E, se a morte não é mera mudança ou transição, então nada vem depois dela, exceto um longo, eterno e pacífico sono, e no sono não há nada a temer. Se você é capaz de aceitar a lógica disso, também pode destruir para sempre seu medo da morte.

Sintomas do medo da morte

Os sintomas gerais desse medo são:

1. O hábito de pensar sobre morrer em vez de aproveitar a vida ao máximo. Isso geralmente é devido à falta de propósito ou à falta de uma ocupação adequada. Esse medo é mais prevalente entre os idosos, mas às vezes os mais jovens são vítimas dele. O maior de todos os remédios para o medo da morte é um desejo ardente de realização, apoiado por um serviço útil aos outros. Uma pessoa ocupada raramente tem tempo para pensar em morrer. Uma pessoa ocupada também acha a vida emocionante demais para se preocupar com a morte.
2. Às vezes o medo da morte está intimamente associado ao medo da pobreza, quando a morte deixaria entes queridos na pobreza.
3. Em outros casos, o medo da morte é causado por doença e pela degradação da resistência física do corpo.

4. As CAUSAS MAIS COMUNS DO MEDO DA MORTE são doença, pobreza, falta de ocupação apropriada, decepção no amor, insanidade e fanatismo religioso.

O DESASTRE DA PREOCUPAÇÃO E DO PENSAMENTO DESTRUTIVO

A preocupação é um estado mental baseado no medo. Funciona lentamente, mas de maneira persistente. É insidiosa e sutil. Passo a passo, penetra até paralisar a faculdade do raciocínio e destruir autoconfiança e iniciativa. A preocupação é uma forma de medo contínuo causada pela indecisão. Portanto, é um estado mental que pode ser controlado.

Uma mente instável é impotente. A indecisão deixa a mente instável. A maioria dos indivíduos não tem força de vontade para chegar às decisões prontamente e sustentá-las depois de tomadas.

Não nos preocupamos com as condições depois que tomamos a decisão de seguir uma linha de ação definida. Uma vez entrevistei um homem condenado à morte que seria eletrocutado duas horas depois. O condenado era o mais calmo dos oito homens que estavam no corredor da morte. Sua calma me levou a perguntar como era saber que entraria na eternidade em pouco tempo. Com um sorriso confiante no rosto, ele disse: "É bom. Pense nisso, irmão, meus problemas acabarão em breve. Não tive nada além de problemas durante toda a vida. Foi uma dificuldade conseguir comida e roupas. Em breve não precisarei dessas coisas. Me sinto bem desde que soube com certeza que vou morrer. Decidi aceitar meu destino com boa disposição".

Enquanto falava, ele devorou um jantar suficiente para três homens, comendo cada bocado da comida e aparentemente saboreando-a como se nenhum desastre o aguardasse. A decisão deu a esse homem a resignação com seu destino. A decisão também pode impedir a aceitação de circunstâncias indesejadas.

Com a indecisão, os seis medos básicos são traduzidos em um estado de preocupação. Alivie o medo da morte tomando a decisão de aceitar a morte como um evento inevitável. Elimine o medo da velhice tomando a decisão de aceitá-la não como uma desvantagem, mas como uma grande bênção que traz consigo sabedoria, autocontrole e compreensão. Domine o medo da perda do amor tomando a decisão de seguir em frente sem amor, se necessário. Derrote o medo da crítica tomando a decisão de não se preocupar com o que outras pessoas pensam, fazem ou dizem. Supere o medo da doença tomando a decisão de esquecer os sintomas. E elimine o medo da pobreza tomando a decisão de viver com qualquer riqueza que possa acumular sem se preocupar.

Elimine o hábito da preocupação em todas as suas formas, tomando a decisão geral de que nada que a vida tem a oferecer vale o preço da preocupação. Com essa decisão, haverá equilíbrio, paz mental e calma de pensamento, o que trará felicidade.

Se sua mente está cheia de medo, você não só destrói as próprias chances de ação inteligente, como também transmite essas vibrações destrutivas à mente de todos que entrarem em contato com você, e também destrói as chances deles.

Até um cachorro ou cavalo sabe quando o dono não tem coragem. Ele absorve as vibrações de medo que o dono projeta e se comporta de acordo.

As vibrações do medo passam de uma mente para outra com a mesma rapidez e certeza com que o som da voz humana passa da estação de transmissão para um receptor de rádio.

É praticamente certo que a pessoa que fala constantemente de pensamentos negativos ou destrutivos vai sentir os resultados dessas palavras na forma de retorno destrutivo. Mas até os pensamentos negativos sem palavras voltam para você. A liberação de impulsos de pensamento destrutivo por si só também gera retorno de várias formas. Primeiro, e talvez o mais importante a lembrar, a pessoa que libera pensamentos de natureza destrutiva deve sofrer as consequências danosas pela degradação da imaginação criativa. Em segundo lugar, a presença de qualquer emoção destrutiva na mente desenvolve uma personalidade negativa, que repele as pessoas e muitas vezes as converte em antagonistas. A terceira fonte de dano é que os pensamentos negativos não só afetam os outros, mas também se embutem na mente subconsciente da pessoa que os libera e se tornam parte do caráter dessa pessoa.

Seu negócio na vida é alcançar o sucesso. Para ser bem-sucedido, você deve encontrar a paz mental, adquirir as necessidades materiais da vida e, acima de tudo, alcançar a felicidade. Todas essas indicações de sucesso começam na forma de impulsos de pensamento.

Você controla a própria mente; tem o poder de alimentá-la, sejam quais forem os impulsos de pensamento que escolher. Com isso, vem a responsabilidade de usar sua mente de forma construtiva. Você é o mestre de seu destino na Terra, da mesma forma que tem o poder de controlar os próprios pensamentos. Você pode influenciar, direcionar e, por fim, controlar seu ambiente, tornando sua vida o que quer que ela seja. Ou pode descuidar de fazer da sua vida o que quer e ficar à deriva nos mares da "circunstância", onde será jogado como um pedaço de madeira pelas ondas do oceano.

A oficina do diabo

Além dos seis medos básicos, há outro mal de que as pessoas sofrem. Trata-se de um terreno fértil onde as sementes do fracasso crescem abundantemente. É tão sutil que sua presença muitas vezes não é detectada. É mais profundamente enraizado e mais frequentemente fatal do que todos os seis medos. Por falta de um nome melhor, vamos chamar esse mal de *suscetibilidade a influências negativas*.

Aqueles que acumulam grande riqueza sempre se protegem contra influências negativas. Os pobres nunca fazem isso. Aqueles que alcançam sucesso em qualquer vocação devem preparar a mente para resistir a essas influências. Se você está lendo este livro para aprender a enriquecer, deve examinar-se com muito cuidado para determinar se é suscetível a influências negativas. Se negligenciar essa autoanálise, estará abrindo mão do direito de alcançar o objeto de seus desejos.

Faça sua análise. Ao ler as perguntas a seguir, seja duro consigo. Cumpra a tarefa com o mesmo cuidado que teria se estivesse procurando um inimigo que sabe estar à espreita para emboscá-lo. Você deve lidar com as próprias falhas como faria com um inimigo real e sério.

Você pode proteger-se facilmente contra inimigos reais porque há leis, polícia e tribunais para lidar com eles. Mas esse "sétimo mal básico" é mais difícil de dominar porque ataca quando você não está ciente de sua presença, quando está dormindo e quando está acordado. Além disso, sua arma é intangível, pois consiste apenas de um estado mental. As influências negativas também são perigosas porque chegam de muitas formas diferentes. Às vezes, entram na mente com as palavras bem-intencionadas de amigos e parentes. Em outras ocasiões, vêm de dentro, em sua própria atitude mental. É sempre tão mortal quanto veneno, mesmo que não mate tão rapidamente.

Como se proteger contra influências negativas

Para se proteger contra influências negativas, seja as que você mesmo cria, seja as que resultam de pessoas negativas ao seu redor, reconheça que sua força de vontade é sua defesa. Você deve colocá-la em uso constante até construir uma muralha de imunidade contra influências negativas em sua mente.

Reconheça que você e todos os outros seres humanos são por natureza preguiçosos, indiferentes e suscetíveis a todas as sugestões que reforçam suas fraquezas.

Reconheça que você é por natureza suscetível a todos os seis medos básicos e deve criar hábitos para contra-atacar todos esses medos.

Reconheça que influências negativas muitas vezes agem em você por intermédio de sua mente subconsciente e, portanto, são difíceis de detectar. Mantenha a mente fechada para todas as pessoas que o deprimem ou desencorajam de alguma maneira.

Esvazie seu armário de remédios e pare de dar tanta atenção a resfriados, dores, incômodos e doenças imaginárias.

Procure deliberadamente a companhia de pessoas que o influenciem a pensar e agir por si mesmo.

Não espere problemas, pois eles tendem a não decepcionar.

Sem dúvida a fraqueza mais comum de todos os seres humanos é o hábito de deixar a mente aberta às influências negativas de outras pessoas. Essa fraqueza é ainda mais prejudicial porque a maioria das pessoas nem sabe disso.

A seguinte lista de perguntas foi projetada para ajudá-lo a se ver como você realmente é. Você deve ler a lista agora, depois reservar um dia quando em que dedicar o tempo adequado para repassar a lista e responder a cada pergunta minuciosamente. Quando fizer isso, aconselho que leia as perguntas e dê suas respostas em voz alta para poder ouvir a própria voz. Assim fica mais fácil ser sincero consigo.

PERGUNTAS DE AUTOANÁLISE

Você se queixa muitas vezes de "sentir-se mal", e, em caso afirmativo, qual é a causa?

Você procura defeitos nas outras pessoas frente à menor provocação?

Você comete erros frequentes no trabalho, e, em caso afirmativo, por quê?

Você é sarcástico e ofensivo em suas conversas?

Você evita deliberadamente a companhia de alguém, e, em caso afirmativo, por quê?

Você sofre frequentemente de indigestão? Em caso afirmativo, qual é a causa?

A vida parece inútil e o futuro sem esperança para você?

Você gosta da sua ocupação? Se não, por quê?

Você costuma sentir autopiedade, e, em caso afirmativo, por quê?

Você tem inveja daqueles que o superam?

A que você dedica mais tempo: pensar no sucesso ou no fracasso?

Você está ganhando ou perdendo autoconfiança à medida que envelhece?

Você aprende algo de valor com todos os erros?

Você permite que algum parente ou conhecido o deixe preocupado? Se sim, por quê?

Você às vezes fica animado com a vida e outras vezes afunda no desânimo?

Quem tem a influência mais inspiradora sobre você, e por quê?

Você tolera influências negativas ou desencorajadoras que poderia evitar?

Você descuida da aparência pessoal? Em caso afirmativo, quando e por quê?

Você aprendeu a ignorar seus problemas se ocupando o suficiente para não ser incomodado por eles?

Você se chamaria de "fraco e sem fibra" se permitisse que outras pessoas pensassem por você?

Quantos distúrbios evitáveis o irritam e por que você os tolera?

Você recorre ao álcool, drogas, cigarros ou outras compulsões para "acalmar os nervos"? Em caso afirmativo, por que não tenta usar a força de vontade?

Alguém o "importuna", e, em caso afirmativo, por que motivo?

Você tem um objetivo principal definido, e, em caso afirmativo, que plano tem para alcançá-lo?

Você sofre de algum dos seis medos básicos? Em caso afirmativo, quais?

Você desenvolveu um método para se proteger contra a influência negativa dos outros?

Você usa a autossugestão para tornar sua mente positiva?

O que você valoriza mais: seus bens materiais ou o privilégio de controlar os próprios pensamentos?

Você é facilmente influenciado por outros contra seu próprio julgamento?

O dia de hoje adicionou algo de valor ao seu estoque de conhecimento ou estado mental?

Você enfrenta diretamente as circunstâncias que o deixam infeliz ou foge da responsabilidade?

Você analisa todos os erros e fracassos e tenta lucrar com eles ou assume a atitude de que isso não é seu dever?

Você pode nomear três das suas fraquezas mais prejudiciais? O que está fazendo para corrigi-las?

Você encoraja outras pessoas a trazerem suas preocupações a você por simpatia?

Você escolhe, em suas experiências diárias, lições ou influências que ajudam no seu progresso pessoal?

Via de regra, sua presença tem uma influência negativa sobre outras pessoas?

Que hábitos de outras pessoas o irritam mais?

Você forma as próprias opiniões ou se deixa influenciar por outras pessoas?

Você aprendeu a criar um estado mental com o qual pode se proteger contra todas as influências desencorajadoras?

Sua ocupação lhe inspira fé e esperança?

Você está consciente de ter forças espirituais com poder suficiente para permitir que mantenha a mente livre de todas as formas de medo?

Sua religião ajuda a manter a mente positiva?

Você sente que é seu dever compartilhar das preocupações de outras pessoas? Em caso afirmativo, por quê?

Se você acredita que "semelhante atrai semelhante", o que aprendeu ao estudar os amigos que atrai?

Que conexão, se houver, você vê entre as pessoas com quem se associa mais intimamente e qualquer infelicidade que possa experimentar?

Seria possível uma pessoa que você considera um amigo ser, na realidade, seu pior inimigo por causa da influência negativa em sua mente?

Por quais regras você julga quem é útil e quem é prejudicial para você?

Os seus associados mais próximos são mentalmente superiores ou inferiores a você?

Quanto tempo de cada 24 horas você dedica a:

- sua ocupação
- dormir
- se divertir e relaxar
- adquirir conhecimentos úteis
- tempo desperdiçado

Quem entre os seus conhecidos:

- mais o incentiva
- mais o adverte
- mais o desencoraja

Qual é a sua maior preocupação? Por que você a tolera?

Quando outros oferecem conselhos gratuitos e não solicitados, você aceita sem questionar ou analisa seu motivo?

O que você deseja acima de tudo? Pretende conseguir? Está disposto a subordinar todos os outros desejos a este? Quanto tempo dedica diariamente a realizá-lo?

Você muda de ideia com frequência? Em caso afirmativo, por quê?

Você costuma terminar tudo o que começa?

Você se impressiona facilmente com os títulos comerciais ou profissionais de outras pessoas, graduações ou riqueza?

Você é facilmente influenciado pelo que outras pessoas pensam ou dizem sobre você?

Você atende pessoas por causa de seu *status* social ou financeiro?

Quem você acredita ser a maior pessoa viva? Em que aspecto essa pessoa é superior a você?

Quanto tempo você dedicou a estudar e a responder a essas perguntas? (Pelo menos um dia é necessário para análise e resposta da lista toda.)

Se você respondeu a todas essas perguntas com sinceridade, sabe mais sobre si do que a maioria das pessoas. Estude cuidadosamente as perguntas, volte a elas uma vez por semana durante vários meses e se surpreenda com a quantidade de conhecimento adicional de grande valor que terá adquirido pelo método simples de responder às perguntas com sinceridade. Se não tem certeza das respostas para algumas das perguntas, peça ajuda àqueles que o conhecem bem, especialmente àqueles que não têm motivos para lisonjeá-lo e que sejam sinceros. A experiência será surpreendente.

A ÚNICA COISA SOBRE A QUAL VOCÊ TEM TOTAL CONTROLE

Você tem controle total sobre apenas uma coisa – seus pensamentos. Esse é o mais significativo e inspirador de todos os fatos conhecidos pelos humanos. Ele reflete nossa natureza divina. A capacidade de controlar os pensamentos é o único meio pelo qual você pode controlar o próprio destino. Se você não consegue controlar a própria mente, pode ter certeza de que não vai controlar mais nada. A mente é sua propriedade espiritual. Proteja-a e use-a com o cuidado ao qual a realeza divina tem direito. Você recebeu sua força de vontade para esse propósito.

Infelizmente, não há proteção legal contra aqueles que, por intenção ou ignorância, envenenam a mente de outras pessoas com sugestão negativa.

Gente com a mente negativa tentou convencer Thomas Edison de que ele não poderia construir uma máquina que gravasse e reproduzisse a voz humana, "porque", disseram, "ninguém havia produzido uma máquina dessas". Edison não acreditou neles. Ele sabia que a mente poderia produzir qualquer coisa que ela pudesse conceber e acreditar. Esse conhecimento foi o que elevou o grande Edison acima do rebanho comum.

Homens com a mente negativa disseram a F. W. Woolworth que ele faliria tentando administrar uma loja de produtos vendidos a cinco e dez centavos. Ele não acreditou neles. Sabia que poderia fazer qualquer coisa, dentro do razoável, se amparasse seus planos com fé. Exercitando seu direito de evitar as sugestões negativas, ele acumulou uma fortuna de mais de US$ 100 milhões.

Os incrédulos zombaram com desdém quando Henry Ford testou nas ruas de Detroit seu primeiro automóvel rusticamente construído. Alguns disseram que a coisa nunca se tornaria prática. Outros disseram que ninguém daria dinheiro por aquela engenhoca. Ford disse: "Vou cobrir a terra com automóveis confiáveis", e assim o fez. Para o bem daqueles que buscam vasta riqueza, convém lembrar que praticamente a única diferença entre

Henry Ford e a maioria dos trabalhadores é a seguinte: Ford tinha uma mente e a controlava. Os outros têm mentes que não tentam controlar.

O controle da mente é resultado de autodisciplina e hábito. Ou você controla sua mente, ou ela controla você. Não existe meio-termo. O método mais prático para controlar a mente é o hábito de mantê-la ocupada com um objetivo definido apoiado por um plano definido. Estude o histórico daqueles que alcançaram sucesso notável e você verá que eles têm controle sobre a própria mente e exercitam esse controle, direcionando a mente para a realização de objetivos definidos. Sem esse controle, o sucesso não é possível.

55 FAMOSOS ÁLIBIS COM O FAMOSO "SE"

As pessoas que não alcançam o sucesso têm uma característica em comum. Conhecem todos os motivos do fracasso e têm o que acreditam ser álibis impenetráveis para explicar falta de sucesso.

Alguns desses álibis são inteligentes e alguns são justificáveis pelos fatos. Mas os álibis não podem ser usados como dinheiro. O mundo só quer saber uma coisa: você conquistou o sucesso?

Um analista de personalidade compilou uma lista dos álibis mais utilizados. Ao ler a lista, examine-se cuidadosamente e determine quantos desses álibis você usa. Lembre-se, a filosofia apresentada neste livro torna cada um desses álibis obsoleto.

Se eu não tivesse esposa e família...

Se eu tivesse "impulso" suficiente...

Se eu tivesse dinheiro...

Se eu tivesse uma boa educação...

Se eu pudesse conseguir um emprego...

Se eu tivesse boa saúde...

Se ao menos eu tivesse tempo...

Se os tempos fossem melhores...

Se as outras pessoas me entendessem...

Se as condições ao meu redor fossem diferentes...

Se eu pudesse viver minha vida novamente...

Se eu não temesse o que "eles" vão falar...

Se tivesse tido uma chance...

Se eu tivesse uma chance agora...

Se outras pessoas não "me perseguissem"...

Se não acontecer nada para me impedir...

Se eu fosse mais jovem...

Se eu pudesse fazer o que quero...

Se eu tivesse nascido rico...

Se eu pudesse conhecer "as pessoas certas"...

Se eu tivesse o talento que algumas pessoas têm...

Se eu ousasse me impor...

Se eu tivesse abraçado as oportunidades passadas...

Se as pessoas não me deixassem nervoso...

Se eu não tivesse que cuidar da casa e dos filhos...

Se eu pudesse poupar algum dinheiro...

Se o chefe me reconhecesse...

Se eu tivesse alguém para me ajudar...

Se minha família me entendesse...

Se eu vivesse em uma cidade grande...

Se eu pudesse ao menos começar...

Se eu fosse livre...

Se eu tivesse a personalidade de algumas pessoas...

Se eu não fosse tão gordo...

Se meus reais talentos fossem reconhecidos...

Se eu tivesse uma "oportunidade"...

Se eu pudesse sair da dívida...

Se eu não tivesse fracassado...

Se eu soubesse como...

Se todos não estivessem contra mim...

Se eu não tivesse tantas preocupações...

Se eu pudesse me casar com a pessoa certa...

Se as pessoas não fossem tão idiotas...

Se minha família não fosse tão extravagante...

Se eu tivesse confiança em mim mesmo...

Se a sorte não estivesse contra mim...

Se eu não tivesse nascido com a estrela errada...

Se não fosse verdade que "o que tem que ser será"...

Se eu não tivesse que trabalhar tão duro...

Se eu não tivesse perdido meu dinheiro...

Se eu morasse em um bairro diferente...

Se eu não tivesse um "passado"...

Se eu tivesse um negócio próprio...

Se outras pessoas ao menos me ouvissem...

Se – e este é o maior de todos – eu tivesse a coragem de me ver como realmente sou, descobriria o que estava errado em mim e corrigiria. E sei que algo deve estar errado na maneira como fiz as coisas, ou já teria o sucesso que desejo. Reconheço que algo deve estar errado comigo, caso contrário, teria passado mais tempo analisando meus pontos fracos e menos tempo construindo álibis para encobri-los.

Construir álibis para explicar o fracasso é um passatempo nacional. O hábito é tão antigo quanto a raça humana e é fatal para o sucesso. Por que as pessoas se apegam a álibis de estimação? A resposta é óbvia. Elas defendem seus álibis porque os criam. Seu álibi é filho da sua imaginação. É da natureza humana defender as próprias ideias.

Construir álibis é um hábito profundamente enraizado. Hábitos são difíceis de quebrar, especialmente quando fornecem justificativa para algo que fazemos. Platão pensava nessa verdade quando disse: "A primeira e a melhor vitória é conquistar a si mesmo. Ser conquistado pelo eu é, de todas as coisas, a mais vergonhosa e vil".

Outro filósofo teve o mesmo pensamento em mente quando disse: "Foi uma grande surpresa para mim quando descobri que a maior parte da feiura que via nos outros era apenas um reflexo da minha própria natureza".

Elbert Hubbard, filósofo, autor, editor da revista *The Fra* e fundador da comunidade de artistas Roy Crofters, disse: "Sempre foi um mistério para mim por que as pessoas passam tanto tempo deliberadamente se enganando, criando álibis para encobrir suas fraquezas. Se usado de forma diferente, esse mesmo tempo seria suficiente para superar a fraqueza, então não seriam necessários álibis".

Ao me despedir, um lembrete: "A vida é um tabuleiro de xadrez, e o jogador na sua frente é o tempo. Se você hesitar antes de fazer o movimento ou se não fizer o movimento prontamente, suas peças serão varridas do tabuleiro pelo tempo. Você está jogando contra um parceiro que não tolera indecisão!".

Anteriormente, você podia ter uma desculpa lógica para não ter forçado a vida a entregar o que você pediu. Esse álibi agora é obsoleto, porque você está de posse da chave mestra que abre a porta para as riquezas da vida.

A chave mestra é intangível, mas poderosa. É o privilégio de criar em sua mente um desejo ardente de uma forma definida de riqueza. Não há penalidade pelo uso dessa chave, mas há um preço que você deve pagar se não usá-la. O preço é o fracasso. Há uma recompensa de proporções estupendas se você puser a chave em uso. É a satisfação que virá quando você conquistar o eu e forçar a vida a pagar o que for pedido.

A recompensa é digna do seu esforço. Você vai dar o primeiro passo e se convencer?

"Se temos alguma relação", disse o imortal Emerson, "nos encontraremos". Ao encerrar, posso tomar emprestado seu pensamento e dizer: "Se temos alguma relação, nós, por meio destas páginas, nos encontramos".

LEMBRE-SE DE QUE

A SUA REAL RIQUEZA

PODE SER MEDIDA

NÃO PELO QUE VOCÊ TEM,

MAS PELO QUE VOCÊ É

GROW
RICH

Uma série de artigos inéditos do homem que mais influenciou líderes e empreendedores no mundo. Esses ensaios, que contêm ensinamentos sobre a natureza da prosperidade e como alcançá-la e oferecem *insight* sobre a popularidade e o estilo envolvente do autor como orador e escritor motivacional, são publicados aqui em forma de livro pela primeira vez.

Fascinante, provocativo e encorajador, *Mais Esperto que o Diabo* mostra como criar a sua própria senda para o sucesso, harmonia e realização em um momento de tantas incertezas e medos. Após ler este livro você saberá como se proteger das armadilhas do Diabo e será capaz de libertar sua mente de todas as alienações.

"Medo é a ferramenta de um Diabo idealizado pelo homem."

Sua mente é um talismã secreto. De um lado é dominado pelas letras AMP (Atitude Mental Positiva) e, por outro, pelas letras AMN (Atitude Mental Negativa). Uma atitude positiva irá, naturalmente, atrair sucesso e prosperidade. A atitude negativa vai roubá-lo de tudo que torna a vida digna de ser vivida. Seu sucesso, saúde, felicidade e riqueza, dependem de qual lado você irá usar.

O manuscrito original - As leis do triunfo e do sucesso de Napoleon Hill ensina o que fazer para ser bem-sucedido na vida. Sucesso é mais do que acumular dinheiro e exige mais do que uma mera vontade de chegar lá. Napoleon Hill explica didaticamente como pensar e agir de modo positivo e eficiente e como conseguir a ajuda dos outros para a realização de objetivos.

THE NAPOLEON HILL FOUNDATION

What the mind can conceive and believe, the mind can achieve

O Grupo MasterMind – Treinamentos de Alta Performance é a única empresa autorizada pela Fundação Napoleon Hill a usar sua metodologia em cursos, palestras, seminários e treinamentos no Brasil e demais países de língua portuguesa.

Mais informações:
www.mastermind.com.br

\ information can be obtained
w.ICGtesting.com
l in the USA
/091257260122
9BV00015B/1068

9 788568 014547